銀翼のイカロス
Icarus—
Flying on
Silver Wings
池井戸潤
Jun Ikeido
ダイヤモンド社

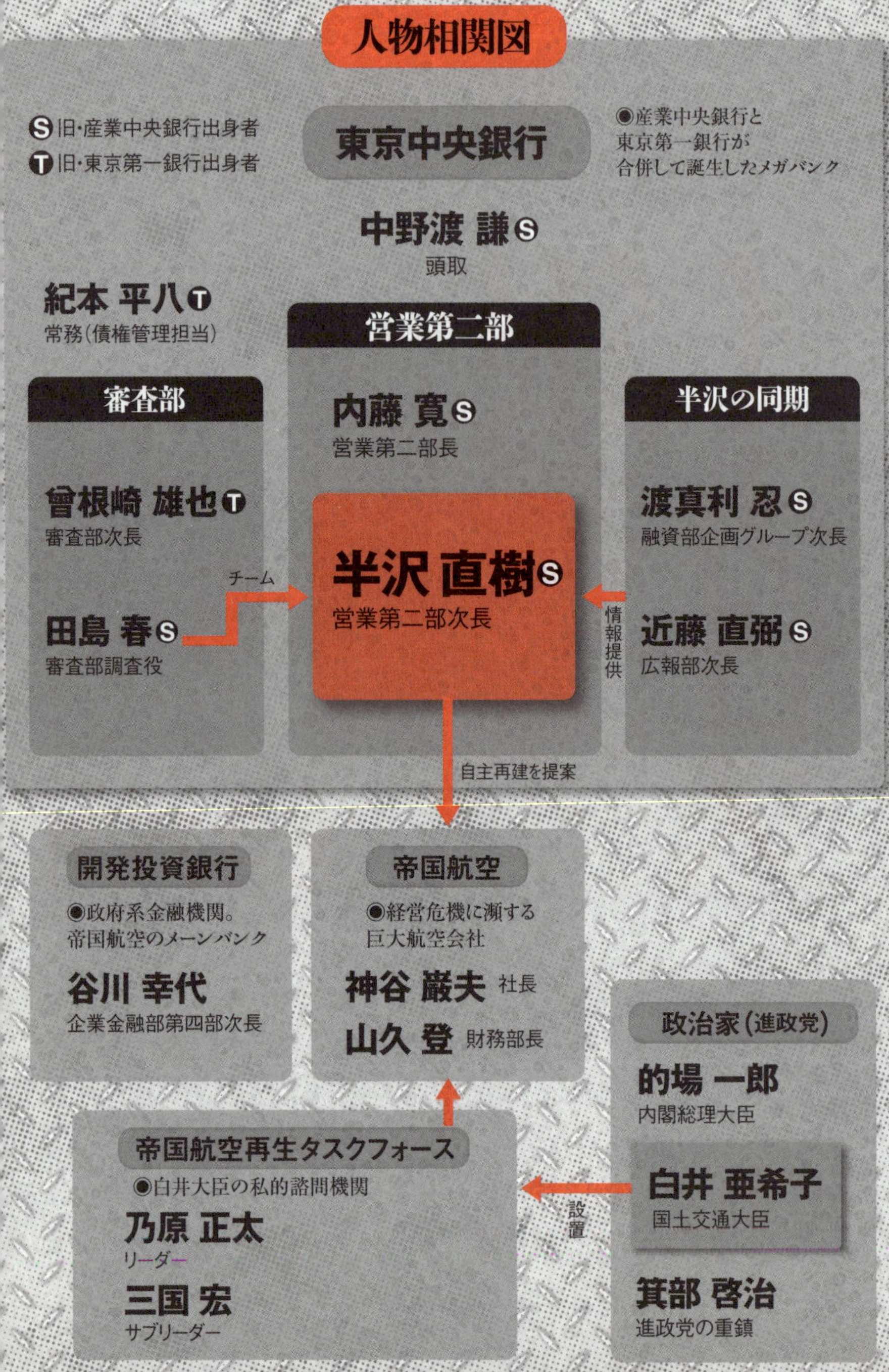
人物相関図
S 旧・産業中央銀行出身者
T 旧・東京第一銀行出身者
東京中央銀行
◉産業中央銀行と
東京第一銀行が
合併して誕生したメガバンク
中野渡 謙 S
頭取
紀本 平八 T
常務(債権管理担当)
営業第二部
内藤 寛 S
営業第二部長
審査部
曾根崎 雄也 T
審査部次長
田島 春 S
審査部調査役
チーム
半沢 直樹 S
営業第二部次長
半沢の同期
渡真利 忍 S
融資部企画グループ次長
近藤 直弼 S
広報部次長
情報提供
自主再建を提案
開発投資銀行
◉政府系金融機関。
帝国航空のメーンバンク
谷川 幸代
企業金融部第四部次長
帝国航空
◉経営危機に瀕する
巨大航空会社
神谷 巌夫 社長
山久 登 財務部長
政治家(進政党)
的場 一郎
内閣総理大臣
白井 亜希子
国土交通大臣
箕部 啓治
進政党の重鎮
設置
帝国航空再生タスクフォース
◉白井大臣の私的諮問機関
乃原 正太
リーダー
三国 宏
サブリーダー

銀翼のイカロス

目次

妙子《たえこ》へ。
四十年間、支えてくれてありがとう。
苦しいときも悲しいときも、一緒にいてくれた。
夕べのご飯、うまかったよ。
ずっと君の手料理を食べて、笑って暮らしていけたらどれだけ幸せだったろう。
本当にずっと、ずっと、そうしていたかった。

早紀《さき》へ。
いまでも目を閉じると、子供のころのお前が浮かぶ。かわいらしくて泣き虫で、おてんばだった。公園でいじめっ子に会うと、一目散に私のところに走ってきて背中に隠れていたっけ。その思い出は、私にとってかけがえのない宝物だ。

私はいなくなるが、これからも美しく、凛《りん》として生きなさい。そして優しく賢い母になれ。生まれてくる赤ちゃんを、一度、この手で抱きたかった。それだけが心残りだ。敏夫《としお》君と幸せに暮らせ。寂しがり屋の母さんを、頼む。

職場の諸君。長きに亘《わた》り、お世話になった。

銀行という戦場で、日々業務に邁進できたのは、皆さんのご指導、ご鞭撻《べんたつ》のお陰だ。与えられた職務を途中で放り出すことは、慚愧《ざんき》に堪えない。

だが、あまりにも私は疲れてしまった。

新銀行の将来が、夢と希望の光に満ち溢れんことを、心から祈念する。

牧野《まきの》　治《おさむ》

遺書は、書斎の机の上にひっそりと置かれていた。

二枚の便せんに分けて書かれた文面はあまりにも潔く、従容《しょうよう》としていたが、死とはそんな簡単なものであろうか。

この男にとって、人生とはなんであったのか。

そして、この男の死に、どんな事情があったのか。

そもそもこの手紙には、誰もが知りたいと思う、肝心なことが書かれてはなかった。

故に、この男の死は様々な憶測と疑念を呼んだが、それらの騒擾《そうじょう》もやがて死という絶対的現実を前にして、沈黙を余儀なくされた。

南向きの書斎からは、隣接する公園の満開の桜が見えた。その花びらに見送られ、男が自ら人生にピリオドを打ったのは、東の空が明けやらぬ、早春の未明のことであった。

その死は、男がひとり抱え込んだ苦悩を、永久に封印したかに——見えた。

序章　ラストチャンス

1

半沢直樹《はんざわなおき》が、営業第二部長の内藤寛《ないとうひろし》に呼び出されたのは、十月の午後五時前のことだった。

ちょうど朝から降り続いた冷たい雨が止み、雨雲の切れ間から晩秋の錆《さ》び付いたような夕焼けがオフィス街を染め上げている。デスクからその光景を一瞥《いちべつ》した半沢は美しさに息を呑《の》み、心を奪われたかのように動きを止めたが、すぐに視線を引きはがしてフロア最奥にある部長室へと足早に向かった。

「先ほどの役員会で、営業第二部で新たに一社、担当せよということになってね。ついては君に頼みたい。当部としても現状で手一杯だと抵抗はしたんだが、頭取の意向もあって押し切られた」

「頭取の？」

思いがけない話に半沢は顔を上げた。頭取が一企業の所管先にまで口を挟むなど、そうあることではない。なにかあると直感したのと、ひとつの社名が内藤から発せられたのは、同時だった。

「実は、その会社というのは帝国航空でね」

「帝国航空……」

部長室に、しばし重苦しい沈黙が落ちた。「あそこは、審査部に入院中でしょう。しかも、重病患者じゃないですか」

審査部は、業績不振に陥った大手企業を専門に担当する部署で、通称、〝病院〟。業績不振の帝国航空は、長年に亘《わた》る審査部の担当先だ。

「なんでウチなんです。同社の業績からいって審査部で担当するのが妥当ではないんですか」

非難めいたものを口調に込めたつもりだが、

「審査部は、帝国航空の業績悪化に歯止めをかけることができなかった」

内藤は表情ひとつ変えることなく淡々と続ける。「そのことが役員会で指摘されて――いや、端的に言ってしまえば頭取の信頼を損なって、営業第二部でという話になったわけだ。それにここだけの話だが、商事が同社への出資を検討しているらしい。それならウチで担当する意味もある」

東京中央銀行で、「商事」といえば、同資本系列の東京中央商事のことだ。

「商事が？　何も聞いてませんが」

聞き捨てならぬ話である。「どういうことです」

「物流部門のテコ入れを目指してるんだろう。帝国航空に出資して関係を強化すれば、空輸部門で〝商事〟の体制は盤石になる」

たしかに、商事が帝国航空との関係を模索しているとの噂はあった。だが、実務担当である半沢たちが、その話を具体的に持ちかけられたことはない。もっとも、業務内容によっては時に競合相手となる商事のことだ。カネに絡むことだからといって、常に銀行に相談を持ちかけてくるわけでもない。

「商事が出資をするのは勝手ですが、ウチが出資候補先の帝国航空まで面倒を見る必然性があるんですか」

疑問を呈した半沢に、内藤は、「必然性はないな」、とあっさり認めた。「ただ――諸般の事情がある」

椅子の背から体を離したとき、内藤の表情はふいに引き締められていた。「まず、君も知っての通り、帝国航空の業績不振は著しい。今年八月に新たな再建計画を発表したばかりだが、実はすでに計画の達成が難しくなっている。それと関連することだが、短期間のうちに資金繰りが悪化する可能性もある」

「当行に支援要請は」

「いまのところはない」

含んだ言い方を、内藤はした。「ただ、再建計画が履行《りこう》できないのであれば、追加の支援そのものが難しい」

赤字会社への支援は、再建計画頼みだ。業績が計画通りに推移していれば問題ないが、下振れすれば次の支援には慎重にならざるを得ない。帝国航空のような、土俵際に追い詰められた会社であれば、なおさらである。

「再建計画が甘かった、と」

きいた半沢に、「その通り」、と内藤はきっぱりといった。

「審査部がその再建計画を妥当と認めたことが役員会でやり玉にあがってね。しかも、過去数年間のうちに、帝国航空は二度、計画を出しては下方修正している。取り組みが甘いのではないかといわれても仕方の無い話だ」

「しかしですね、再建計画を下回る業績しか上げられないのは帝国航空の問題です。ウチで担当したとしてもやりようがありません」

「ごもっとも」

半沢の反論を、内藤は予想していたに違いない。「そこで君には、帝国航空がこれから着手する修正再建案をフォローし、信用できる形にまとめてもらいたい。それが役員会の——いや、中《なか》野渡《のわたり》頭取からのリクエストだ。やってくれるな」

内藤に問われ、半沢はふうと長い息を洩《も》らした。

「そもそも、受けるかどうか、私に選択権がある話なんですか」

「残念ながら、君に選択権はない」

半沢は、思わず天井を仰いだ。

「しかし、なんのための審査部なんです。我々営業第二部は、資本系列の大企業を主要取引先として——」

「それ以上はいうな。君のいいたいことはわかっている」

内藤は、半沢を遮《さえぎ》ると眉間に縦皺を刻んだ。「いまは組織を論じるタイミングではない。大袈《おおげ》裟《さ》ではなく、帝国航空の再建は、当行にとって最重要課題のひとつだ。最善を尽くすために、最善の人選を行う。これ以上当たり前の経営判断がほかにあるか」

押し黙った半沢に、内藤は続ける。「同社の資金繰りは、来夏に向けて綱渡りになることが予想されている。ちなみに前回の融資だが、本来同社が取引銀行に申し入れたのは総額二千億円の長期資金だった。ところが、業績が計画を下回っているという現状もあって、銀行全体で調達できたのは半額の一千億円の、しかも短期資金に止《とど》まっている。しかもその八割は政府保証付きだ」

「どうせなら、最終的に政府が救済すればいいのでは」

憲民《けんみん》党政権が帝国航空救済に重い腰を上げたのはこの六月のことで、融資に対する政府保証はその一環だろう。逆に、短期の資金ですら、政府保証を付けないと借りられないぐらい帝国航空の業績が悪化しているということになる。

「残念ながら現憲民党政権は末期で、衆議院解散も時間の問題だ。選挙を視野に入れている以上、公的資金の投入は簡単ではない。いや、はっきりいうと不可能に近い」

内藤はいった。

「まあたしかに、あの帝国航空ですからね」

半沢の嫌味に、内藤はおもしろくもなさそうに体を背もたれに戻した。

帝国航空の業績悪化が報道される一方で、同社社員の並外れた厚遇ぶりも知られるところとなって、世論は冷ややかだ。血税での救済は国民の誰もが納得しないだろうし、そんなことをすれば、ただでさえ低空飛行の憲民党政権の支持率は地に墜ちる。近い将来行われるであろう総選挙でのマイナス要因になることは確実だ。

「当然のことだが、ウチとしてもいま帝国航空に倒産されては困る。先日、政府主導で経営改善のための有識者会議が発足したばかりだ。それは知っているか」

「新聞で読みましたから」

と半沢。「ですが、今ひとつ有識者会議の性格付けがわかりません」

「お飾りだよ、あんなものは」

内藤は切り捨てた。「学者や財界の有名人が集まって、ああでもないこうでもないといったところで、具体的に計画を作るだけの労を執《と》る者はいない。これから着手する修正再建案は、実務レベルで作成し、最終的にその有識者会議のお墨付きを得て、正式な計画として発表されることになる。今度こそ、生ぬるい計画案は排さねばならない」

「もし、修正再建案が不調に終わった場合は？」

そろりと、半沢はきいた。

「そのときは」

内藤は、すっと息を呑んだ。「帝国航空は破綻する。もちろん、我々の債権の大部分は、回収不能になるだろう。当行の業績、並びに財務への打撃は深刻だ」

内藤は、普段は冷静な仮面の下に隠している熱い本性を覗かせた。「頭取は、この難局を君に託された。諸々の事情はあるが、それをいったらキリがない。肝心なことはただひとつ。ここを確実に乗り切れるのは半沢、君しかいないということだ」

いままた、半沢は長い吐息を洩らした。

「お話はわかりました。ただ問題があります。いまウチのメンバーは手一杯で、この案件に対応できるだけの時間的余裕がある者はいません。もし、私が帝国航空を担当するのなら、同社を知《ち》悉《しっ》した有能な部下が必要になります」

「帝国航空の担当作業チームごと、そのままウチで引き受ける。それでどうだ」

異例の対応だが、妥当だ。おそらく、内藤の知恵だろう。「担当次長を除き、全部で五人。既に辞令を出す準備は出来ている。優秀な連中だと聞いている」

「ちなみに、いままでの担当次長は」

「曾根崎《そねざき》次長。知ってるか」

百九十センチはありそうな巨体を、半沢は思い出した。大学時代は相撲部だったという男で、押しは強いが融通の利かないタイプだ。

「まもなく、その曾根崎君がここに来ることになっている。すぐに引き継ぎにかかってくれ」

その言葉が終わるや否や、ノックの音に次いで半沢も知っている大きな顔が覗いた。

「お待ちしてました。どうぞ」

内藤に迎え入れられて入室してきた曾根崎雄也《ゆうや》は、背後にもうひとりの男を伴ってきた。巨体で強面《こわもて》の曾根崎とは対照的に、こちらの男は小太りでどこかユーモラスな雰囲気がある。

「久しぶりだな、田島《たじま》」

その背後の男のほうに、半沢は声をかけた。「君も担当チームだったのか」

「こちらこそ、ご無沙汰しております」

丁寧にお辞儀をした男の名前は、田島春《しゅん》。何年か前、短い間だったが、半沢と同じ部署にいたことのある男だ。見かけ通りの気の良い男だが、仕事はできる。

「部長から、担当替えを申しつけられて参りました」

不機嫌そのものといった表情で曾根崎は切り出すと、「おい」、とぶっきらぼうな口調で田島に顎《あご》をしゃくった。

「こちらが帝国航空のファイルになります」

田島が分厚いクレジットファイルをテーブルに置く。「関連資料は膨大ですので、それは後で」

「君もご苦労だったな、曾根崎君」

内藤が余裕の表情で話しかけたが、曾根崎はにこりともしない。「途中で離れるのはさぞかし無念だろうが、まあ後は我々に任せてくれ」

難しい顔をしたまま、小さく頷《うなず》いたのみだ。今回のことは、曾根崎にしてみれば事実上の、〝クビ〟を宣告されたのに等しい。にこやかに談笑する気分でもないだろう。

同時に、内藤は口にしなかったものの、この話が単なる担当替えに止まらないことを、半沢は悟っていた。

旧産業中央銀行と、旧東京第一銀行というふたつの銀行が合併して誕生した東京中央銀行では、特に上層部においていまだ出身行同士の派閥争いが内燃《ないねん》している。行内ではそれぞれの出身行員たちが相手のことを旧S——旧産業中央銀行、旧T——旧東京第一銀行と呼び合い、様々な場面で目に見えない鍔迫《つばぜ》り合いを繰り広げていた。

不良債権が多かった旧Tの人材が重点的に債権管理サイドに配置されているのは合併以来の傾向で、審査部の主要ポジションは、旧T出身者が占めている。

むろん曾根崎もそのひとりで、さらに帝国航空は、もともと旧Tが主要取引先として擁《よう》してきた特別な存在でもあった。

いわば旧Tの威信がかかっていたといってもいい取引先を、半沢ら旧Sが幅を利かす営業第二部に移管することは、旧Tのメンツを潰すことに等しいのである。

内藤は続ける。

「役員会では紀本《きもと》さんが異論を口にされたんだが、緊急事態だといって頭取が押し切ってしまわれてね。ウチとしても、審査部さんの担当先を引き継ぐというのはどうかと思ったんだが、今回ばかりは致し方ない」

紀本平八《へいはち》は、不良債権回収を主担当とする債権管理担当常務で、旧T人脈の有力者のひとりだ。そうした経緯についてはすでに聞き知っているだろう曾根崎は、悔しそうに唇を噛《か》むのみである。就任以来、行内融和《こうないゆうわ》に腐心してきた頭取の中野渡謙《けん》が、暗黙の領分に踏み込んでまで担当替えにこだわったのは、審査部の対応に相当の不信感と苛立《いらだ》ちがあったことの表れとも取れる。

「営業第二部さんなら私ども以上にうまくやっていただけるとうかがっております。私どもとしては不本意ではありますが、銀行のためとあらばやむを得ません。大船に乗ったつもりで、後はお任せします」

青白い額に血管を浮き立たせた曾根崎は、窮屈《きゅうくつ》な作り笑いを浮かべてみせた。心にもないセリフには、「お前たちにできるのか」、という疑問と皮肉が入り混じっている。

「そういっていただけるとありがたい」

曾根崎の思惑などまるで気にしていないふうに内藤は笑顔を見せ、「では早速なんだが、こちらの半沢君と引き継ぎに移ってもらえるだろうか。営業本部の応接室を空けてあるから、そこを使ってくれ」

手回しのいい内藤は、手短に挨拶を切り上げた。

2

「私の認識不足だったようだが、産業中央銀行はこういうハシゴ外しが得意技だったんだな」

どっかりと肘掛《ひじか》け椅子に体を沈めた曾根崎は、開口一番、嫌味をいった。

合併行においてあけすけな相手行の中傷は御法度《ごはっと》だが、どうやら曾根崎にはそんなデリカシーはなさそうだ。

元々が押しの強さと荒っぽさを売りにしてきた男で、深謀遠慮の参謀タイプというより、ブルドーザーで突進するような武闘派である。無論、この担当替えに相当な不満と屈辱を感じているのは表情でわかる。

「これはハシゴ外しとは違うと思うがね。見るに見かねての担当替えだろう。部下は優秀なはずなんだがね」

半沢に話をふられ、田島は恐縮して頬を引き締めた。

「優秀な部下ねえ。こいつらがか。冗談じゃない」

曾根崎の口調は刺々《とげとげ》しい。「部下がやるべきことをやっていれば、帝国航空は審査部で取り仕切れたはずなんだがな。もう少し責任を感じてくれてもいいんじゃないか」

目を伏せた田島に代わり、

「部下のせいにするのは旧Tの得意技か」

半沢は嫌味で返した。「君は実務の責任者だろう。だったら、全て自分の責任です、ぐらいのことはいったらどうだ」

「なにっ」

いまにもツッパリでも繰り出しそうな目で曾根崎が睨《にら》んだが、半沢は知らん顔で、本題に入っていく。

「さっき部長から簡単な経緯については聞いた。同社が作成する新たな再建計画をフォローしろとのことだが――」

「まず、同社が履行不可能に陥っている現在の再建案について説明させてください」

田島がいい、抱えてきた資料からファイルに挟まった分厚い冊子を出した。

表紙のタイトルは、「帝国航空グループ再生中期プラン」。要約には、今年度からの三年間で千二百億円の黒字に転換するというまさに壮大な再生シナリオが記されている。これこそ、いまや銀行も政府も、まったく信用に値しないとダメ出しした計画書であった。その概要を、田島は要領よく詳説していく。

「従業員の削減も計画通りには進んでいないし、さらに予想された収益も未達のまま低迷しています」

「そもそも計画自体にも問題はあったんだろうが、なんでこうなる？」

計画と現実とのあまりの乖離《かいり》ぶりに、半沢は改めて問うた。「ウチだってその後の進捗《しんちょく》は見守っていたわけだろう？」

「もちろんです。定期的にモニタリングして、改善を申し入れてきたんですが」

「帝国航空のメーンバンクは、たしか開投銀だったよな」

資料のページをめくりながら、半沢はきいた。開投銀——開発投資銀行は、この数年で帝国航空に対して層倍の支援を行い、いまや東京中央銀行の支援残高を抜いて押しも押されもしないメーンバンクになった政府系銀行だ。開投銀の帝国航空に対する融資は二千五百億円。政府系とはいえその額はダントツで、開投銀と東京中央銀行の融資残高を合計すると帝国航空がもつ有利子負債の七割以上のシェアになる。

「開投銀からも、同様の申し入れはしていたはずです」と田島。

「それでも動かなかったと?」

田島は苦悩の表情を浮かべた。

「肝心なのは帝国航空にとって事業計画など単なるペーパー程度の重みしかないということなんです。あるいは、金融機関から支援を引き出すためのツールといっていいかも知れません。計画して約束したことをきちんと果たそうという意識も希薄で、要するに危機感がないんですよ」

その指摘は、この事案が持ち合わせた難しさの一面を端的に言い表しているような気がした。半沢の経験からいうと、最後には銀行がなんとかしてくれると思い込んでいる経営者ほどタチの悪いものはない。

「先日帝国航空が発表した業績見通しによると、前期に引き続き五百億円ほどの赤字を計上することになっています。リストラしようにも従業員組合が猛烈に反対してまして。高すぎる企業年金の減額についても、ＯＢが反発して進んでいません」

田島の説明は、帝国航空が直面している様々な難題にまで及んだ。

赤字路線撤退に対する政治家や国土交通省からの圧力。会社と激しく敵対する労働組合。機材の老朽化。世界的に見ても飛び抜けて高い着陸料や航空機燃料税などの公租公課——。そのどれもが一筋縄ではいかないものばかりだ。

「どういうことかわかるかよ、半沢」

曾根崎が横から口を挟んだ。「役員たちは、オレたち審査部がぐうたらだからこうなったと思っているらしいが、実際はそうじゃない。あんな会社は、誰がやっても同じなんだよ。もちろん、お前がやってもだ」

そういって太い人差し指を半沢に突きつけた。「帝国航空をお前に担当させろというのは、頭取の意向なんだってな。結構なことだ。だけどいい気になるなよ。オレたちにできないことを、企業再建の経験がないお前にできるわけがない。お前はきっと引き受けたことを後悔することになる」

「まあ、そうならないよう、せいぜいがんばるさ」

半沢はいうと、曾根崎のことなど気にするふうもなく田島にいった。「帝国航空にアポを入れてくれないか。挨拶に伺いたい」

3

「この大変な時期に担当替えですか」

差し出した半沢の名刺を一瞥《いちべつ》するなり眉をひそめたのは、帝国航空社長の神谷巌夫《かみやいわお》だ。

「担当は替わりますが、引き継ぎには万全を期していますので、ご安心ください」

丁重に頭を下げた半沢に、

「安心できるわけないでしょう」

手振りでソファを勧めながら、神谷は神経質そうに頬を震わせる。「こんな事態だというのに、銀行さんは、従前の再建計画にこだわって現実を見てくれない。あの頃とは地合いが違うといっているのに、聞く耳持たずですから。我々を支援してくれるのが銀行の使命じゃないんですか」

「社長、お言葉ですが、それには足元の業績が少々――」

そう言いかけたのは、半沢の隣にいる曾根崎だ。行内での居丈高《いたけだか》な態度とは別人の猫なで声だが、神谷の表情は険しさを増した。

「業績、業績っていうけどね、君。いまこの景気でどこも苦しんでいるときにウチだけが業績を上向きにするというわけにはいかないだろう」

「おっしゃることはごもっともです」

曾根崎が揉み手で追従する。

神谷の言及は、昨年秋に起きた米国発の金融不況にまで及んだ。企業の業績悪化が広がる中、帝国航空もその例外ではいられない、という話だ。

「たしかに、前期決算が赤字に転落した企業は少なくありません」

話の切れ目をとらえ、半沢が口を挟んだ。「しかし、そうした会社の業績もいまは急速に持ち直しているのが実情です。御社はいかがですか」

神谷はやれやれといわんばかりに嘆息してみせる。

「残念ながら、旅客は不況前の七割程度しか戻っていませんよ。個人消費が上向かない限り如何《いかん》ともし難い部分がありましてね。業績の回復にはもう少し時間を要すると思います」

神谷の口調や態度は、どこか評論家然としている。

財務畑出身でたしかに堅実なのだろうが、追い込まれつつある企業トップとしての危機感、あるいは生き残りにかけたがむしゃらさは感じられない。

「しかし、御社は今期、リストラによって黒字転換を見込んでいらっしゃいました。それが逆に五百億円の赤字予想とは、あまりにブレすぎていると思いますが」

半沢の指摘は、帝国航空経営陣にとって耳の痛いところだろうが、

「あれはね、企業年金改革を見込んでいたからですよ」

平然と神谷は反論した。「ところが、それにOBが猛反発している。そのことは君だって知ってるでしょう」

「OBの反対は予想できたはずです。御社の計画を信頼して支援してきた当行としては納得いたしかねます」

半沢の意見に、

「予想以上の反発だったんですよ」

神谷は不機嫌に言い返し、室内はトゲトゲしい雰囲気に満たされていく。そのとき、

「その件については修正再建案で、対応策を検討しておりますので」

傍《かたわ》らから割って入ったのは、同社財務部長の山久登《やまひさのぼる》だ。小柄だが、筋肉質のがっしりした体つき。生真面目そうな七三に分けた髪は、気苦労のせいか、五十歳を過ぎて間もないというのに白

いものが目立った。銀行交渉の窓口でもある山久は、いまも困惑した表情で、額には玉の汗を掻《か》いている。

「どんな対応策ですか」

半沢の問いに、

「それはいま検討中ですので」と山久は言葉を濁す。

「修正再建案、具体的にいつまでにまとめられるご意向ですか」

そう聞いたのは、末席に控えていた田島だ。

「ちょっと待ってもらえませんか」

立て続けの質問に、山久は苛立ちを滲《にじ》ませた。「いま社長からもご説明した通り、企業年金改革についてはOBの反対がことのほか強硬で、裁判も辞さずの態度なんですよ。弊社と致しましても対応には苦慮しておりまして、目下、有効策を模索中です。修正再建案もそれを踏まえた上で――」

「現状についてはわかりました」

迷走する巨大航空会社の障壁を早くも感じながら、半沢は身を乗り出した。「ただ、計画と比べて実績と見込みがここまで乖離してしまった以上、仮に資金需要が発生してもすぐに支援というわけにはいきません。早急に、現実を踏まえた修正再建案を策定していただきたい。それが条件になります」

「君たちのいうことはわかりますよ」

神谷はものごし柔らかな雰囲気でいい、茶を口に含んだ。「しかしですね、再建計画を遵守しようとする我々の姿勢に嘘はない。それ以上に社会情勢が変化してきてるんだ。ウチを取り巻く変動要因はどうなんです。そこも勘案していただかないと。結果だけを求められても困るんですよ」

「でしたら修正再建案づくり、我々にも手伝わせていただけませんか」

半沢の申し出に、神谷は逡巡《しゅんじゅん》するような間を挟んだ。

「東京中央銀行さんが？　手伝うって、どういうふうに」

怪訝《けげん》そうな言葉には、余計な口出しをされるのではないかという危惧《きぐ》も滲んでいる。

「企業年金問題も含め、御社の問題点を銀行の視点で検討していきたいと思っています。ぜひそれを修正再建案に織り込んでいただきたい」

神谷は渋い顔になった。

帝国航空独自で作成するのなら自由に数字を操れる。だが、銀行が絡むとなるとそうはいかないからだ。銀行には銀行の論理がある。それを押し付けられるのを、神谷は警戒しているのだ。

「修正再建案づくりに協力してくださる、というそのお気持ちはありがたいんですが、それならひとつ、お伺いしたいことがある。——半沢さんは、我々帝国航空の社会的意義をきちんと理解されているのだろうか」

神谷は、改まった口調で続けた。「弊社は、航空業界の一翼を担い、日本の空輸の発展に尽力してきた。君はきっと赤字の一言のもとに切り捨てるだろうけども、地方にとって帝国航空の定期便はなくてはならない翼でもあるんですよ。貨物輸送についても同様だ。もし弊社が行き詰まるようなことになれば、国内空輸はその片翼をもぎとられるに等しい」

「公共交通機関としてのジレンマがあるのはわかります。ですが、御社は民間航空会社です」

半沢は、神谷を見据《みす》えた。「そうした現実を踏まえて対応するのが経営ではないんですか。大義名分より実利を優先させるのは当たり前のことです」

「おい、半沢──」

半沢の横で落ち着きなく巨体をもぞもぞさせ、曾根崎が青ざめている。おそらく、ここまでの直截《ちょくせつ》な物言いを、曾根崎はしたことがないのだろう。

「大義より実利ですか。銀行員らしいな」

神谷は吐き捨てた。「あなた方の頭の中には、カネのことしかないんですか。私たちは、お客様の安全を預かる交通機関だ。あの飛行機には、コストだけでは割り切れないものが数多く詰まっている。そういうことも理解せず、ただ金儲けしか頭にない人間に、生きた修正案などできるんですか」

「いまは会社の再建を最優先にされるべきです」

半沢はいった。「世の中のためになれば赤字でもいいというのは間違っています」

「コスト削減の名のもとに、我々の魂までも切り捨てていく。そんな提案を、私は到底容認できませんね」

憮然《ぶぜん》として横顔を向けた神谷に、「聞いてください、神谷社長」、と半沢は身を乗り出した。

「いま御社に必要なのは、地に足の着いた、それでいて抜本的なリストラ案です。机上の空論でもなく、銀行から資金を引き出すためのゼスチャーでもない。再建のために必ずやり遂げなければならない、絶対の道しるべです。いまを逃したら、御社を救済するのは難しいでしょう。はっきり申し上げますが、御社にとっていまが――ラストチャンスです」

半沢は断言した。「もう後はありません」

4

「お前にひとついっておくが、帝国航空とは親密な関係を継続してきたんだ。特に神谷社長とは、神谷さんが財務部長だった頃からの付き合いになる。その関係をぶち壊して良いことはなにもない」

天王洲《てんのうず》にある帝国航空本社ビルを後にするや曾根崎は半沢に噛みついた。横顔を向けたまま、半沢が浮かべたのは冷笑である。

「お前たちはただ、なあなあな関係を続けてきただけだろう。親密で大事な先というなら、伝えるべきことをきちんと伝えて、経営を支えるべきだった。相手が社長だからといって聞こえの良いことばかり並べてるからこうなるんだ。審査部はいつから茶坊主になった」

「だからといって、あの失礼極まる物言いは何だ。今回のお前の態度については、紀本常務に報告させてもらうからな。覚悟しておけ」

曾根崎はそういうと、昼時だから飯でも食って行くかという半沢の誘いを断って、ひとり駅の階段へ消えていく。

「銀行ではやたら態度がでかいくせに。内弁慶の最たるもんだな」

その後ろ姿を見送りながら、半沢は呆れた。「行内で見せる強引さを、帝国航空にも見せてやれば良かったんだ」

「そうもいかない事情があるみたいですよ」

そういった田島に、半沢は珍しいものでも見る視線を向けた。「帝国航空は東京第一銀行がメーンバンクだったこともあって、経営陣は紀本常務と個人的に懇意にしているようなんですよ。紀本さんは、曾根崎さんの元直属の上司で、いってみれば後ろ盾みたいなものですから」

「くだらん」

半沢は切り捨てた。「だいたい、常務の名前を出せば相手がビビると思ってるところが情けない」

「それについては、私もそう思います」

田島は嘆息《たんそく》した。「しかし、今日の面談で、次長にも帝国航空の問題、おわかりになったんじゃないですか。神谷社長は、たしかに理論派で客観的な観察には優れているんですが、それ以上ではないというか」

前任社長の引退に伴って勃発したお家騒動で、財務という、いわば安全地帯にいた神谷にお鉢《はち》が回ってきた、まさに棚ぼたのトップ人事だったという。

「帝国航空の歴史は権力闘争の歴史ですからね。それに、経営陣には、東京中央商事からの出資を当てにしている部分はあると思うんです」

田島は指摘した。「実際、そっちのほうはどうなんですか」

「同社の担当者にそれとなく聞いてみたんだが、まだ話せる状況ではないということだった。噂では、五百億円の巨額出資になるということだが」

「神谷社長は、それで目先の資金需要がまかなえると見込んでいるのかも知れません」

「困ったら誰かが助けてくれるってか」

半沢は軽く舌打ちした。「そんなことだから、いつまで経っても根本的に業績を立て直そうという気概が生まれないんだ」

大変な労苦を伴う企業再生には、当事者に相応の覚悟がいる。果たして、神谷や山久にそれだけのものがあるか疑問だ。

「正直、彼らの意識を変えるより、空港をひとつ造るほうが簡単ですよ」

田島は半ば諦め顔だ。「どうしますか、次長」

「これで引き下がるわけにはいかんだろう。とりあえず、こちらの要求を盛り込んだ修正再建案の素案を作ってみよう」

半沢はいった。「帝国航空がそれを採用するかどうかは別の話だが、まずはモノがないと話にならない。早急に練り上げてくれ」

「データは揃っていますから、問題ありません」

長年経営不振に陥ってきた帝国航空からは、その都度、財務や業務、資産に関する詳細な情報が銀行に提供されている。田島をはじめ、帝国航空の担当チームなら、問題を解決して最速で再建させる道筋を作ることは十分可能なはずだ。

「頼む」

そういった半沢は、ひんやりと心地よい秋風の中を歩き出した。

つい先日まで猛暑にうんざりしていたというのに、いつの間にか季節は移ろいで行く。帝国航空の業績は、まるでその気候に連動しているかのように日々弱まり、冷え込んでいくかのようだ。

うかうかしていたら、時間はあっという間に過ぎていく。

「この再建は待ったなしだ」

ひしひしと危機感を覚え、半沢はいった。「年内には形をつくらないと面倒なことになる」

「早急に、まとめます」

田島が表情を引き締めた。

担当チームによって慎重な検討が重ねられ、修正再建案の骨子が固まったのは、十一月に入って間もない頃であった。

5

「いかがです、山久さん」

修正案の各ポイントについての説明を終えると、半沢はひと息ついて尋ねた。「御社で現在練っておられる計画に、この内容を反映させていただけないでしょうか」

「反映、ねえ」

山久は、煮え切らない態度で顎《あご》のあたりを指で撫でつつ、しばし考え込んだ。

帝国航空本社にある小会議室の窓からは、東京湾と岸壁に立ち並ぶクレーンが見える。水面《みなも》がまぶしいほどに輝いている、晩秋の淡い日差しが降り注ぐ午後であった。やがて、

「正直、ちょっと難しいと思うんですよね」

外の明るさとは裏腹に、そう答えた山久の表情に翳《かげ》が差した。「御行の立場も考え方もわかるし、

我々だって早急に再建したいという気持ちは同じです。だけど、ここまで急激に変えていくのは不可能ですよ」

「そんなことはないはずです」

田島が膝を詰めた。「この提案のどこが難しいのか、具体的な理由を説明していただけませんか」

「理由といわれても……。そもそも、ウチが練っている計画の数字と違いすぎるし、開投銀さんだって、こんな強硬案は支持しないんじゃないですかねえ」

山久の態度に、田島が半沢をちらりと見た。

「開投銀が、今後はすべて支援されるのなら文句はいいません。ただ、私どももそれに加えさせていただくとなると、この修正案の内容は、最低限の条件です」

半沢も、一歩も退かない覚悟である。

山久の表情を様々な思惑が過《よ》ぎっていくのがわかる。

過激なリストラは回避したい経営サイドの思惑、それに寄り添う開投銀との駆け引き、そして東京中央商事という、新たな資金の出し手への期待。そんな中で、東京中央銀行が提案した修正案は、帝国航空にとってより高いハードルを突きつけたことになるのかも知れない。

「厳しいかも知れません。ですが、本気で再建するなら、クリアしなければならないものばかりです」

半沢は辛抱強く言い含める。

「この内容をやらないと、仮に追加の支援を申し込んでも受けていただけないということですか」

山久の問いは単刀直入だ。

「少なくともいまのままでは」

半沢がこたえると、

「じゃあ、仕方がないですね」

ついに開き直るかの如き山久の言葉に、半沢と田島は、はっと顔を上げた。いま財務部長の目に浮かんでいるのは、鮮明な叛意《はんい》だ。

「東京中央銀行さんが融資できないのならば、他でなんとかするしかない」

「ウチが出さなくても、なんとかなると?」

山久から返事はない。

「いずれにせよ」

そのとき山久は、断固たる口調でぽんと膝を打った。「こんな急激な人員削減や路線撤退は無理だし、その必要もないでしょう。それに今、追加支援ができないとおっしゃいましたが、そんな簡単にウチを見捨てるんですか、御行は」

挑戦的な問いだった。「こんな過激な内容を突きつけておいて、できなきゃ融資を引き揚げだなんて。銀行の横暴といわれても仕方が無いのではありませんか。到底、受け入れられません」

そういうと山久は一方的に、その面談を打ち切ったのであった。

6

「やれやれ。危機感無き衰退かよ」

渡真利忍《とまりしのぶ》は、ジョッキのビールを呷《あお》ると、大げさに嘆いてみせた。

大学の同窓同期でもある渡真利とは、親友であると同時に、なにかと理由をつけては飲食を共にする〝飲み友達〟だ。東京中央銀行の半分は顔見知りだと豪語する渡真利の肩書きは融資部企画グループ次長。行内きっての情報通である。

この夜は、渡真利が最近開拓したという銀座《ぎんざ》の馬肉料理の店で、ふたりはテーブルで向き合っていた。遅めの時間ということもあってアルコールの回った客で賑わい、半沢たちのテーブルの会話に耳を傾ける者は誰もいない。店の奥、壁の高いところにテレビがあり、ちょうど九時のニュースが始まったところだ。この日のトップニュースは、ヘッドラインを確かめるまでもなく、わかっている。──衆議院の解散だ。

「いかに政府系の開投銀でも、帝国航空の資金需要を一行で面倒見るわけにはいかないだろうからな」

渡真利はジョッキを早々《はやばや》と空にして、カウンターの内側におかわりを求める。

テレビ画面では、総選挙を控えた各党の様子を中継で伝えていた。長く続いた憲民党政権はこのところ失策続きで、カネと政治の癒着が指摘されて旗色が悪い。場合によっては政権交代もあり得る──いや、半沢の見たところ政権交代必至と思われる情勢で、帝国航空の監督官庁である国交省も身動きできない状況に陥っている。

「本来なら公的資金を注入してでも帝国航空を助けたいところだろうな」

渡真利はいった。「散々政治に利用してきた過去もあるわけだから」

いま──日本には百近い地方空港が造られている。その財務内容について詳《つまび》らかにされていいないところもあるが、多くの空港が集客に苦しみ、赤字を垂れ流しているのは間違いない。空港建設は政治マターだ。政治家と地方空港が切っても切れない関係なら、その空港に飛行機を飛ばしてきた帝国航空にしたところで、関係は似たり寄ったりである。

帝国航空が業績不振に陥った原因はひとつやふたつではない。だが、監督官庁である国交省の甘い見積もりを無条件に信じ、地方便を就航させてきたことも、赤字要因のひとつである。

帝国航空が破綻し定期便が飛ばなくなれば、空港を誘致した政治家も、建設を許可した国交省もメンツは丸つぶれになる。赤字であろうとなかろうと、とにかく路線存続を図りたいというのが政府の本音に違いない。

「政権交代して進政《しんせい》党になったからって、政治の本質が変わるとは思えないね」

達観した意見を、渡真利は口にした。「ただ、新政権になれば公的支援が発動される可能性はあるかも知れないな」

「これ以上、銀行がカネを出さずに済むのは有り難いが、大きくて潰せないという発想には反対だな」

半沢はいった。「帝国航空の場合、再建計画さえきちんと履行《りこう》されれば十分建て直せるはずだ。出資話もある」

「しかしな、半沢。本当に、〝商事〟は出資するのかよ」

やがて運ばれてきた焼き肉鍋にニラを載せながら、渡真利が疑わしげに尋ねた。「まあ本当に出資してくれれば、帝国航空は一息つけるだろうけどな」

「さあ、どうだかな」

半沢の携帯が振動し始めたのは、まさにその瞬間であった。内藤からだ。

「〝商事〟の件で、新たな進展があったようだ」

半沢は立ち上がり、店内の喧噪《けんそう》を避けて裏通りに面したドアを出ていく。

内藤の言葉に耳を澄ませる半沢の首筋を、冷たい初冬の風が容赦なく撫でていった。

7

社内で〝貴賓室《きひんしつ》〟と呼ばれている重要な顧客のみを案内する広い応接室には、靴底が埋まってしまいそうな絨毯《じゅうたん》にイタリア製のソファと肘掛け椅子のセットが並んでいた。窓からは、いつまでも眺めていたくなるような港の光景を一望することができる。

その客は、帝国航空社長の神谷にとって、誰よりも心待ちにしていた相手に違いなかった。

ソファに深々とかけているのは、東京中央商事社長の桜井善次《さくらいぜんじ》である。

「わざわざお越しいただき、恐縮です。おっしゃってくだされば、私からお邪魔しましたのに」

「いや、そんなことは」

軽く受けた桜井は、「どうですか、足元の業績は」、と話を向ける。

「やはり、客足は景気の動向に左右されますからね」

神谷は、それとなく苦戦を伝えた。「だからこそ、今回のお話はたいへん有り難いことだと考えております。物流部門を強化できれば、弊社としては旅客輸送を補う収益の柱となるでしょう。よろしくお願いいたします」

神谷は出資への期待感を滲ませたが、正面にかけている桜井社長の表情がふいに険しくなったのを見て、浮かべていた笑みを消した。

「実は、本日お伺いしたのはその出資の件です」

桜井が切り出した。「一応社内で精査検討した結果、誠に残念ですが、出資は見送りということになりました」

神谷は、返事をしなかった。

いや、できなかった。

言葉を失い、唖然《あぜん》と桜井を見つめる表情は、虚《うつ》けたようにも見える。

「あの、桜井社長、それはどのような理由によるものでしょうか」

傍らから震える声を出したのは、山久だ。「いままでは、好感触をいただいてきたという認識なんですが」

「たしかに、御社の物流部門に出資して弊社の業務を補完できれば、大変なメリットがある。ところが、たいへん申し上げにくいのだが、御社の財務状況、業績を精査した結果、メリットよりリスクが勝るという結論になりました。こんなことは申し上げるまでもないが、ビジネスは投資と回収のバランスが合っていなければならない。今回の出資は、残念ながら、それに見合いません」

「い、いや。そんなはずはない。ウチ以上の輸送網を擁する航空会社がどこにあるんです。もう一度検討してもらえませんか」

ようやく口を開いた神谷の顔に朱が差している。その表情が切迫しているのは、資金繰りへの不安があるからだ。

どんな大会社であろうと、金が無くなれば行き詰まる。

それは、かつて日本の翼とまで呼ばれた帝国航空とて同じだ。過去の名誉も歴史もそしてプライドも、資金不足という現実の前には、ガラクタ同然の価値しかない。

いまそのことを、誰よりも痛感している男の表情であった。

「出資額を変更して、検討していただくことはできませんか」

慌てて口を挟んだ山久に、桜井が向けたのは憐憫《れんびん》の眼差しだ。

「同じことですよ、山久部長」

桜井はいった。「御社とのビジネスはたしかに魅力的だが、リスクが大きすぎます」

「再検討の余地は――」

重い口調で問うた神谷に、

「ありません」

桜井は明言した。「ご期待に添えず、申し訳ない」

両膝に手を置いて桜井が頭を下げると、重苦しい沈黙が部屋に落ちた。

「弊社への出資が難しいのであれば――」

やがて、重い扉を開くように神谷が口を開いた。「業務提携ではいかがでしょうか。それで様子を見ていただき、信頼に足ると判断された段階で出資を再検討していただければいい。いかがですか」

「それはすでに検討いたしました」

桜井が向けたのは、意を決した視線だ。「しかし、一旦業務提携するとなると、その体制をきちんと維持管理していく必要があります。失礼ながら、近い将来の資金繰りにすら不安を抱える御社にそれが可能でしょうか。再建計画も履行できていない状況だと伺っていますが」

「それについてはいま、修正案をまとめているところです」

神谷は訴えた。「我々の再生に力を貸していただけませんか」

「再生は、あくまで御社の問題です」

反論しかけた神谷を遮り、桜井は、訣別《けつべつ》を予感させる強い目になった。「我々がリスクを冒してまでそれに協力しなければならない理由はどこにもありません。我々もまた、右肩上がりの成長を期待されているんです。自らの経営に責任を持たなければならない。お気持ちはわかりますが、情実で投資や提携を決めるほどの余裕はどこにもありません」

いまや、絶望にうちひしがれ、神谷は強く唇を噛んだ。

短い面談を終えた神谷は、全身から全ての力が抜け落ちてしまったかのように肘掛け椅子に沈み、なんでもない壁の一点を見つめている。

この帝国航空を救うために、いま自分ができることは何なのか——。

そのとき、ふと神谷の胸に浮かんだのは、ひとりの銀行員が発した言葉であった。

〝いま御社に必要なのは、地に足の着いた、それでいて抜本的なリストラ案です〟。〝御社にとっていまが——ラストチャンスです〟。

「——山久」

細く、いまにも枯れ果てそうな声を、神谷は絞り出した。「東京中央銀行が提案してきた修正案があるといったな」

驚きを含んだ眼差しが、こちらに向けられた。「見せてくれ。いますぐにだ」

8

十二月——。
投票日を迎えた衆議院選挙は、即日開票の結果、進政党の地滑り的勝利のうちに幕を閉じた。

9

騒々しかった記者会見場が一瞬、静まりかえった。

だがそれも束の間、激しいフラッシュが焚《た》かれる中、真っ青なスーツに身を包んだひとりの女性が準備された会見場に足早に歩いて行く。

ロングヘアをアップにした髪。年齢は三十代半ばだが自信にあふれ、一礼して会見用の演壇に登る堂に入った表情は、何年か前まで民放の人気女子アナだった頃の雰囲気そのままだ。

「このたび、国土交通大臣を拝命いたしました、白井亜希子《しらいあきこ》でございます。どうぞよろしくお願いいたします」

マイクが立ち並ぶ前で自己紹介した白井は、簡単な所信を口にした後、記者の質問に丁寧に答えていく。

「なんか、おっかなそうだなあ」

その様子を、銀行本部のテレビで見ていた田島が、軽口をたたいた。そのとき、

――業績が悪化している帝国航空についてですが。

そんな質問が記者から出て、半沢はテレビに視線を戻した。

――先日、有識者会議で承認された修正再建プランでの自主再建が始まりました。今後、公的資金注入などの可能性はあるのでしょうか。

それまで淡々と質問に答えていた白井の表情が一瞬こわばり、予想もしなかった発言が飛び出したのはそのときだ。

「有識者会議の修正再建プランについては、白紙撤回させていただきます」

我が耳を疑うとはこのことである。はっと息を呑んだ半沢の横で、

「なにっ！」

田島が大きな声を上げた。「なに勘違いしたことといってんだよ。気でも狂ったのか」

半沢は、田島を手で制した。白井の発言は続く。

「そもそも有識者会議は憲民党政権の下に設置されたものですが、提案された再建案の実現可能性には大いに疑問があると、考えております」

会見場のどよめきをマイクが拾っている。サプライズというより、爆弾発言だ。「――つきましては、我が進政党政権で改めて帝国航空の現状を精査の上、再建策について検討をして参りた

いと思います」

——それは、公的資金を注入するということなんでしょうか。

「いまは申し上げられません」

記者の質問を、白井はかわした。

——帝国航空の資金繰りは近々行き詰まるといわれていますが、救済の考えはお持ちですか。

「帝国航空は民間企業です。その企業についての救済云々《うんぬん》の話は、いまこの場では申し上げられません」

——救済しないこともある、ということでしょうか。

「同社の精査については、まだ行っておりませんので、そうしたご質問にもいまお答えするわけには参りません」

——憲民党政権で設置された有識者会議はどうされるんでしょうか。

別の記者が質問をした。

「それにつきましては、速やかに解散していただくことになります。憲民党政権による曖昧な航空行政と訣別し、進政党は新たな視点で再生を検討していく。そのように考えております」

白井は続ける。「具体的には、私直属の再生検討チーム、『帝国航空再生タスクフォース』を立ち上げます。このタスクフォースは、企業再生分野の専門家によって構成され、しかるべき再建案を策定するためのプロジェクト・チームだとお考え下さい」

「タスクフォースだって？」

田島が素《す》っ頓狂《とんきょう》な声をあげた。寝耳に水の話だ。

白井の目的は、帝国航空の再建というより、前政権の完全否定なのではないか。それによって進政党の優位性、憲民党との違いを国民にアピールする。ただそれだけのために、有識者会議と修正再建プランを葬り去ろうとしたのではないか。だとすれば、帝国航空を政治の道具に使うに等しい行為だ。

「なにがタスクフォースだよ」

田島は怒りで顔を真っ赤にして半沢を向いた。「こんなバカな話はありませんよ。いったい、オレたちの苦労はなんだったんです。あれだけ頑張ってようやく修正案を通したっていうのに。なにが進政党政権だ。知りもしないで、再建計画の実現可能性に疑問があるなんて。言いがかりも甚《はなは》だしいですよ」

この大臣の目には、再建プランの修正を受け入れた帝国航空の苦渋も、なんとか同社を再生させようと必死で努力してきた銀行担当者たちの熱意も、なにも映ってはいない。あるのはただ、前政権への敵愾心《てきがいしん》と、自らの功名心だけだ。

企業の命運を政治の道具にする者に、帝国航空再建などできるはずがない――。

得意げな表情で質疑応答を続けている白井に、半沢が抱いたのは根本的な不信感だった。

第一章　霞が関の刺客

1

「君が、東京中央銀行の担当か」

帝国航空本社の二十五階フロア。そこに、再生タスクフォースの臨時オフィスは構えられていた。

正式に「帝国航空再生タスクフォース」の陣容が発表されたのは、年が明けた一月上旬、つまり、いまから約三カ月前のことである。

リーダーは、大手企業の再建実績が豊富な有名弁護士の乃原正太《のはらしょうた》。樽のような肥満体に黒縁の丸めがね。その奥の小さな目から放たれる視線は、針のように鋭い。一方、サブリーダーの三国《みくに》宏《ひろし》は、外務省のキャリア官僚から外資系ファンドに転身したという異色キャリアを持つ優男《やさおとこ》で、企業買収と企業再生分野での実績を買われたらしい。

ふたりは、かつて手がけた再生案件で協力し合った仲間同士で、彼らを筆頭に主要メンバーは五人。さらにスタッフとして、監査法人や法律事務所から公認会計士、弁護士ら総勢百人が陣取っていた。

タスクフォース発足以来、この約三カ月は帝国航空の資産査定のために費やされ、資金調達をはじめとするその他の交渉が一切、滞るという異例の事態が続いている。

そしてようやく、取引銀行に対して、タスクフォースから再建案に関する面談要請があったのは、つい三日前のことであった。

いま半沢は、フロアの一室を使っての銀行向けヒアリングのため、リーダーの乃原と向かい合ったところだ。

「半沢です」

差し出した名刺を乃原は、一瞬だけ眺め、テーブルに置いた紙箱に放り込んだ。そこには、半沢の前に訪問したらしい関係各社の担当者の名刺が無秩序に収まっている。乃原からは名刺を差し出すつもりはないらしく、代わりに差し出したのはタスクフォースの調査分野別に分かれた担当者の直通電話番号リストだった。

「こちらから質問をすることがあるので、回答するときにはその番号にかけてくれ」

早口でいうと、乃原は、「前の修正再建プラン、君らがまとめた素案をゴリ押ししたんだってな」、とおもしろくもなさそうにきいた。

「ゴリ押し?」

どうやら、友好的とはいいかねる相手を半沢は見据えた。白髪混じりの髪は撫でつけるでもなく、無造作に撥《は》ね返っている。いかにも実務のたたき上げといった雰囲気の男だ。

「私どもとしては、合理的な判断から作成されたものと考えています。あれが今後の支援の必要最低限の条件だと思ってください」

暗に、それを下回る計画は受け付けないという意味を含めたつもりだが、乃原は鼻で笑った。

「当タスクフォースは、決して銀行のために設置されたものではないので、勘違いしないでくれるか。これはあくまで白井大臣の特命による帝国航空を再生させるためのチームだ。わかるよな」

再建屋として業界ではそこそこに知られたふたりだが、銀行を下に見ていることは態度から明らかだ。

「ご足労願ったのは、我々の答申づくりに御行にも協力いただきたいと、そのことを確認するためです」

傍らから三国が事務的な口調でいった。「いいですね」

「その前に有識者会議で決定した修正再建計画について、どう判断されているのか、見解をお伺いしたい」

半沢は尋ねたが、「あれは白紙撤回したんだよ」、と乃原は一方的な返事を寄越した。

「ちょっと待ってください。我々も承認した計画ですから、勝手に白紙撤回といわれても困りますよ。しっかりした計画案なのに、わざわざ撤回する意味がわかりません」

「しっかりした計画案ねえ。そうかな。私から見ればあんなもの、信頼に値しないね」

乃原は、タバコに火を点《つ》けながら足を組む。「第一、銀行さんは、帝国航空の業績悪化をいままで指をくわえて見ていたわけだろ。いまさら、計画案ひとつとってあれこれいわれても、こっちも困るんだよなあ」

「帝国航空の資金繰りはご存じですよね」

半沢は、乃原にいった。「八月に、取引各行によるつなぎ資金の期日が到来します。それまでに、我々が納得できる再建案がなければ追加支援は難しい。そうした交渉の内容については、山久部長から説明を受けていらっしゃると思いますが」

すると――。

「銀行交渉の引き継ぎはしない」

乃原はあっさりと否定した。「我々は、あくまで帝国航空が最短で再建することを目指して、その処方箋《しょほうせん》を答申するに過ぎない。銀行と直接交渉する気はないね」

「債権者不在で、再生計画を決めるつもりですか」

乃原たちが浮かべたのは、小馬鹿にした笑いだった。

「その通りです」

三国が胸を張った。「それに、伺うまでもなく、銀行の事情はわかっていますので。銀行さんもそのつもりでいてください」

勘違いした御仁《ごじん》たちである。

「当行は、帝国航空に対して七百億円を超える債権があります」

半沢は硬い声で指摘した。「開投銀に次ぐ規模の債権者として、融資している会社の状況はモニタリングしなければなりません。どんなものになるか知りませんが、計画の内容に賛同できなければ支援もできない。そのことは、ご理解いただいてますね」

「賛同するとかしないとか、いま銀行がそんなことをいうタイミングじゃないだろ」

乃原は、面倒くさそうにいいながらタバコをもみ消す。「銀行は所詮《しょせん》、こういう案件についてはトーシロなんだから、外で見てればいいんだよ。我々のやり方に口出しできるほどのノウハウなんか、どこにもないだろうが」

「少なくとも、債権者としての権利はあると思いますが」

半沢は苛立つ内心を抑えてこたえた。「帝国航空は我々の求めに応じて状況を説明する義務を負っているはずです」

「だったら帝国航空にきけばいいじゃないですか。銀行取引をしているのは我々じゃない」と三国が突っぱねる。

「もちろん。ところが、帝国航空の命運を握る再生計画を作成するのは帝国航空ではなく、あなた方タスクフォースだとおっしゃる。だから申し上げているんです。重要事項にもかかわらず、蚊帳《かや》の外に置かれるのでは、我々も困る」

「だからさ、あんたたちが困るかどうかなんて関係ないんだよ」

ひと際大きな声を、乃原は張り上げた。タバコの箱からまた一本抜いて指に挟んだまま、身を乗り出して半沢をのぞき込む。鼻の穴からハの字になった煙を盛大に吹き出す様はまるで怪獣だ。

「これは国交大臣の意向なんだ」

「ではお伺いしますが、タスクフォースの法的根拠はなんですか」

ついに半沢は反論に転じた。「我々は契約に基づいて帝国航空に融資をし、その管理をしています。あなたは国交大臣の意向とおっしゃいましたが、大臣の私的諮問《しもん》機関が民間企業にやってきて取引銀行に指示命令の類《たぐ》いをなさるというのは、どういう法律に基づいてるんですか」

乃原の顔に、ぽつぽつと朱が浮かんだ。白井大臣が設立したタスクフォースだか何だか知らないが、その法的根拠は何もない。タスクフォースの決定的な弱点だ。

「先日の選挙、覚えてるでしょう、あんた」

乃原は、小さな目を大きく見開いて半沢に向けた。「国民の圧倒的多数が進政党政権を支持してるんだ。その政権の大臣が設置した機関なんだから、我々の存在は国民の総意なんだよ。法的根拠だなんだと、知ったふうな口をきく前に、以前、公的資金で救済された銀行の過去を思い出したらどうなんだ。自分たちはちゃっかり助けてもらっておいて、他社のことをあれこれ言えた義理か」

芋虫のような小太りの指を、半沢に突きつける。

「それはまったく違うお話です。すり替えないでいただきたい」

冷静そのものの表情で半沢はいった。「私どもは、当然の権利を主張しているに過ぎません。有識者会議で承認を得た計画を白紙撤回されるそうですが、そこには避けて通れないリストラの柱が含まれています。企業年金制度改革は待ったなしだし、減便や撤退路線、そして人件費の削減。それらの項目について当然、検討されると考えてよろしいんですよね」

「そんなこと、いま答えられるかよ」

乃原はけんもほろろにいい、ハエでもはらうように顔の前で手を振った。「我々はここに、銀行交渉をしにきたわけじゃないっていってるだろ」

「あなたは、我々の活動にケチをつけたいだけでしょう」

傍らから三国がいい、底意地の悪い笑みを浮かべた。「銀行は、帝国航空がだらしがないからこんな状況に陥ったと思っているかも知れませんが、我々はそうは思っていません。帝国航空もだらしがないが、それをいうのなら、取引銀行も同じじゃないですか。帝国航空の業績が悪化して何年になるんですか？　その間できなかったものがいまさらできるはずはない。国交省としても、帝国航空がなすすべもなく倒産の憂き目に遭うのを傍観しているわけにはいかないんだよ」

「でしたら、ひとつだけ確認させていただけませんか」

半沢はいい、憎々しげにこちらを睨《にら》み付けている乃原にきいた。「計画の詳細は措《お》くとしても、自主再建路線は堅持していただけるんでしょうね」

返事はない。前屈みになっていた体をソファに戻し、さっき火を点けたばかりのタバコをもみ消すと、また新たな一本に点火する。チェーンスモーカーだ。

「我々には我々の流儀ってものがある」

唇をへの字に曲げ、乃原はこたえた。「あんたが心配しているのは、法的整理の債権カットで銀行が損する事態だろ。そんなこと関係ないね。それに債権カットを要求するのはなにも法的な処理だけではないということを忘れなさんな。自主再建であっても、必要ならば債権カットを要求する。当然のことだ」

「で――」と、三国が、半沢の前に一通の書類を差し出した。

「どうぞ、目を通してください」

促されて書類を開いた半沢は、その内容に思わず顔を上げた。

「どういうことでしょうか」

「ご覧の通りだよ」

ぞんざいな口調で乃原がいい、下卑《げび》た笑いを浮かべる。「帝国航空のコストダウンについては今後さらに詳細に詰めていくが、同時に銀行には一律七割の債権カットをお願いすることにした。理由については、そこに書いてある通りだ。ただちに債権放棄を検討し、来月中に正式な回答を頂きたい。回答のタイミングについては、追って通知するから」

無茶苦茶な話である。その簡単な書類には、債権カットの具体的な根拠と呼べるものは何もない。そこに記されているのは、大幅赤字を脱した後、三年目で大幅黒字に転ずるという、唖然呆《あぜんぼう》然《ぜん》のシナリオだけだ。

「我々が目指すのは、帝国航空のスピード再建だ。そのためには再建の足かせになる巨額の債務は圧縮しなければならない。そして、あんたたち銀行は、それに協力する道義的理由がある。長い間、帝国航空を食い物にしてきたわけだからな」

「こんなものは検討にも値しません」

半沢は、突っぱねた。「修正再建計画に沿ってすすめば帝国航空の再建は十分に可能です。スピード再建かなにか知りませんが、必要のない債権カットを要求するなど、スジが通らない」

真正面から見据えた半沢に対して、どういうわけか乃原が浮かべたのは余裕の表情だ。

「それはあくまで君個人の意見だろ。タスクフォースの提案をこの場で拒否する権限は君にはないはずだ。さっさと銀行に持ち帰って検討したまえ」

もわっとタバコの煙を吐き出しながら、乃原は含みのある笑いを浮かべた。「いい返事を期待しているから」

2

「一難去って、また一難。ご愁傷様！」

所用で営業第二部まできたついでに立ち寄ったという渡真利と、フロアの一隅にある休憩スペースに向かった。自販機で紙コップのコーヒーを買った渡真利は、一口飲むとその甘さに顔をしかめ、「飲むか」、と差し出したが、半沢は首を横にふって自分は砂糖・ミルク無しを選ぶ。

「しかし、七十パーセントの債権放棄とは、いくらなんでもひど過ぎるぜ。結局、その乃原ってオッサンは、手段を選ばず自分の手柄にしたいだけのことじゃないか」

嫌悪感を隠そうともせず、渡真利は鼻に皺《しわ》を寄せた。銀行員にとって、安直な債権放棄をいってくる相手ほど不愉快なものはない。

融資といっても、その実態は、薄利多売の商売だ。

たとえ一億円融資しても、銀行が年間に受け取る利息額は、せいぜい数百万円である。そこから人件費などの様々なコストを差し引けば、実際の儲けは微々たるものだ。

一方で、たとえ百万円の融資でも、もしそれを失ったりしたら、穴を埋めるのに何億円もの融資をしなければならない。

要するに、短絡的な債権放棄の申し出は、銀行業そのものへの挑戦なのである。

「まさかお前、受けるつもりじゃないだろうな」

疑わしげに聞いた渡真利に、冗談じゃない、と半沢は首を横に振った。

「拒絶したい旨《むね》のメモを上に回付しといた」

「当然だな」

渡真利は頷《うなず》いていった。「そのタスクフォースだかなんだか知らないが、ガツンといってやれ。そういう勘違い野郎は誰かが痛い目に遭わせてやらなきゃだめだ」

鼻息の荒い渡真利に、半沢は、コーヒーの紙コップをもった右手をひょいと上げ、営業第二部の自席へと戻る。常務の紀本から呼び出しがあったのは、その直後のことであった。


「このメモの件なんだがね、本当にこれでいいのか」

紀本の執務室には、先客がいた。曽根崎だ。テーブルの上には半沢が書いた『タスクフォースへの対応について』というメモがプリントアウトされてファイルに挟まっていた。

「どういう意味ですか？」

真意を測りかねた半沢に、

「他の取引銀行の意思は確認したのかね」

と紀本はきいた。

旧Tのエースといわれる紀本は、濃紺のスーツにペールトーンのネクタイを合わせている。分別くさい顔はしているが、腹の底では何を考えているかわからない男だ。そもそも半沢は、気取った奴は大嫌いである。

「いえ、それはまだ」

半沢はこたえた。「当行のスタンスを固めるのが先だと考えております」

「他行がどう対応するのか、そのニュアンスぐらいはわかるだろう。どうなんだ」

横から偉そうな口ぶりで尋ねたのは曾根崎であった。

「もちろん、否定的だろう。喜んで債権放棄をする銀行があるとは思えない」

お前は黙ってろといいたいのを我慢して半沢がこたえると、「そうかな」、と曾根崎はもっともらしく疑問を呈してみせた。

「開投銀は、債権放棄について真剣に検討してるらしいじゃないか」

どこかで聞きつけたのだろう。半沢が黙っていると、調子にのって曾根崎は続ける。「メーンバンクの開投銀が検討しているとなるとだな、下位行もそれに追随するかも知れない。その結果、タスクフォースの再建案が、当行の拒絶によって宙に浮くってこともあるわけだ」

「だから何だ。こんなバカげた申し出に賛成しろというのか、君は」

呆れた半沢に、

「そうはいっていない。このメモのように結論ありきの理屈をこねるのではなく、きちんと検討したらどうだといってるんだ」、ともっともらしい反論をして寄越す。

「落としどころってものがあると思うんだよな、半沢君」

その曾根崎の後をついで、紀本が作り笑いを浮かべた。「健全企業ばかり相手にしてきた君にはそういう感覚はないかも知れないが、債権回収の現場では銀行団としての協調も大切なときがある」

「では、債権放棄の検討をせよと、そうおっしゃるんですか」

常務の意外な考えに、ひそかに驚き、半沢はきいた。

「大局的なものの見方をしてもいいんじゃないかな、といっているんだよ」

紀本は気取った口調で、にこやかにいった。だが、目は笑ってはいない。半沢の目の奥をじっと見据えたまま離さなかった。

「タスクフォースはたしかに、君がいうように法的根拠のない組織かも知れない。だが、まがりなりにも国交大臣直属の機関で、発言力もある。本件について金融庁はいまのところ静観の構えだが、航空行政、ひいては社会秩序への影響なども考慮しなければならない。そうしたマクロ的な視点がこのメモには欠けているのではないかと思うんだが、どうだろう」

「少し弱腰に過ぎませんか、常務」

半沢がいうと、

「おい、紀本常務に向かって、失礼だろ」

たちまち曾根崎が噛みついてくる。番犬みたいな男である。

「君は黙っていてくれ、もう帝国航空の担当じゃない」

曾根崎の顔がぱっと朱に染まったが、事実なので反論のしようもない。半沢は続けた。「そのメモにも書きましたが、タスクフォースが示した債権放棄の根拠は極めて不明瞭です。ただスピード再建のための有効手段だといっているに過ぎない。しかも、肝心の再建案づくりから我々銀行を排除し、身勝手な論理を振りかざしている。スジからいっても受けるべきではありません」

「相手は国交大臣だよ、君」

紀本は静かに威厳をこめた。「そんなスジ論にこだわっている場合とは思えないんだがね」

「このメモについて、頭取はなんとおっしゃってるんでしょうか」

半沢がきくと、

「それは頭取にきいてみないことにはわからない」

紀本は明言を避けた。「私はただ、債権回収の担当役員として君に一言、現実的な意見を申し述べたに過ぎない。いまいったことを踏まえ、私からは再検討をお願いする」

紀本との短い面談はそれだけで終わったが、その翌日になると、今度は内藤部長がふらりと半沢のデスクに現れ、声を潜めた。

「半沢、このメモの件だが」

ファイルに挟んだ書類をデスクに戻しながら、内藤は渋い表情だ。

「拒絶ありきではなく、もう少し地合いを見てくれと、中野渡頭取の所見がついた」

信じられない思いで、半沢はその言葉を聞いた。

「あんなバカげた提案を、これ以上検討する必要があるんですか」

「同感だ。しかし——役員の間ではどうやらそうではないらしい」

「そういえば昨日《きのう》、紀本常務に呼ばれたんですが」

半沢のいわんとするところに、内藤は、隙《すき》の無い表情になった。

「どうやら、一筋縄《ひとすじなわ》ではいかないものがあるようだな」

果たしてそれが何であるか、おそらく内藤にもわかっていない。あえて言えば、バンカーとしての嗅覚が、そういわしめているのだと思う。

「気に入りませんね」

半沢は、思いがけず暗雲の立ちこめたこの事態に、眉をひそめた。

3

半沢が、開投銀の帝国航空担当者を訪ねたのはその翌日のことであった。意外なことに、通された応接室でしばらく待っていると、ノックとともに入室してきたのは、ひとりの小柄な女性である。

「お待たせいたしました。担当の谷川《たにがわ》と申します」

差し出された名刺には、〝開発投資銀行企業金融部第四部次長　谷川幸代《さちよ》〟とある。四十歳前後の年回りだろうか。化粧気はなく、アクセサリーの類いは耳の小さなピアスだけ。人を惹《ひ》きつける強い目が印象的な女性だった。

この谷川が、開投銀帝国航空チームを率いる、実務レベルの責任者だった。

「お忙しいところ、恐縮です」

一礼した半沢に、谷川は、「いえ、私のほうでも早急に話し合いをすべきだと思っていましたから」、とソファをすすめる。

「タスクフォースからの打診、ありましたか」

先にきいたのは谷川だった。

「一律七割の債権放棄という提案のようですが、開投銀さんはどう対応されるんでしょうか」

開投銀が債権放棄について真剣に検討しているというのは、曾根崎の弁。どこかに情報源があってのことだろうが、いま谷川が見せたのは、かすかな戸惑《とまど》いだった。

「いま行内で検討しているところです」

「前向きに検討されているという話を耳にしました。本当ですか」

「前向きかどうかは……」谷川は言葉を濁す。

「私どもは、帝国航空は自主再建が可能だと判断しています」

半沢はいった。「御行も、前回の修正再建案に最終的に合意なさったわけですから、同じお考えだと思っていたんですが」

だが、

「それについては、いま行内で反省がありまして」

谷川から、予想外の異論がこぼれ出た。

「反省、とは？」

「たしかに、従前の再建案に同意しておきながらこんなことを申し上げるのはどうかと思います。ただ当行としては、東京中央銀行さん主導の修正再建案に安易に合意してしまったのではないか、もっと、政府系金融機関としての考え方を主張すべきではなかったのかという声が出ていまして」

「政府系金融機関としての考え方……ですか」

釈然としない思いで、半沢はきいた。政府系だろうと民間だろうと、銀行は銀行だ。貸して返してもらう仕事の中身に、さして違いがあろうはずはない。「それはたとえば、どのような点ですか」

「まず、先日の修正再建案では旅客輸送への影響が大きすぎるという意見があります」

谷川はこたえた。「従前の案では、赤字路線を利用している乗客がすべて置き去りにされており、この内容は行き過ぎではないかと」

半沢はまじまじと、谷川の顔を見つめた。「それと、減便と撤退についてはもう少し時間をかけたほうがいいという指摘もありました。帝国航空の場合、職能ごとに専門的な人員が割り振られているので、撤退時期を変更すれば人員削減時期はそれにつられて先送りになるはずです」

「そういうご意見は、憲民党時代に言っていただきたかったな」

半沢のひと言に、谷川は表情を消した。「ひとつ反論させていただくと、いま職能ごとに人を割り当てているとおっしゃいましたが、そもそも我々は、そこにコスト構造上の問題があると考えています。多能工化すべきですし、修正案でもそれは謳《うた》っております」

「安全運航の軽視だという意見もあるのをご存じですか」

じっと谷川を見つめた半沢は、発言の真意を探った。

「どこでの意見ですか?」

「一般的に」

「そんな議論は通用しませんよ」

半沢は反論した。「帝国航空のライバルである大日本《だいにほん》空輸では、とっくに作業員を多能工化して、効率性を高めているじゃないですか。あなたがおっしゃっていることは、大日本空輸が安全性を軽視しているといっているのと同じです。谷川さん――」

あらためて、半沢は名刺と谷川の顔を交互に眺める。「あなたご自身は、どうお考えなんです」

「私は――」

谷川は、真正面から半沢を見据え、断言した。「あの修正再建案の内容に全面的に賛成です。そして、今回の債権放棄の提案そのものが、誤りであると考えています。あなたのおっしゃるように、自主再建が可能なのに、金融機関がおいそれと債権放棄を呑むべきではありません。ですが、私見がそのまま弊行の総意となるわけではありません」

「要するに、行内の反対と戦っていると」

半沢の質問に、

「あなたはどうなんです」

谷川は逆にきいてきた。「半沢さんは債権放棄に反対のようですが、それが東京中央銀行の結論ではないんじゃありませんか。乃原さんは、東京中央さんは必ず折れるから大丈夫だと、おっしゃってましたが」

「どういうことですか」

意外な話に、半沢は思わず聞き返した。

「さあ、わかりません」

谷川は首を横に振った。「ただ、御行にも御行の事情があるんだろうぐらいにしか思わなかったので。私どもにも私どもの事情があるのと同じように」

「事情、ですか」

その一言にひっかかるものを感じて半沢はきいた。「それはどんな？」

視線を逸《そ》らし、谷川は唇を軽く噛んだ。毅然とした態度とは裏腹な、一抹《いちまつ》の悔しさが過《よ》ぎっていく。

「開投銀の存在に関わる問題とでも申し上げておきます」

やがて出てきた不可解ともいえる答えに、半沢は谷川を凝視したまましばし黙り込む。

「意味がわからないんですが」

問うた半沢に、谷川の答えはなおも謎めいていた。

「ひとついえることは、私どもは政府系金融機関として、民間企業にはできない支援を可能にしてきたし、今後もそれを継続するということです」

それが債権放棄への前向きな対応だといわんばかりに、谷川は断言したのであった。

「なんだか、けったいな話ですね。どういうことなんでしょう」

帰社した半沢が、面談の内容を掻《か》い摘《つ》まんで話すと、田島は首をかしげた。

「さあな。聞き出そうとしたんだが、結局、彼女は口を割らなかった。頑固なところがあるな、彼女」

「サッチャーですからね」

冗談めかして田島がいった。

「サッチャー？　なんだそれ」

「谷川さんのあだ名ですよ。そう呼ばれてるんです。ああ見えて結構、タフ・ネゴシエーターなんですよ、彼女」

組織の意思を代弁しつつ、一方で自分の意見もはっきりと述べる、そんな谷川の印象は悪くない。同時にそれは、開投銀という組織の中で、谷川なりの葛藤があることをも意味している。

「まったく、開投銀は昔から何考えてるかわからないところがあったからなあ」

田島はやれやれと嘆いてみせてから真顔になり、「ウチが必ず折れるって乃原がいったってのも、どうも気にくわないですね。そんなことを現段階で気安くいうなんてヘンですよ。何かあるんですかね。考えてみると、ウチの役員会が債権放棄拒絶のメモを承認しなかったのも、どうも腑《ふ》に落ちないんですよ」

それは、半沢も感じていたことだ。「頭取ってそんな方でしたっけ」田島は不審を滲ませる。

「いや――」

半沢は首を横に振った。

中野渡の融資のスタンスは極めてオーソドックスで誇り高い。だが一方、行内融和に配慮しすぎる側面もあり、それが往々にして読み切れない経営判断につながることがある。それに、敢《あ》えていうなら、中野渡は決して清廉《せいれん》潔白なだけのバンカーではない。策士であり、清濁併せ呑む人間臭い男でもある。

「本来なら、そんなものは断れ、と一刀両断しただろうな。そういう人だったはずだ」

かつての中野渡の仕事ぶりを知っている半沢は評した。いろいろあったが、中野渡のことは、正直、嫌いではない。むしろ、目標とするバンカーであり、尊敬に値する。

「旧Tへの遠慮、ですか」

田島が、落胆まじりにいった。「だからって、こんな債権放棄に応じることないじゃないですか。だんだん銀行の論理ってやつが信じられなくなってきましたよ。なんだか、我々が知らないルールに則《のっと》って動かされてるような不思議な感覚というか」

まったくだ、と半沢も思う。

正論がいつのまにか端に追いやられ、詭弁《きべん》がそれにすり替わる。考えすぎた挙げ句、時としてバカでもやらないようなことをするのが組織というやつだ。

「まさかこれがタスクフォースのマジックってわけじゃないんでしょうが、どうも胡散臭《うさんくさ》い」

「債権放棄については正式回答まで時間がある。少しばかり様子を見るか」

慎重にいった半沢に、帝国航空の山久から思いがけない連絡があったのは、その数日後のことであった。

「タスクフォースの再建案の一部を入手したんで、もし興味があればと思いまして」

かけてきた電話の向こうで、山久は声を潜めた。

4

「これなんですけどね」

帝国航空の応接室で、山久が差し出したのは一通の書類だった。

再生タスクフォースが策定している再建案の一部で、全十五ページ。主に、減便と撤退路線に関するもののコピーだ。

「午後に運航本部の担当者が呼ばれて、この内容で行きたいからと、細かい数字の正誤を確認するよう命じられたんです。外には洩らさないでくれといわれたらしいんで、内密にお願いします」

いま、山久たち帝国航空従業員の、タスクフォースに対する反発は相当なものだ。

当初こそ、半沢に頑《かたく》なな態度を見せていた山久だったが、タスクフォースという共通の敵の出現もあってか、この三カ月で随分、友好的な関係になっていた。微妙な力関係のなせる業《わざ》としかいいようがない。

「見てください、半沢さん。有識者会議と煮詰めた修正再建案を白紙撤回だなんだっていってますが、減便や撤退路線は、ほとんどそのままなんですよ。なにも目新しいものなんかありゃしません。国交大臣の自己満足のために、あんな横柄な連中を、しかもコストはこっち持ちで送り込んでくるんだから、迷惑以外の何物でもないですよ」

タスクフォースの人件費は、専門家集団だけに巨額になるが、呆れたことに、国交省はそのコストを帝国航空につけ回していた。その額は、総額で十億円に及ぶと見積もられているから、山久の憤懣《ふんまん》もしかりだ。押し売りよりタチが悪い。

「それにしても信じられないな、これ」

書類を見た田島が呆れた。「山久さんのおっしゃるように、中身はほとんど同じですよ。これだったら我々の修正再建案を否定する意味がない」

「いや、一部違うところがある。ほら――」

半沢の指摘に、あっ、と田島の不可解そうな顔があがった。

「羽田《はねだ》・舞橋《まいはし》路線ですか。素案では撤退路線に含めたはずですよね。それが、タスクフォース案では撤退リストから外れたと？　何でですかね」

半沢も首を傾げたとき、「もしかして――」、といったのは山久だ。

「舞橋市は、箕部啓治《みのべけいじ》の地盤です。だからじゃないですかね」

半沢は思わず田島と顔を見合わせた。進政党の箕部といえば、元憲民党の大物議員だ。憲民党を離党して進政党を旗揚げした同党の重鎮で、国交大臣の白井は箕部派の若手リーダーという位置づけである。

山久はいった。「そもそもこの空港自体、箕部がまだ憲民党時代に建設したんです。舞橋空港は別名、箕部空港といわれるほどでして。タスクフォースが削るわけがない」

「つまりこのリストラ案には、経済合理性ばかりではない、別の要因が絡まっているということですか」

田島が憤然として半沢を見た。「密室で再建案づくりをしているのは、知られてはまずい事情を隠すためなんじゃないですか」

「ふざけた話だ」

舌打ち混じりに、半沢は吐き捨てた。

5

「債権放棄の件、議論の進捗はどうなんだ」

帝国航空本社ビル二十五階、いまやタスクフォース専用と化したフロアにある応接ブースで、乃原は相変わらず無遠慮な口をきいた。四月になり、ようやく春めいてきた金曜日の午後である。

手に火のついたままのタバコを持ち、ネクタイを緩めてシャツのボタンを外してだらしなく肘掛け椅子にかけている様は、とても国交大臣お墨付きの人間には見えない。

「現在、検討中です」

半沢がこたえると、

「いったいいつまでかかってんだよ。申し入れて一週間以上、経っているじゃないか」

ぞんざいな口調で、乃原は濁った目を向けてきた。

「回答期限は今月末だったはずです。だいたい、総与信の七割もの債権放棄ともなれば、そう簡単に結論を出せるはずがない」

毅然としてこたえた半沢の隣では、田島が乃原を睨み付けるようにしている。

「結論は出なくても、議論はしてるんでしょうね、東京中央さん」

その乃原の隣にかけているサブリーダーの三国が問うた。「どんな議論になっているのか、教えていただけませんか」

「それは行内のことですので」

やんわりと拒絶した半沢に、三国は傍らのファイルから書類を出してテーブルに滑らせて寄越す。

〝帝国航空の財務予測〟というタイトルの下に、予想貸借対照表《たいしゃく》と予想損益計算書が並んでいた。

「それが、お宅らの債権放棄で帝国航空が再生した場合の予想財務状況だと思っていただきたい。日本の空輸を担う一翼としてふさわしい内容でしょう」

債権放棄が既定路線であるかのように、三国は胸を張った。「いままで、カネが借りられるの借りられないのと、細かいことをいっているから一向に立ち直らなかったんです。帝国航空は、もっと早くに債権放棄を申請すべきだった。これを見れば君だってそう思うはずだ、半沢さん」

三国の発言に、馬鹿馬鹿しくなって半沢はきいた。

「では、債権放棄をしない場合の業績予測を見せてくださいよ」

「なんですって」

三国が表情を変えた。

「我々銀行は、カネを貸し、そして回収するのが仕事です」

半沢は続ける。「借金を棒引きにしたらこうなります、などという資料を見せられても困る。なぜ、借金を棒引きにしなければならないのかが問題なのに。銀行業務がどういうものか、おふたりは理解されていますか」

疑わしげな目を向けた半沢に、「当たり前だ」と乃原が吐き捨てた。

「そういうあんたは、企業の再建がどういうものかわかってるのかよ」

「もちろんですよ」

半沢は平然とこたえる。「有利子負債を抱えた企業の再建は、銀行の協力なしに成し得ないと思いますが」

「だから、あんたらの顔色を窺《うかが》えとでもいいたいのか。あんたがいってるのは、個人的意見に過ぎん」

乃原が断言した。「銀行上層部は、決してこの債権放棄に反対しているわけじゃない。そうだよな」

半沢はそっと目を細めた。乃原の言い方に、確信のようなものを感じたからだ。乃原は続ける。

「銀行はなんについてもマニュアルばかりだが、唯一、債権放棄に関するマニュアルはない。当たり前だ、そんな業務は存在しないのが前提だからな。つまりこれは、従来の枠組みに囚《とら》われた君らが、どれだけ論じたところで答えの出せる問題ではないということだ。要するに、君がやるべきことは、我々タスクフォースの要請に対してくだらん自己主張をすることではなく、役員会の意向を踏まえた稟議を書くことじゃないのか」

「それは違いますね。借りたカネは返すのが当たり前です」

半沢は、断言した。「それをくだらないと片付けていては、世の中の金融業は成立しません」

「建前論は聞いてない」

乃原はぴしゃりといった。「タスクフォースは、国交大臣の諮問機関だ。つまり我々が要請している債権放棄は、国交大臣からの要請だ。聞けば、あんたは行内ではトラブルばかり起こしている問題児だそうだな。そういう態度だと、後々、困ることになるんじゃないのか」

半沢は相手の表情を窺った。それが正しいかどうかは別にして、乃原には、東京中央銀行内に情報源がいる。

「あんたのような男は、帝国航空のためにならないのはもとより、東京中央銀行のためにもならん」

乃原は、椅子の背にもたれて新たなタバコに点火し、煙とともに言い放った。

「ではお伺いしますが、あなた方は帝国航空のためになっているんですか」

半沢は皮肉を込めて反撃した。「帝国航空のためといいつつ、政治家の都合を再建策に反映させて撤退路線に手ごころを加える。果たしてそれが帝国航空のためといえるんでしょうか」

思いがけない指摘だったに違いない。乃原の形相が変わり、ものすごい険相で半沢を睨み付けてきた。

「なんのことかはわからないが、つまらん言いがかりはやめたほうが身のためだぞ」

乃原がドスを利かせ、

「君さあ、何様のつもりなんだよ」

ひと際大きな声を出し、傍らから三国が身を乗り出してくる。「後悔することになるよ。いまこの場で発言を撤回して謝りたまえ」

「国交大臣のお墨付きがあるのなら、強権発動でもして債権放棄を命ずればいいじゃないですか」

半沢はふたりの男を静かに見据えた。「それができないのは、我々に選択権があるからだ。ならば我々のルールに従ってもらいたい。債権放棄を申し入れるのなら、もっと明確な根拠を提示した上で、銀行に頭を下げるのがスジでしょう。こちらの都合も聞かないで呼びつけた挙げ句、ふんぞり返って借金を棒引きにしろだなんて、いまどきヤクザだってそんな真似はしませんよ」

「それでどうした、乃原のオヤジは」

ニヤニヤ笑いを浮かべながら聞いていた渡真利は、半沢の話が一段落するのを待ってきいた。

「捨て台詞を吐いて席を蹴りやがった。お前なんか潰してやるとさ。やっぱりヤクザだ」

焼酎のグラスを右手で持ったまま、半沢はそのときのことを思い出して吐き捨てる。

銀座のコリドー街にある寿司屋のカウンターだ。焼酎は、常連の半沢のために、わざわざ店主が仕入れている栗焼酎で、飲み方はロック。地下にある店の向かいはライブハウスで、誰が出演しているのか知らないが、客が出入りするたびに昭和四十年代のフォークソングが洩れ聞こえてくる。

「かくして、全面対決に突入ってわけか」

渡真利はいい、「それにしても、お前に関するつまらん情報も含めて、どっから洩れてんだろうなあ」、と嘆息した。

「さあな。どうせ、オレを敵視している行内の誰かだろうよ」

半沢は、どうでもよさそうな表情で、白身魚の刺身にわさびをのせている。

「たしかに、旧Tなんか不良債権まみれの銀行だったからな。その頃の不良債権処理で、乃原とつながりができていたとしても不思議ではないな」

それなら納得だとばかりにいった渡真利は、ふと疑問を口にする。「だけど、他行が万が一債権放棄に賛成した場合、お前も賛成するのか」

「するか、そんなもん」

半沢は、飲みかけの栗焼酎のグラスを白木のカウンターにトンと戻した。「合理的な理由がなきゃ、あくまで〝拒絶〟だ。他の銀行に〝右へ倣《なら》え〟してどうするよ」

「そうこなくちゃな。それでこそ、本店営業第二部の半沢次長様だ。さすが、嫌われてるだけのことはある」

「茶化すな。これでも真剣なんだぞ」

じろりと睨んだ半沢の肩を、「わかってますよ」、と渡真利は叩いた。

「やっぱりさ、この仕事を任せられるのはお前だけだな。オレが頭取でもお前に頼んだだろうよ——まあ呑もうや」

半沢のグラスが空いているのを見て、渡真利がおかわりを頼んだ。

6

日比谷公園に近いビルに入っているイタリアンの店に乃原が到着したとき、すでに店の前には黒塗りの公用車が横付けされていた。

白井が行きつけだというその店で食事をするのは、この夜で二度目だ。酒落《しゃれ》のめした店だが、乃原にとってはそんなことはどうでもよかった。なにより、店内禁煙というその一点だけで、この店での時間は苦痛以外の何物でもない。

「お早いですね」

乃原は、わざとらしく腕時計を見て、約束の時間にまだ十分もあることを確認してみせる。相手が来る前に一本吸っておこうと思ったのに、予定が狂った。

「前の予定が早く終わったものですから。時間までお茶でも飲みながら考え事をしようかと思ったんです」

「であれば、しばらく外しましょうか」

それなら外でタバコが吸える。しかし、

「いえいえ、結構ですわ。先生とお話をしたほうがはるかに有意義ですから」

白井はいい、テーブルの反対側に乃原がかけるのを待った。

旧知であるが、それほど親しい間柄ではない。

そもそも、白井と乃原とでは、生きてきた世界が違った。白井は華やかなテレビ業界でキャリアを積んで政界へ進出、転がり込んできた政権交代劇の流れに乗ってとんとん拍子に大臣の椅子を手に入れたサクセス・ストーリーの主人公である。

一方の乃原は苦学して関西の国立大学に進み、公認会計士の資格を得たが、監査法人のごたごたに巻き込まれて二十代は不遇をかこっていた。その後一念発起して司法試験を目指して弁護士資格を得、バブル崩壊後に急増した企業整理の分野に手を染めるや、泥臭い交渉術と奸知《かんち》に長《た》けた振る舞いで頭角を現し、豪腕の再建屋として名を馳せるまでになったのである。

キャリアも違えば育ちも違う。

白井は、父が官僚、母は都心に店舗を構える老舗百貨店のひとり娘という裕福な育ち。一方の乃原は、大阪出身。幼い頃に父親が事業に失敗、貧乏しながら苦学の末に這《は》い上がってきた自他共に認める苦労人である。

見た目も経歴も正反対のふたりだが、たったひとつ共通していることがあるとすれば、それはいまの地位に満足することなく、上を目指しているという貪欲さ以外の何物でもなかった。

白井が密かに狙っているのは、政界の中心人物としての地位であり名誉である。原動力となっているのは、ほかの誰にも劣らぬ権力欲だ。一方の乃原が狙っているのは、再建屋という薄汚れた世の中の評価からの脱却であり、そしてなにより――カネであった。

白井が初めて乃原という人物を知ったのは、彼女がまだキー局のアナウンサーをしていた十年ほど前のことである。テレビの特集番組に乃原が登場し、白井がそのインタヴュアーを務めたのだ。大型の企業再建を手がける豪腕弁護士として売り出し中であった乃原は、見るからにぎらついたハングリー精神の塊で、そのときの白井は、表向きには関心を装いながらも乃原をひどく嫌悪した。

そもそも、いくら豪腕ときかされても、企業再建についてズブの素人である白井に、乃原の実力を評価できるわけもない。その後パーティなどで顔を合わせれば世間話ぐらいはするようになったが、逆にいえばその程度のつきあいに終始していた。

その後白井は、客寄せパンダと揶揄《やゆ》されながらも、ある年の衆議院選挙で初当選。政治家としてのキャリアをスタートさせた。

それから五年。野党の一議員として、それなりのキャリアを積んだ白井は、進政党新政権の女性の貌《かお》として、的場《まとば》一郎《いちろう》首相から国土交通大臣の顕職《けんしょく》に任じられたのである。

だが、念願の大臣の椅子を手に入れた途端、白井の前には大臣として対処すべき様々な困難が立ちはだかった。その中でもとりわけ難しいと思われたのが、業績の悪化した帝国航空への対応策である。

すでに倒産まで秒読みといわれる帝国航空をどうするか。

その難問に向き合ったとき、白井の頭に真っ先に浮かんだのは不思議なことに、嫌悪していたはずの乃原正太だった。それと同時に、白井を虜《とりこ》にしたのは、これはピンチではなく、千載一遇のチャンスではないか、という発想の転換だ。

憲民党が決して成し得なかった帝国航空の再建を、進政党が――いや、白井亜希子の私的タスクフォースが一気呵成《いっきかせい》にやり遂げる。

そうなれば二度と、客寄せパンダなどといわれなくなるだろう。

就任記者会見のサプライズでタスクフォース設立をぶち上げたところまでは我ながら鮮やかだった。これで再建を成し遂げれば、白井に対する世間の評価は一気に高まるに違いない。

「進捗状況はいかがですか、乃原先生」

最初のワインが運ばれてくるのを待って、白井はきいた。

「書類でご報告した通りでしてね。財務内容の精査が百人体制のチームでようやく先日終了しまして、具体的な再建案づくりまで着手しているところです。まずは予定通りと見ていいでしょうな」

「再建はうまく行きそうなんですか」

短絡的に結論を知りたがるのは、テレビ業界で身についた悪い癖だとわかっているが、このときの白井はつい口にした。

「腐っちゃいるけれども、あれだけの会社なんですから、借金を軽くしてやれば立ち直りますよ。あとは運転資金が途切れてしまわないよう、うまく資金注入してやればいい」

乃原は、いとも簡単にいってのける。

「借金を軽くするなんてこと、できるんですか」

白井の質問に、「できますよ、そりゃ」、と乃原は薄笑いを浮かべた。「銀行に債権放棄をさせればいいんです。七割カットの線で申し入れています」

白井は、その割合が示す内容も重みもまったく意に介する様子もなく、「銀行に助けてもらえれば、帝国航空も安心ですものね」、と現場感覚の欠片《かけら》もない言葉を口にする。

「そういうことです。特に帝国航空の取引銀行は、どこもいままで同社への融資で儲けてきたんですから、それぐらいのことはして当然だ。銀行に対しては世論も手厳しいですからね。七割カットの債権放棄ぐらい、国民の誰もが納得ですよ。むしろ拍手喝采ではないかな。反対する者なんかいやしません」

「貸し渋りに貸し剥《は》がしで、銀行もやりたい放題でしたものね」

さして実態を知っているわけでもないのに、白井は決め付けた。「それで前政権が決めていた修正再建案とかいうのは、潰していただけたんでしょうか。実は一昨日《おととい》にも、箕部先生からくれぐれもよろしく頼むといわれたばかりなんです」

「もちろんですよ」

にやりとして乃原はこたえた。「ご心配なく。抜かりはありません」

「それについて何か文句をいっているような人は――」

遠慮がちに、白井は相手の表情を窺う。

「ありません。というか、そんなことはいわせませんよ、大臣。あの路線は必要だから残すんです。違いますか」

頼もしい乃原の言葉に、白井はつい破顔した。

「その通りですわ、乃原先生。素敵な再建案になりそうですわねえ」

「素敵も素敵。最高にシビれる再建案ですよ、大臣」

乃原はタバコのヤニで黄色くなった歯を見せていった。「低空飛行でいまにも墜落しそうだった帝国航空が、我々の再建案で短期間に復活するんですからな。これはまだアイデア段階なんだが、回答期限に取引銀行をみんな集めましてね、合同の報告会という形でやろうと思ってるんですよ」

「セレモニーにするわけですね」

「その通り。その後記者会見を開いて、堂々、勝利宣言いたします。これこそ白井マジックだ、とぶち上げさせていただきますよ」

「白井マジック……いいですわねえ」

白井は陶酔した眼差しになる。「それでタスクフォースの必要性が、総理にもきちんと伝わるでしょう」

そう告げた途端、白井がふと表情を曇らせたのは、総理大臣の的場から、「拙速にならないよう、慎重にお願いしますよ」、とタスクフォースの設置を暗に諫《いさ》められたことを思い出したからだ。的場は、就任記者会見でのタスクフォース設置発表が気にくわなかったらしい。帝国航空に対して必要な対応を取ることは伝えてあったが、白井のスタンドプレーだと思われているフシがある。

心外だった。

「なにか障害などありますか」

白井はきいた。「もし、あるのならおっしゃってください。こちらでできることは、極力協力させていただきますので」

「そうですねえ」

乃原は少し考え、「一番の問題は、やはり金融機関の債権放棄交渉ですな。これは時間との勝負だ。回答期限は切ってありますが、出来るだけ早く纏《まと》めたい。そのために、大臣からも銀行の背中を押して頂ければありがたい」

「銀行ですか」

白井は、含んだ表情になった。「ご存じの通り、管轄が違うので少々やりにくい事情がありますけど、なんとかやってみますわ」

「国交大臣のあなたが、航空行政の健全化のために尽力するのは当たり前のことだと思いますがね」

乃原はいった。「日本の空には帝国航空の存在は不可欠です。その大義名分さえあれば、相手が銀行だろうと遠慮することはない」

「それで、債権放棄について当の銀行の反応はいかがなんですか」

「そりゃ、おもしろくないと思ってるでしょうな」

乃原はあっけらかんとしてこたえた。「とはいえ、メーンバンクの開投銀は以前から帝国航空に協力的で、債権放棄の提案も前向きに検討しているようです。ゴタゴタいっているのは民間銀行のほうだ。特に準主力の東京中央銀行を早急に落とす必要がある」

東京中央銀行に関する白井の知識といえば、メガバンクの一角で同行の前身が財閥系であることぐらいだ。もともと、銀行業務についても、知っているのはせいぜい預金業務か振り込みぐらいで、企業がらみの融資となると具体的なことは何もわからない。

「先日、債権放棄割合について銀行には申し渡したんですが、東京中央銀行の担当者は、タスクフォースにどういう法的根拠があるんだと開き直る始末で。帝国航空の再建より自行の利益を優先するなど許されませんよ」

「ひどい話ですわね、それは」

白井は眉をひそめると、毅然《きぜん》としていった。「乃原先生に対する発言は、そのまま私に対する挑戦と受け止めさせていただきます」

「挑戦どころか、否定といっていいかも知れません」

ここぞとばかり、乃原が火に油を注ぐ。「有権者に対する挑戦であり、民意を逆撫でする行為です」

怒りに青ざめた白井に、

「所詮《しょせん》奴らは薄汚れた金貸しです、大臣」

乃原は断じた。「都合が悪いときには、公的資金にタカっておきながら、そんな過去はすっかり忘れていいまだエリート面《づら》で自分たちが偉いと思っている。銀行員ほど、手に負えない奴らはいません。甘やかせばつけあがるだけです」

舌鋒《ぜっぽう》鋭い乃原の銀行批判に、白井も我が意を得たりとうなずいていった。

「タスクフォースに逆らって帝国航空の再建を邪魔すればいったいどうなるか、思い知らせてやりましょう」

乃原の煽動《せんどう》に、白井の瞳の中で怒りが揺らめく。

その瞳に向かって、乃原は、高々とグラスを掲げた。

「民意は我らにあり」

7

開発投資銀行の八階にあるフロアには、半分だけ明かりがついていた。

午後十一時過ぎ。商いが閑散とする月半ばとあって、ほとんどの行員は帰宅し、職場はがらんとしている。その中でひとり、窓を背にした席で思索に耽《ふけ》っている人影があった。

帝国航空担当次長の、谷川である。

デスクを所狭しと埋めているのは、同社のクレジットファイルと、プリントアウトされた稟議《りんぎ》書《しょ》だ。先ほど買ってきたコーヒーはほとんど口を付けないままとっくに冷め切っている。

どれほど考え込んでいたのか。ふと顔を上げて壁の時計を見上げた谷川は、思ったより遅い時間にしばし驚き、すっかり固まってしまった首スジに手を添えた。

ここのところの激務で体の奥底にはどんよりとした疲労が蓄積しているが、頭の芯だけが妙に冴え、とても休む気になれない。

谷川が、次長への昇格とともに帝国航空の担当になったのは、ちょうど二年前。それまで業績不安すら決して口にしなかった帝国航空が、はじめて社長名で非常事態を宣言したのとほぼ同じ頃であった。

同時に、神谷社長名で全社員に対する経営改善努力への協力要請が出されたが、帝国航空社内の反応は、冷ややかというより敵対的なものばかりが目立った。

結局のところ、帝国航空はモザイク企業のようなものだと谷川は思う。

経営者、七つの従業員組合に分かれた従業員たち――。それぞれが独自の思惑と利害で動き、権利を主張して譲ろうとしない。表向きは会社としての枠組みを持ちながら、てんでんばらばらの方向をそれぞれが向いている。

一体感のないまま、業績はさらに悪化の一途を辿り、この二年間のうちに同社は後戻りのできないところにまで滑り落ちようとしている。

それまで幾度、帝国航空経営陣からリストラ案の相談をされ、支援し、裏切られたことか。かつて公の航空会社であった頃の、抜け切らない慢心と油断が蔓延《まんえん》する経営陣。さらに、それがどんなに世の中の常識からズレたものであってもお構いなく、既得権益にぶらさがる従業員たち。待遇を巡って訴訟すら辞さない労働組合。

メーンバンクの担当者として、真剣に取り組めば取り組むほどバカバカしくなるような騒動が繰り返され、その果てに、いま巨額の債権放棄の検討を命じられている自分がいる。

「馬鹿げてるよね」

人気のないフロアで、谷川はつぶやいた。

胸に浮かんだのは、先日面談で、タスクフォースの乃原が発した言葉だ。

「メーンバンクとしての、貸し手責任を認識して欲しいんだよな、開投銀さんに」

そのときには、「何が貸し手責任ですか」、と思わず反発したい気持ちを無理矢理抑え込んだ谷川だが、一旦怒りをやり過ごしてみると、残ったのは後味の悪い自己嫌悪だった。

いままでの開投銀が、過剰なほど手厚く帝国航空を支援してきたのは紛れもない事実だ。特に谷川が担当になってからの二年間の支援ぶりは、他の民間銀行の追随を許さぬ積極的なものだった。

その積極支援が、むしろ帝国航空の危機感を削ぐことになったのではないか。そう考えると、乃原の指摘もまんざら間違ってはいないような気がしてくるのだ。

帝国航空担当者として遮二無二《しゃにむに》突き進んできた二年間で、その「やり過ぎ感」は、常に胸のどこかに引っかかっていた。無意識のうちに心の中で蓋《ふた》をしてきた部分に、乃原のひと言が無残なまでにはっきりと、輪郭を持たせたに過ぎない。

思考に迷う谷川の胸に、そのときもうひとつの記憶が甦《よみがえ》ってきた。

「なんでもかんでも、融資すればいいってもんじゃないからな」

それは、同じく銀行員だった父が、かつて自分にいったひと言だった。

父は民間銀行に勤め、サラリーマン人生のほとんどを現場で、中小企業相手に融資をしてきた男だった。最後の役職は小さな店の支店長で、バブル崩壊とともに不良債権まみれになり、お払い箱同然に、子会社へ出向させられ銀行員生活にピリオドを打った。

さして出世はできなかったが、いまから思うと銀行マンの先輩としての父は、現場に精通した戦士だったと思う。

〝貸すも親切、貸さぬも親切〟という言葉を初めて聞いたのも、そのときだ。

「過剰投資になってしまうような設備資金なら貸さないほうがいい。融資をしないことで取引先を救うことだってあるんだよ」

父の生き様に対して若い頃の谷川は反発し、「それは融資しないことを正当化する言葉なんじゃないの」、と皮肉混じりの返事をしたことを覚えている。

そのときの父は、ただ寂しげに笑っただけで、ケンカになると思ったかそれ以上の言葉は返してこなかった。だが――。

いま、谷川にははっきりとわかる。

あのときの父の言葉は正しかった。

そして自分はいつのまにか父の教えに背《そむ》いて、貸してばかりのダメな銀行員に成り下がっていた。その挙げ句が、これだ。

デスクの上の稟議書に手を伸ばし、ぱらぱらと中身を開いてみる。

タスクフォースから要請のあった債権放棄に関する、開投銀の正式回答を決めるための稟議だ。

帝国航空のメーンバンクとして、開投銀の融資残高は二千五百億円。そのうち七割に当たる一千七百五十億円を放棄して欲しいという、タスクフォースの要請を呑むのか呑まないのか。そして——。

先日、谷川が出した結論は、債権放棄の「拒絶」だった。

だが、谷川が書いたその稟議は役員会で一蹴《いっしゅう》され、「差し戻し」という形で、この日の夕方、手元に返されてきた。

「債権放棄の結論で稟議を書き直してくれ」

そのとき、部長から命じられた谷川から出たのは、

「政治決着ですか」

という皮肉めいたひと言だ。

「……そう思ってもらってかまわない」

谷川の顔を正面から見据えたまま、長く沈黙した後の部長のひと言が耳から消えない。

いわれるがまま、タスクフォース案受け入れの稟議を作成することは簡単だ。

だが、役員会の決定は、間違っている。

貸すべきでないカネを貸して間違い、すべきでない債権放棄で二度間違う。

役員会の意向を覆すための何か上手いやり方はないのだろうか？　袋小路に見える状況でも、

どこかに解決策が転がっていることもある。

谷川は、ひとりのバンカーとして、その答えを模索し続けた。

第二章　女帝の流儀

1

営業第二部のフロアにいた半沢のもとに、秘書室から連絡があったのは、午後二時過ぎのことである。

エレベーターで役員フロアに上がり応接室に入ると、そこには思いがけない先客がいた。

「よお。どうだ、調子は」

ニヤけた顔を半沢に向けているのは、審査部の曾根崎だ。

「なんで君がここに？」

「お前はまだ担当になって日が浅いだろう。心配した紀本常務から、万が一のときのためにオレにも出てくれといわれたものでね」

「随分、ご丁寧なことだな」

空いている席にかけた半沢は、壁の時計を見上げた。ノックとともに秘書室の担当者が顔を出し、「間もなくいらっしゃいますので、皆さんお迎えをお願いします」、といってきたのは、すぐのことである。

　地下駐車場で公用車を待ってここまで案内してきたのは秘書室長と総務部の担当次長のふたり。エレベーターから女帝のごとく威風堂々とフロアに降り立ったのは国交大臣の白井だ。その視線は、正面で出迎えた中野渡頭取に向けられている。この日の服は、季節には早過ぎるコバルトブルーだ。

「ようこそいらっしゃいました、大臣。どうぞ、こちらへ」

　丁重に挨拶をした中野渡は、先に立って応接室へと白井を案内する。

　白井に続いて国交省航空局長と大臣官房参事官が入室し、さらに白井の公設秘書がふたり。不機嫌そうな面《ツラ》をさげてのっそりとその後に続いたのは、半沢も顔見知りの男だった。タスクフォース・リーダーの乃原である。

　乃原は声をかける代わりに険相を半沢に向けたが、声をかけてくるでもない。そして、「先生、こちらに」と白井に勧められるまま、中央の席に向かった。

　名刺交換が始まった。銀行側からは頭取以下、副頭取や紀本、そして内藤らの役員が全部で十人。さらに半沢や曾根崎らの次長までが出席し、大型の応接室はたちまち人熱《いき》れで一杯になるほどだ。

「本日は貴重なお時間をいただきまして、ありがとうございます」

　白井の第一声は、少し甲高くよく通った。「できれば、現在の経済情勢に関する中野渡頭取のご高説を拝聴したいところですけれど、時間がございません。早速、本題に入らせていただいて、よろしいでしょうか」

　そう切り出すと、返事を待たずに続ける。「帝国航空再生タスクフォースから帝国航空再建案の柱として、取引金融機関に一律、七割の債権カットをお願いしていると思います。前向きにご検討いただいてますわね」

「前向きかどうかは別にして、検討はしておりますな」

　中野渡の回答は、どこかとぼけた味わいがあるが、白井はにこりともしない。

「どのようなご検討でしょう、頭取」

　挑むような物腰には、対決も辞さぬ覚悟が滲《にじ》んでいた。

「帝国航空さんの業績予測を精査させていただき、債権放棄の合理性について見極めをしているところです」

「それは、そんなに時間のかかる作業なんでしょうか」

　白井は首を斜めにして、頭取の表情をのぞき込んだ。「タスクフォースの乃原リーダーからは、残念ながら御行の対応が最初から否定的だったと聞いております。いったい、どういう検討をされているのか、それをおたずねしたいですわね。聞けば銀行というところは、何事も稟議によって決まるとか。稟議を書くのはどなたですか」

　白井はそういって、テーブルの反対側にかけている銀行の一団を見回す。

「私ですが」

　挙手をした半沢に、「あなた、お名前は？」、と白井はきいてきた。

「営業第二部次長の半沢と申します。帝国航空を担当しております」

「で、債権放棄に関する稟議はお書きになったんですか」

気の強い一面を出し、顎を突き出すようにして白井はきいた。

「いえ。まだ検討中ですので」

「検討中！　回答期限も近づいているというのにいったい、どれだけ時間をかけるおつもりなんですか。こうしている間にも、帝国航空は刻一刻と危険な状況になりつつあるんですよ。あなたには危機感ないんですか。それとも、銀行というところは、大切な取引先がどうなろうと関係ないというお考えなんでしょうか。いかがです、頭取」

容赦なく、白井は質問の矛先を頭取に戻した。その様は、女帝が家臣を問い詰めているようでもある。

「なにぶん、五百億円もの債権放棄となりますと、銀行の業績を左右いたします。そう簡単に結論を出すわけには参りません」

中野渡の落ち着き払った態度に、白井の頬に朱が差した。

「簡単に出せとはいっていません。対応が鈍いのではないかと申し上げているんです」

半沢を振り向き、「あなたはどういうスタンスで、帝国航空を担当されているんですか」、と咎《とが》めるようにきいた。

「スタンス、ですか」

半沢は、この招かざる客に早くもうんざりしつつ、こたえる。「しいていえば、銀行の手続きに則って、この債権放棄を受けるべきか、経済合理性を踏まえて検討するといったところでしょうか」

　白井が納得した様子には見えない。案の定、

「そういう通り一遍の対応で済まそうとおっしゃるんですか、あなたは」

　非難ともとれる発言が飛び出してくる。

「いいですか、半沢さん――」

　反論しかけた半沢を、より声を張り上げて白井は遮《さえぎ》った。「これは我が国の航空行政に関わる問題なんです。そんな人ごとのような態度ではなく、もっと真剣に取り組んでいただけませんか」

　隣で曾根崎がにんまりした横顔を見せていた。半沢への叱責に嬉々としている顔だ。遠くからは紀本が、非難がましい眼差しを向けてきている。白井の発言はまだ続いた。

「それとも最初っから、債権放棄を拒絶するつもりで引き延ばしていらっしゃるんですか。どうなんです」

　一段と声を高めた白井の詰問調に、場の空気が凍り付いていく。頭取同席の場だろうが、白井には遠慮というものがなかった。

「お申し出の債権放棄についてですが、どう対応させていただくかは、稟議によって決定されます。ただ、申し上げたように軽々しく結論を出すわけにもいかない。もうしばらくお待ちいただけないでしょうか」

　一方的に息巻く白井に、中野渡の口調はあくまで柔らかだ。

「では、どうして債権放棄を申し入れたその場で、それを否定するような発言をしたんですか、このひとは」

　まっすぐに半沢を指さして白井は喚《わめ》いた。

「さあ、それはどうでしょうか」

中野渡は静かに受け止め、「乃原先生との具体的なやりとりは存じませんが、担当者としての私見を口にしたまででしょう。そういうことは、よくあることです」、と軽くいなす。

「私見？　私見でそんなことを口にするんですか。半沢さんとおっしゃいましたか。あなた、国交大臣の私設諮問機関をなめていらっしゃいませんか」

キッとなった白井が、喧嘩腰の目で半沢を睨み付けてきた。「きちんとおこたえなさい」

「もちろんそんなつもりはありません」

仕方なく半沢がいうと、「ふざけないで」、と白井はさらに怒りのボルテージを上げた。

「あなたみたいな銀行員がいるから、こんな大事なときに、帝国航空の再建が遅れることになるんです。きちんと反省してるんでしょうね」

「反省？」

まともに取り合わず、その場をやり過ごそうとしていた半沢だが、さすがにそのひと言は聞き捨てならなかった。「お言葉ですが、五百億円もの債権放棄をなんとか防ごうとするのは銀行員として当然の対応です。もちろん、そちらの乃原さんにはそれを踏まえて反論を述べさせていただきましたが、それは反省すべき筋合いのものではありません。逆に、巨額の債権放棄を根拠も曖昧なまま申し入れる、そんなタスクフォースのスタンスのほうが問題ではないでしょうか」

「乃原先生は、会社再建のプロですよ、あなた」

そう言い放った白井の顔が、怒りのあまり青ざめていく。

白井の隣に座っている乃原もまた、憎しみが煮え滾《たぎ》る視線をこちらに向け、いまにもかみつかんばかりだ。

「一応、この場をお借りしていっておきますがね」

半沢に視線を結びつけたまま、その乃原が口を開く。「全銀行に債権放棄を要請いたしましたが、東京中央銀行の対応は著しく品格を欠いたものといわざるを得ませんでした。その場での発言が私見かどうかは別にしても、大臣直属機関からの要請に対しての軽率な態度は反省するのが当然でしょう」

半沢が反論をしかけたとき、

「それは大変申し訳ありませんでした」

突如、詫びのひと言が割って入った。

紀本だ。

いまや眉間に皺を寄せ、厳しい表情を浮かべた紀本は、「失礼の段、お許しください」、そういって頭を下げてみせる。

余計なことを、と内心舌打ちした半沢に、紀本から、「君もきちんと謝ったらどうだ」、という発言が飛び出したのはその直後のことであった。

いまや、全員の視線が、半沢ひとりに集中している。

「半沢！」

紀本の叱責が飛んだとき、

「もし、気分を害されたのならそれについては謝罪いたします。ただし、債権放棄に関しては、当然の対応をしたまでです」

隣で曾根崎が息を呑み、瞬きすら忘れた眼がこちらを向いている。顔面を紅潮させた紀本はさらに怒りを燃やし、他の行員たちは、固唾《かたず》を呑んでこのやりとりの成り行きをうかがうのみだ。

「乃原先生がここまでおっしゃるのは、よほどのことじゃないですか！」

白井がキッとなって叫んだ。「それをなんですか、失礼な！　いったい、お宅の銀行は行員に対してどういう教育をされているんです、頭取」

「気に障《さわ》られたようなら、申し訳ない」

中野渡はあくまで冷静な口調だ。「ですが、今回のご訪問の目的は、要するに債権放棄の件をしっかり検討せよと、そういうことではありませんか」

白井に向かって問う中野渡の態度は物静かだが、つまらぬ反論を封じる威厳に満ちていた。

「それであれば、大臣のご意向は十分に承りました。私どもとしても、最善を尽くして検討させていただいております。それでよろしいですか」

「帝国航空ほどの会社が行き詰まれば、社会的影響は計り知れません」

白井は、キッとなって見回した。「御行《おんこう》にも何かとご事情はあるんでしょうが、銀行の社会的使命を肝に銘じて、きちんとした判断をお願いしたいと思います」

そういうと、まだ何か言い忘れたことがあるか、という眼差しで航空局長らを一瞥《いちべつ》する。白井の剣幕に気圧《けお》され、まだ固まったままの空気の中で、いま短い面談は唐突な終わりを迎えようとしていた。

「それでは、時間もないのでこの辺で失礼します」

白井は腰を上げる前に、もう一度半沢に鋭い眼差しを向ける。「もし次もこんな対応をするのなら、そのときは許しませんからね。覚えておきなさい」

そう捨て台詞を残してさっさと席を立つと、お付きの者たちがそれを追いかけるように慌てて後に続いた。

その姿が部屋から見えなくなるまで見送ると、中野渡は、静かに腰を上げ執務室へと引き揚げていく。

半沢の側では、内藤がまだ椅子の中でじっと瞑目《めいもく》しているところだ。

やがて目を開いた内藤は、ぽんと膝をひとつたたき、

「お疲れ」

ひと言だけ声をかけて腰を上げた。

「おい、半沢。紀本常務がお呼びだ」

見送りにいったエレベーターホールから戻った曾根崎が告げたのは、その直後であった。

2

入室した半沢をデスクの前に呼びつけた紀本の双眸《そうぼう》は、怒りに燃えさかっていた。

「いったい、何を考えているんだ、君は。大臣に対してあんな言い方があるか」

「お言葉ですが――」

紀本を真正面から見据え、半沢はこたえる。「明確な根拠もなく、一方的に債権放棄を要請されて反論するのは当たり前のことです。タスクフォースは、いまに至っても、債権放棄が必要だ

と思われる合理的な根拠を明示していません」

「そんなことは関係ない」

激昂して紀本は頬を震わせた。「私は、君の態度のことをいっているんだ。乃原先生から対応を批判されるだけのことをしたんだ。謝罪すべきは謝罪する、そんなことは社会人としての基本だろう。それすらできないのか、君は」

「自分に過失があれば謝罪するのは当たり前のことです」

半沢は平然といった。「今回もその例外ではありません。しかしながら、乃原氏の発言は、たんなる言いがかりに過ぎません。あんなものは、交渉を有利に進めるための話術です」

その反論に紀本は思わず立ち上がり、右手の人差し指を半沢の胸のあたりに突きつけた。

「そんな言い訳が通用すると思うのかね。白井大臣の前で、頭取が恥を掻いたんだ。その責任をどう取るつもりだ。それに、あの方は進政党の看板議員だ。いまは国交大臣でも、次期政権では財務大臣になるかも知れない。もし、そんなことになったらどうするつもりなんだ」

「白井大臣の施策は独断専行に過ぎません。そして、タスクフォースの要請は、金融秩序への挑戦以外の何物でもない」

半沢は断言した。「もし、言われるままに巨額債権放棄を受け入れれば、真面目に働いているすべての銀行員を裏切ることになります。そんな話をおいそれと受けるわけには参りません」

「君は債権回収の専門家じゃない」

紀本が声高に決めつけた。「債権回収の現場には、つねに理屈では割り切れない問題があるんだ。君のつまらない我を通して、帝国航空が倒産したらどうするんだ。五百億円どころか、もっと巨額の不良債権が出ることになるんだぞ」

「だから債権放棄を呑めと、そうおっしゃるんですか」

半沢は、紀本と、いま自分の隣に立っている曾根崎のふたりに冷ややかな視線を向けた。

「いま常務は、債権回収の専門云々《うんぬん》の話をされましたが、それでは解決に及ばぬ難問であったが故《ゆえ》に、我々にお鉢が回ってきたのです。もっというと、旧来の審査部のやり方では歯が立たないからこそ、担当を外された。であれば、我々のやり方に逐一口出しをされるのはご遠慮いただけませんか」

ぐっと言葉に詰まった紀本から、返事はない。半沢は続けた。「白井大臣がなんといおうと、乃原とかいう形崩れした再建屋がどう喚《わめ》こうと、私は私のやり方でこの問題に対応させていただきます」

「その対応の結果が、先日のメモだろ」

嫌悪感を剥《む》き出しにして、紀本は鼻に皺を寄せた。「あの検討の浅さには失望したよ。木を見て森を見ず、まさにそんな内容だ。もう少し、大局的に考えたらどうなんだ。当行一行で帝国航空を支えるわけじゃないんだぞ」

「タスクフォースから債権放棄が妥当だと判断しうる材料が提出されない限り、本稟議でも結論を変えるつもりはありません」

半沢は、明言した。「その検討が浅いとおっしゃるのなら、他行の対応を勘案して再検討だなどという遠回しな言い方でなく、役員会として債権放棄受け入れを決議すればよろしいのではないでしょうか」

様々な思惑が渦巻く役員会は、決して一枚岩ではない。中野渡にも躊躇《ためら》いがあるはずだ。

「役員会は、稟議の浅薄な理論構成に疑問を持ったからこそ突き返したんだ」

紀本はけんもほろろにいった。「つまり、否認にも値しない稟議ってことだ。思い上がりもいい加減にしろ」


「何なんですか、あの男」

公用車の後部座席におさまるや、白井は吐き捨てた。「自分のことを何様だと思ってるのかしら。本当に腹の立つ」

「ゴロつきですよ、あんなのは」

隣の席におさまった乃原は、スーツの内ポケットからタバコを出したが、白井の公用車だったと思い出して引っ込める。「社会性を無視して自らの利益のことしか考えない、ただの金貸しだ。その証拠に、礼儀も知らなかったでしょう」

「あんな人に帝国航空のような重要な会社の担当を任せておくなんて、いったいどういう銀行なんでしょうか」

白井の憤慨に、乃原は内心にんまりとしながら自らも怒りの表情を浮かべてみせる。

「銀行なんてのは、そういうところなんです。甘やかせばつけ上がる。大した能力もないのに、プライドばかり高い。だから始末に悪いわけだ」

「バブルのときに潰れてしまえばよかったのに」

白井は極端な発言をした。オフレコのときの白井は毒舌だ。世間には見せない素顔である。「そうすれば、もっと謙虚になったんじゃありませんか」

「それもすべて憲民党のせいですよ」

乃原は、白井の関心事と政治をそろりと結びつけてみせる。「金融秩序だなんだと理由をつけて、連中が必要もない銀行を生き残らせたのがいけなかった。結局のところ、憲民党の政治家たちは、銀行と持ちつ持たれつのなれ合いを演じてきたに過ぎない」

「憲民党政権によって、日本の国がいかに蝕まれてきたのか。いまこそ、それを国民に知らせるときです」

白井は毅然としていい、大企業の本社ビルが建ち並ぶ大手町の街並みに決意を秘めた視線を向ける。

「それにしても、銀行員なんてのは、所詮悲しい連中だ」

また、乃原がいった。「いまは威勢が良くても、誰もが役員になって、頭取になれるわけではない。同期入行組から誰か役員が出たら、その他の連中に待っているのは出向の運命だ。その頃になると、それまで銀行の看板に寄りかかってプライドの高かった銀行員も、自分は所詮ただのサラリーマンに過ぎなかったことに気づくわけです。メッキが剥《は》がれる瞬間ですな。そうすると銀行の看板にあぐらを掻いていた奴にかぎって、手のひらを返して銀行批判を展開するようになる。見苦しいことこの上ない」

「さすがに、乃原先生は金融界の内情にお詳しいですわねえ」

感心した白井に、「こういう仕事をしていると、嫌でも相手にしなきゃなりませんからね」、と乃原はいった。「鼻持ちならない奴らの、ああでもないこうでもないという言い訳を聞いていると、反吐《へど》が出そうになりますよ」

乃原の舌鋒の鋭さにさすがの白井も臆《おく》したとき、「乃原先生の銀行嫌いは有名ですからね」、と助手席から白井の秘書がいった。

「常日頃、あんな者たちとやり合っていれば、それは嫌いにもなりますわねえ」

同調した白井に、乃原は目を細めただけで黙りこくった。ふと、白井が乃原の横顔を不思議そうに見たのは、女性ならではの感覚の鋭さで何事かを感じ取ったからかも知れなかった。

「先生？」

白井に問われ、ほんの数秒間、遠い目をしていた乃原の意識が戻ってきた。

「まあ、とにかくですな」

乃原は改まって口を開く。「あの半沢とかいう男がどうだろうと、結局、あの銀行は債権放棄を呑むしかないんですよ。もはやそういう運命なんだ。誰も逆らうことはできません」

やけに自信満々の乃原は、再び内ポケットに手を入れてタバコの箱を取り出しかけ、やめた。

3

「話はきいたけどもさ、紀本さんもそれはないだろう。いったい、どっちの味方なんだ」

白井大臣の〝カチ込み〟の話は、あっという間に本部内に広がっていった。もちろん、行内きっての情報通を自他共に認める渡真利の耳に、それが入らないわけはなく、「何時に上がれる？ちょっと寄って行こうや」、と半沢のデスクに電話がかかってきたのは、その日の午後九時過ぎのことである。

　ふたりで出かけたのは、神田にあるベルギービール専門店であった。ちょうど二席空いていたカウンターに並んでかけ、モアネットの大瓶をシェアしている。

「そこまでいくと、悪意だろ」

　渡真利が決めつけた。「それとも、乃原の銀行嫌いを知って、ゴマでもすろうと思ったか」

「銀行嫌い、なのか、あいつは」

　半沢はどうでもよさそうな口ぶりでのんびりときく。

「オレも乃原という男について興味があったんでさ、知り合いにきいてみたんだ。ほら、ウチの融資管理部の戸村《とむら》って知ってるだろ」

　半沢はうなずいた。二期下の調査役で、本部内の打ち合わせで何度か顔を合わせたことがある。

「倒産絡みの案件を専門にしてるからもしやと思ったんだが、案の定、乃原とは何度かやり合ったことがあるっていうんだよな」

　融資管理部は不良債権化した融資を専門に扱う部門で、いわば乃原と同じ業界だ。

「昔っから、乃原の野郎はやりたい放題だったらしいんだが、あるとき、乃原と一緒に仕事をしたことがあるという弁護士から、乃原が銀行嫌いになった理由をきいたらしい」

「それで？」苦みのあるビールを一口飲み、半沢は先を促した。

「その理由っていうのが――子供の頃のいじめさ」

　思いがけない話に、思わず半沢は顔を上げた。渡真利は続ける。「乃原の家は貧しかった。着るものはいつも兄貴のお下がり。大阪市内で育ったらしいが、塾に行く金もなく、友達の遊びにもつきあえなかった。そんな乃原をいつもいじめる同級生がいたんだが、そいつの父親というのが銀行の支店長だったらしいんだな。見た目はさえない乃原だったが勉強はできた。それが気にくわなかったその支店長ジュニアは、なにかにつけて乃原のことをいじめて、ついでに父親の仕事を自慢していたらしい。特に、乃原が一番傷ついたのが、乃原の家が経営していた町工場が倒産してしまったことを同級生にばらされたことだったそうだ」

「なるほど」

半沢はぽつりとつぶやいた。「勘違いした銀行員はどこにでもいるからな」

半沢の胸に、子供の頃の記憶が生々しく甦った。小さな町工場を経営していた半沢の父親は、かつて銀行に裏切られ、経営危機に陥った。父親の苦悩する様、冷ややかな銀行員の態度は、いまも消えることのない痛切な記憶である。

「まあ、そういうことをされたら、銀行嫌いになるのも仕方のない部分もあるわな」

渡真利はいった。「しかしだな、子供の頃の恨みをずっと腹にため込んで、いまだ敵愾心《てきがいしん》を燃やし続けているというのはどうかと思うぜ。なんか、みみっちくないか」

「加害者は忘れても、被害者は忘れないもんなんだよ」

そういう半沢を、渡真利はなにか不思議そうに眺めてから、「まあ、そうかも知れん」、と同意の言葉とともにビールのグラスを口に運ぶ。

「で、お前、どうするよ、半沢」

グラスを持った手をひょいと上げ、渡真利はきいた。「今回の件で、お前のことをあれこれとのたまう輩も当然出てくるぞ。なにしろ、あの白井大臣様のご機嫌を損ねちまったわけだからな。

紀本さんじゃないが、このままいけば、初めての女性首相になるかも知れないなんて気の早いことをいってる奴もいるぐらいだ。そうなったら、世も末だがな」

渡真利のいいたいことはわかっている。

片や飛ぶ鳥を落とす勢いの新政権の看板大臣、そして片や一介のバンカー。勝負は最初からついているといいたいのだろう。おまけに、銀行上層部での半沢バッシングも激しさを増すに違いない。

もちろん、自らの不利は承知の上だ。

「どうするもこうするも、自分が正しいと思うことをするしかないだろ」

さすがに苛立ち、半沢は小さく吐き捨てた。

4

「まあ、箕部先生、お早いですわね」

麴町《こうじまち》にある会員制レストランの個室のドアを開けた白井は、そこに招待主の姿を見つけて驚いてみせ、「お招きいただきありがとうございます」、と深々と頭を下げた。

ひっそりとした裏通りにあるフレンチの店である。

一階にパンを売る店があり、会員だけがその店の内部を通って二階のレストランへ向かうことができた。大通りから一本入ったその辺りは、都心とは思えない静けさである。

「あんたと食事をするのを楽しみにしていたんだ。まあ、そこに座ってくれ」

奥の席に座っていた箕部啓治は遠慮のない口調で手近な席を勧め、「酒か、それとも炭酸水か――」、と白井にきいた。いままで箕部とは何度か食事をしたことがあるが、粗相《そそう》があるといけないと思った白井の選択は、いつも炭酸水だった。どうやら箕部はそれを覚えているらしい。それはいかにも箕部らしい配慮で、新幹線の中でたまたま隣り合わせた地元の人が、東京で仕事を終えて宿泊先のホテルに着くと、箕部から花束が届いていたという逸話があるほどだ。だが、

「今日はシャンパンをいただきたい気分なんです」

この日の白井はそういい、祖父と孫ほどの歳の差のある派閥の領袖《りょうしゅう》の前で不機嫌を顔に出してみせる。

「大臣の椅子も、慣れるまでは大変だな。それでどうだ、帝国航空は。うまくいきそうか」

「まあなんとか。先日は銀行を回ってきましたの」

運ばれてきたグラスのシャンパンを口にして、白井はこたえた。

「で？」箕部はグラスを持ったまま、濁った目で白井をのぞき込む。

「主力の開投銀と準主力の東京中央銀行の二行の頭取と面談してきましたが、正直、気持ちのいいものではありませんでした。特に東京中央銀行のほうは民間のせいか、実に不愉快な対応で。国交省を舐《な》めてます」

その時のことを思い出して、白井は眉をひそめる。

「タスクフォースからの債権放棄申し入れの件か。その分では、乃原先生も手を焼いていそうだな」

「それはもう。相当ご立腹です」

箕部は、かつて自分が関わった企業の再建を通じて乃原と知り合い、世話になったことがあったらしい。それもあって、タスクフォースのリーダーに乃原を据えようとしたとき、実は箕部もそれに同意していた。それ故に、タスクフォース立ち上げというサプライズ発表に苦言を呈した的場首相に対して、箕部は白井擁護に回ったのであった。進政党結党の立役者である箕部が認めれば、党内に表立って反対する者はいない。

「ガタガタいっているのは、銀行の、どうせ下々の連中だろう。そんな小者など相手にする必要はない。あんたは大臣なんだからな」

「そう思いたいところなんですけど、本当に大丈夫でしょうか。担当者も担当者なら、頭取もいまひとつつかみ所がないという感じで……」

「わかったわかった。実は、東京中央の連中とは明日、会うことになっている。私からもひと言、いっておくよ。文句はいわせん」

箕部は表情に余裕を漂わせ、白井の不安を笑い飛ばしてみせた。

その翌日――。

紀本の携帯が振動音を発したのは、接待の相手が現れる直前だった。

胸ポケットから出した携帯の画面表示を見た紀本の顔色が変わり、席を立っていく。

銀座の洋食屋である。個室といってもドアのない半個室で、白壁の向こうで会話をしている紀本の声は、断片的に曽根崎のところにまで洩《も》れ聞こえてきた。

「もうすぐ……わかってるから……こっちだって……」

銀行からではないな、と曾根崎は断じた。女からか。

「……だから稟議が……」

違う。女と稟議の話をする奴はいない。

「話はわかった。いま手が離せないんだ」

こちらを向いたせいかその言葉だけがはっきりと耳に届いたかと思うと、なぜだか仏頂面になった紀本が戻ってきた。頬のあたりが土気色《つちけいろ》をしている。

「大丈夫ですか、常務」

声をかけた曾根崎に、紀本が寄越したのは憮然《ぶぜん》とした表情だ。言葉にならない低い声が出たが、説明はない。間が持たない沈黙を埋めようと口を開きかけた曾根崎は、そのとき入り口に現れた人影に、慌てて立ち上がった。

「お待ちしておりました！」

人が違ったかのように破顔した紀本が椅子から立ち上がり、腰をふたつに折る。その背後に回って同じく深々とお辞儀をした曾根崎の前を、「いやいや、堅い挨拶はいらんから」、という言葉とともにタバコと仁丹《じんたん》の臭いが横切っていった。

客人は、紀本に勧められるまま奥の席に収まり、「元気そうじゃないか、紀本君」、と日に焼けた顔に笑みを浮かべてみせる。

進政党の重鎮、箕部啓治その人である。

「お陰様でなんとかやっております。お気遣いいただきありがとうございます」

丁重に返した紀本は、眉をハの字にして従順な笑みを浮かべた。つい今しがたの不機嫌がまるで嘘のようだ。

紀本と箕部との付き合いは、古い。いや、紀本というより旧東京第一銀行と箕部との付き合いが古いといったほうがいいかも知れない。かつて与党憲民党在籍中に建設や運輸の大臣職を歴任してきた箕部は、知る者の間で〝利権のデパート〞と称される政治家だった。土地開発や道路整備、公共事業の入札情報――ありとあらゆる情報は、すべてカネと結びつき、巨額の利益を生み出す錬金術になった。

カネ儲けにはカネが要る――。安く仕入れて高く売るビジネスに先立つものは、一にも二にも元手である。その出し手こそかつての東京第一銀行であり、そこには当然、箕部との蜜月の関係というものが存在していた。東京第一銀行の歴代の役員が、その世話役として箕部の相手をしていたのである。

そして箕部は、そうした〝利権ビジネス〞のからくりを決して暴かれることなく、うまくやり遂げていた。政界人として、長く生き残るだけのノウハウがそこにはあったのだ。

「今日は、先生に当行の有望株をご紹介しようと思い、連れて参りました」

紀本がいい、曾根崎は椅子から立ち上がり背筋を伸ばした。

「申し遅れました、審査部の曾根崎と申します。どうぞよろしく、お願い申し上げます」

差し出した名刺をしげしげと眺め、「わが進政党は政権をとって宿願を果たした。これから忙しくなる。紀本君同様、期待してるぞ」、と視線を上げる。言葉は親しげだが、曾根崎の実力を値踏みするような眼光は鋭い。

「全力でやらせていただきます」

再び頭を下げた曽根崎だが、「ところで、例の件はどうなった、紀本君」、と箕部は話題を変えた。「随分、難航しているようじゃないか」

「それがその――」

浮かべていた笑みを引っ込め、紀本は言葉を選んで続ける。「先生にはまだお話をしておりませんでしたが、実は担当部署が替わりまして」

ちらりと紀本の一瞥があり、帝国航空の話だと知れた。「中野渡の一存で、営業本部に担当替えになりました。反対したのですがやむなく……」

曽根崎は密かに紀本の表情をうかがう。微妙な成り行きである。

「すると、この前白井君が会ったというのも、その営業本部の連中か」

「私どもも同席しておりました。その節は、白井先生には不愉快な思いをさせてしまい、申し訳なく思っております」

紀本は両手を膝において頭を下げると、遠慮がちにきいた。「ご立腹でしたでしょうか」

「カンカンだよ」

箕部はいい放ち、「だいたい、君も常務なんだから、そんな輩《やから》は飛ばしてしまえばいいんだ」、と乱暴な意見を口にする。

「面目次第もございません」

ひたすら恐縮する紀本をぎろりと睨《にら》み、

「それで？　いつ結論を出すつもりだ」

箕部が問うた。

「いまはまだ検討中ですが、近日中には」

紀本の歯切れが悪くなり、箕部はたちまち不愉快そうな表情を浮かべた。

「近日中とは呑気な。帝国航空に残された時間がどれほどあると思ってるんだ、君は。あまり長引くと、乃原先生に迷惑をかけることになる」

「承知しております。ただ、先ほど申し上げた通り、担当が替わったものですから――」

紀本の言い訳を、

「そんなのは銀行内部の問題だ」

箕部は鋭いひと言で封じた。まるで部屋の空気にピシッと一筋の罅《ひび》が入ったようである。政界の大物の威厳の前に、紀本が小さく見える。

「とにかく、債権放棄の話は、すぐにまとめてくれ」

有無をいわさぬ口調で、箕部は命じた。「帝国航空再建には、舞橋市の経済界も大いに期待している。大願叶って政権を奪取したこのタイミングで、この私に恥を掻かせるつもりじゃないだろうな」

「滅相もございません」

紀本はテーブルに額をこすりつけんばかりだ。「早急に、詰めさせていただきますので、いま暫《しばら》くお時間を頂戴いたしたく――」

すると、ここぞとばかり、箕部は恩着せがましくいった。

「お宅の銀行には随分甘い汁を吸わせてやったよなあ。私にも私なりの事情というものはあったが、それを曲げての便宜だった。そのことは君もわかっているはずだが」

は、と返事はしたものの唇を噛んだ紀本に、箕部は続ける。「帝国航空は長く君たちが担当してきた。頭取の意向か何か知らないが、大事な担当を横取りされて悔しくないのか。それとも担当が替わったから、あとは知らぬの随徳寺、じゃあるまいな」

箕部の説教を、紀本は頭を垂れたまま聞いている。「私に恩義があるというのなら、きっちりと返してもらいたい。異論があるのなら、いまここでいいたまえ」

無論、そんなものが紀本の口から出るはずはなかった。


「厳しいお話でしたね。どうされますか、常務」

箕部の乗った公用車のテールランプが遠く見えなくなるまで見送った紀本に、曾根崎がきいた。いつから降り出したのか、ふたりの肩を雨粒が濡らしている。

「行くぞ」

返事の代わりに紀本はいい、さっと店内にきびすを返した。

先ほどまで会食していたテーブルに戻ると、深い嘆息とともに紀本は考え込む。

おそらく、半沢に債権放棄を是とする稟議を書かせる方法を考えているに違いない。だが、あの半沢にそれをさせるのは、容易なことではないはずだ。

「頭取を説得して政治決着させることはできないのでしょうか」

遠慮がちにきいた曾根崎に、「無理だ」、と紀本は厳しい顔を横に振った。

「頭取の本音は、タスクフォース案の拒絶だ。我々の意見を尊重する形で先日のメモは他行とのバランスに配慮するよう、との所見になったが、それがせいぜいのところだろう。たとえば、開投銀の動向次第ではどう動くかわかったものではない」

「開投銀はタスクフォース寄りの判断に傾いているはずですが」

「先方の役員と先日話したが、現場から強硬な反対意見が出ているらしい」

紀本から思いがけない情報が出て、曾根崎を驚かせた。思い浮かんだのは、あの谷川の顔である。だとすると、事態はますます混迷を深めている。

「ならば開投銀のことはさておき、仮に営業第二部に債権放棄を認めさせれば、さすがに頭取のお考えも変わるのではないでしょうか」

紀本は、曾根崎の真意を探るような目を向けてきた。

「営業第二部から債権放棄に賛成する稟議が出ると思うか？　君が半沢を説得するとでもいうのか」

「違います」

曾根崎は首を横に振った。「同じ営業第二部でも、半沢以外の者にならば常務の意向を反映させた稟議を書かせることは容易ではないかと」

「いったい何をいっているんだ、君は。帝国航空の担当を替えさせるとでも？」

紀本は嘆息した。「理由もなく、そんなことができるはずはない。頭取の指名だったんだぞ」

「理由があれば、いいんじゃないですか」

曾根崎は唇の端をひん曲げて笑いを浮かべた。

「どういう意味だ」

「実は、ここに来る前、企画部の人間から耳よりの情報を得ました。今回の事態を踏まえ、帝国航空に対する与信状況について金融庁がヒアリングに入る意向のようです」

「金融庁のヒアリングだって？」

思わず、紀本はきいた。本当なら異例の事態である。「そのことを知っている者は？」

「まだ一部の者だけです。我々も含めて」

バンカーにとって、情報は武器である。勝ち誇った様子でこたえた曾根崎は、ここから先が肝心とばかりに紀本をまっすぐに見つめた。

「実は――その調査のために指名されたのが、黒崎《くろさき》検査官だと」

紀本の顔が上がり、そのまま曾根崎を見つめた。

ようやく、曾根崎の意図するところが呑み込めた表情である。

「黒崎？　あの黒崎か。以前、半沢とひと悶着《もんちゃく》あった、あの――」

紀本も覚えていた。大口融資先の伊勢島《いせじま》ホテルへの融資をめぐって、半沢と黒崎が激しく対立したのは記憶に新しい。そのとき黒崎が見せた半沢への憎悪は、まさに燃え上がる炎のようであった。あの執念深い男が再び半沢と相まみえるとなると――。

「おもしろいな」

紀本が薄笑いを浮かべた。曾根崎は続ける。

「黒崎検査官は、徹底的に半沢の追い落としを図るでしょう。今回のヒアリングには、金融庁の所見がつくそうです。その結果次第では、頭取も半沢を担当から外さざるを得なくなる」

「そのヒアリングはいつだ、曾根崎」

「まもなく、金融庁から具体的な日時を知らせてくるそうです」

曾根崎はにんまりとした笑いをこらえた。「これは見物ですよ、常務。天はまだ我々を見捨てたわけではありません」

「なるほど、それはいい」

壁で仕切られた半個室で、ふいに紀本の笑いが低く聞こえたかと思うと、やがて高らかな哄笑《こうしょう》へと変わっていった。


「金融庁のヒアリング、ですか」

半沢は思わず聞き返し、話の意図を考えて少しの間を挟んだ。「検査ではなく？」

「違う」

内藤は重々しく首を横に振り、表情を引き締めて椅子から体を起こす。「異例のことではあるが、帝国航空に関する与信状況についてききたいそうだ。ヒアリングは二日間。与信判断の是非について、相当深い議論になるだろう」

与信判断というと難しく聞こえるが、要は、カネを貸すかどうかを決めることだと思えばいい。

「それは要するに、正常債権か否かの判断も含めてということですね」

半沢はきき、続けた。「しかし、よくわかりませんね。このタイミングで帝国航空単体のヒアリングにわざわざ来るというのは、それだけの目的とも思えませんが」

「ご推察の通りだな」

警戒心も露《あら》わに、内藤はいう。「おそらく、何らかの政治力学が働いているんだろう」

それがいかなる力学かはわからない。そもそも、官僚たちの内向きの理屈など知りたくもないが、結果的にヒアリングが行われるとなれば、それを迎え撃つのは半沢ら現場担当者たちだ。

「帝国航空は、前回検査時かろうじて正常債権として認定され、それは審査部のファインプレーだとの行内評価を得ている」

内藤の言葉には、これから半沢らに課せられる責任の重さが染み出していた。「ここでその判断をひっくり返されるわけにはいかん」

「しかし、前回の金融庁検査時と今とでは帝国航空の財務内容に相当の隔たりがあります。〝分類〟される可能性は否定できません」

分類とは、いってみればある融資に対して、アブナイ貸し出しだというレッテルを貼ることである。アブナイ貸し出しは、貸し倒れる可能性があるので、予《あらかじ》め穴埋め資金を確保しておくルールになっているのだ。この穴埋め資金のことを引当金《ひきあてきん》という。引当金は、損失覚悟のカネなので当然のことながら儲けからさっ引いて考えなければならない。つまり、帝国航空に対する巨額の融資がアブナイとされると、やはり巨額の引当金を積む必要があって、銀行の儲けを減らす要因となる。

「たしかに――」

内藤は唇を結んで一度頷いた。「たしかにその通りなんだが、なんとかその状況を回避したい。それは君の腕一つにかかっている、半沢」

「面倒なことばかり押し付けられている気がするんですが、気のせいでしょうか」

半沢は皮肉たっぷりにいった。「そもそも我々の仕事は、審査部の尻ぬぐいですか」

「建前論など、丸めて捨ててしまえ」

内藤は断固としていった。「なんでもいい。とにかく、このヒアリングを乗り切れ」

「で、いつからなんです、そのヒアリングは」

やれやれとばかりに聞いた半沢に、内藤が口にしたのは、三日後の日にちだった。時間はない。

「わかりました。とにかく、最善の準備で臨みます」

「頼むぞ」

重々しくいった内藤は、一呼吸おいて声を潜めた。「もうひとつ、君にとっての悲報がある」

ただならぬ気配が漂い、内藤は続ける。「金融庁の担当検査官だが——黒崎駿一《しゅんいち》だそうだ」

「あの、黒崎が……」

半沢はすっと息を吸い込み、しばし言葉もなく内藤を見つめる。「だとすれば一筋縄ではいきませんよ、このヒアリングは」

込み上げてきた嫌な予感に、半沢は表情を歪《ゆが》めた。

第三章　金融庁の嫌われ者

1

　その男を一目見ただけで、誰もがかすかな嫌悪感とともに、拭《ぬぐ》い難い威圧感を覚えるだろう。優雅な物腰でエリート臭を漂わせているが、その瞳を見た途端、隠しきれない底意地の悪さと冷酷さを感じずにはいられない。

　黒崎駿一はいま、東京中央銀行にある会議室に陣取り、テーブルを囲む行員たちを撫で斬るように鋭利な視線で見回すと、椅子の背からぐいと体を起こした。

「帝国航空の担当、誰なの？」

　挨拶はない。単刀直入というより、ぶっきらぼうに切り出した黒崎の言葉は、常に何かに苛立《いらだ》っているかのようにささくれている。しかもそれは、聞くに堪えないオネエ言葉で、いまや黒崎の代名詞といってもいいほどだ。

「私です」

という声に急に粘っこい視線を向けた。獲物を見つけた爬虫類《はちゅうるい》を思わせる目である。

「あら、あなただったの」

黒崎は昏の端に昏《くら》い笑いを浮かべながら、ギラリと底光りする目を半沢に向けてきた。

「名前は？」

知っているはずだ。だが、黒崎はあえてそれを口にはしない。一介の行員の名前など、記憶することと自体、プライドが許さないのだ。

「営業第二部の半沢と申します」

半沢は立ち上がっていった。

「営業第二部？」

黒崎は不機嫌そうに繰り返した。「おたくの銀行の営業第二部って、資本系列の上場企業担当じゃなかったっけ？」

「担当替えがございまして」

半沢がこたえる前に、黒崎に近い上座に収まっている紀本が口を挟んだ。「審査部から営業第二部へと、所管が移っております」

「まあ、業績悪化先の担当はあなたにお似合いかもね」

自分の嫌味になで肩を揺すって笑ってみせた黒崎は、ふいにその笑いを引っ込めると、

「早速だけど、帝国航空に対する前回の追加融資の時点で、再建計画の実現性について検討すべきだったんじゃないかしら」

本題を切り出した。「どうなの？　検討したの？」

その質問はまっすぐに半沢に向けられていた。

「その当時は、まだ私の担当ではありませんでしたので――」

テーブルには、前任担当者の曾根崎の顔もある。本来なら当時担当であった曾根崎がこたえるべきところだが、その曾根崎は知らん顔を決め込んでいた。一体、なんのためにそこに並んでいるのかわかったものではない。

そのとき、

「だからなんなの！」

鋭い口調とともに黒崎がテーブルを叩き、会議室の空気を一気に凍り付かせた。

銀行業の免許をお上から預かる銀行は、その監督官庁である金融庁の方針に沿っての運営を求められている。

故《ゆえ》に金融庁は銀行が絶対に逆らえない相手には違いないが、それをいいことに検査官の中には、卑屈な役人根性丸出しで勘違いした権威を振りかざすくだらない輩も少なくない。

その中でも、この黒崎は特別であった。まず、かつてＡＦＪ銀行を破綻に追い込み、フダ付きの検査官としてその悪名を銀行業界に轟《とどろ》かせた。さらにそれが、旧大蔵官僚であった自分の父親が銀行に填《は》められ左遷させられたという私怨に基づくものとの噂があるほど、その検査態度は苛烈極まる。銀行業界の嫌われ者といわれる所以《ゆえん》である。

「あなた、いま帝国航空の担当だといったわよね」

黒崎は鋭く言い放った。「以前は担当じゃなかったからわからないとは、どういうこと？」

自分の担当時代の話をされているというのに、曾根崎はまるで知らんぷりだ。その横顔を一瞥

した半沢は仕方なく、

「失礼しました」

と詫びた。「お尋ねの件ですが、再建計画の実現性については、当時検討をさせていただいております」

「何を、検討したのかしら」

黒崎は、そのひねくれた性格故か、わざと真意の読めない質問をして寄越す。

「何をと、おっしゃいますと」

「だから、検討して、その後の帝国航空の業績はどうなったの。その計画通りになったのかしら」

「いえ——残念ながら」

半沢がこたえると、黒崎は一瞬、嬉々とした表情を浮かべる。

「それはつまり、こういうことよね。前回の追加支援時、あなた方は帝国航空の再建計画を検討し、それに実現可能性があると信じて支援を行った。ところが、その後数カ月も経たないうちに帝国航空の業績は、その計画を大きく下回ることになった。要因はなんなの?」

「いくつか、あります」

半沢は手元の資料を引き寄せた。「ひとつは、米国発の金融不況による予測不可能な景気後退とそれによる旅客の予想外の減少。LCC《ローコストキャリア》などの新規参入による国内旅客の減少。リストラ遅延によるコスト改善の遅れ——」

「見苦しい言い訳よねえ。恥ずかしくないの、あなた」

発言を遮り、黒崎は大仰《おおぎょう》に呆《あき》れてみせた。「金融不況による景気後退はたしかにありました。

でも、それは予想外に早く収束した。他の上場企業を見てごらんなさい。一時的な業績悪化はあったものの、その後急回復して影響は最小限に止まっている。それを言い訳にしてるのは、経営能力に問題がある企業だけよ。ＬＣＣにしたところで、参入することは従前にわかっていたはず。そうよね」

「おっしゃる通りです」

認めるしかない。半沢から見ても、当時の帝国航空が策定した再建計画は甘過ぎる。だが、当時の担当であった曾根崎は、それを妥当だとして稟議を通してしまった。そこを突かれれば、反論はできない。

「それに、リストラの遅延を言い訳にするとは一体何事なの？　あなた方はそれを有効だと信じたんじゃないの。つまり――」

黒崎はいま、左右に並ぶ配下の検査官十人、そして会議用テーブルを埋める二十人近い銀行員をぐるりと睥睨《へいげい》した。

「再建計画を見るあなた方の目は、フシ穴ってことなのよ！　何か反論があるんなら、ここでおっしゃい！」

さらに重々しく、黒崎は続ける。「あなた方には、一企業の再建案を審査する能力はない。それなのに、先頃発表になった有識者会議による帝国航空再建案は有効と断じ、そして、タスクフォース再建案には抵抗を示している。今回のヒアリングでは、その矛盾も念頭において徹底的にやらせてもらうから、そのつもりでいなさい！」

暴君の演説さながらに黒崎は言い放つと、続けて、「島田《しまだ》！」、と叫んだ。

さっと立ち上がったのは、傍らに控えていたがっしりした体格の男である。屈強な男で、角張った長い顔つきはイースター島のモアイ像を彷彿《ほうふつ》とさせる。

「資料を出してもらいましょうか」

ドスのきいた島田のひと言で、田島らが立ち上がり、帝国航空に関連する資料を入れた段ボール箱を次々と島田のもとへ運んでいく。

「いったん、あなた方の仕事ぶりを見させていただくわ」

島田がテーブルに並べた資料を引き寄せながら、黒崎はいった。「その上で、そちらの見解――まあ見解と呼ぶにふさわしいものがあるかは知りませんけどね――それを聞かせてもらいますから、そのつもりでいてちょうだい。解散！」

朝一番で銀行に押しかけて関係者を集めたと思ったら、自己紹介もなく今度は一方的な解散宣言だ。

「なんですか、あれ」

会議室から引き揚げながら田島があきれ顔でぼやいた。

「銀行業界の嫌われ者さ。気をつけろよ、田島」

廊下に出た半沢は、いった。「あいつの本当の目的は銀行業の正常化云々《うんぬん》じゃない。この銀行をぶっつぶすことだ。油断すると、足を掬《すく》われるぞ」

「そんな。無茶苦茶じゃないですか」

田島が憮然としたとき、「ご苦労さんだな、半沢」、と後ろから声がかかった。

振り返ると、曾根崎がニヤついた笑いを顔に張り付かせて立っていた。

「せいぜい、ご活躍をお祈りしてるよ」

半沢の肩をぽんと叩いて立ち去ろうとするその仕草は、まるで他人事だ。

「おい、曾根崎」

その背中に向かって、半沢はいった。「お前、なんでこたえなかった。前回の融資はお前の仕事だろう」

「そうだよ」

とぼけた表情で、曾根崎はいった。「だが、いまの担当はオレじゃない。担当はお前だ、半沢。さっき黒崎検査官にいわれたばかりだろ。担当が違ったからわからないなんて言い訳、通用すると思うなよ」

「お前、いつから金融庁の人間になった」

半沢がいうと、曾根崎のニヤニヤが消え、その面の皮に隠されていた敵愾心が剥き出しになる。

「金融庁がなんといおうと、銀行では、自分がやった仕事には責任を持つのがルールだ。担当が替わったからといって、知らぬ存ぜぬが通用すると思うなよ」

「さっそく、言い逃れかよ。見苦しい奴だ」

曾根崎は負けじと言い返してきた。

「言い逃れかどうか、そのうちわかる。お前には、デタラメな仕事の責任はきっちりと取ってもらうから、そのつもりでいてくれ」

「聞き捨てならんな。一体オレの仕事のどこがデタラメだっていうんだ。それは審査部に対する挑戦だぞ」

「挑戦？　それは対等以上の相手に使う言葉だろう」

半沢は冷ややかにいった。「日本語ぐらい正確に使え。そんなことだから、お前らの担当先までこっちで面倒を見させられるんだ」

「なんだと。お前の言い訳が、このヒアリングでどれだけ通用するか楽しみだな」

精一杯の皮肉で返した曾根崎に、

「だったら、指でもくわえて黙って見てろ。それと、発言する気がないのなら、今後の出席はご遠慮願おう。目障りだ」

半沢はいうと、行くぞ、とふたりのやりとりを息を呑んで見守っていた田島に目でいい、さっさとエレベーターホールに向かって歩き出した。

2

「この人員削減数の根拠はなんなの」

黒崎のヒアリングは午後三時に始まり、すでに二時間近くを費やしていた。さきほどから、東京中央銀行が前回の追加支援時につくった再建計画について重箱の隅を突《つつ》くような質問が続いている。

「再建計画は、最初に撤退路線などの事業縮小案を策定しました。それによって各セクションで生じる余剰人員がどのくらいになるかを検討し、全社的にまとめたものがこの数字になっています」

こたえる半沢に、黒崎は不機嫌そうな表情を向けたままだ。

「それで？　これは従業員組合の承認は得たの」

「いえ――」

黒崎は痛いところを突いてくる。「計画を立ててからでないと交渉になりませんから」

「あなたは、帝国航空の従業員組合がいくつあるかご存じよね」

「もちろん」

「じゃあ、その組合が、会社側と対立していることはご存じ？」

「存じております」

「だったら――」

ふいに黒崎の声のトーンが上がり、目つきが鋭くなった。「こんな人員削減案を組合が簡単に呑むはずがないことぐらい、容易に予想できそうなもんじゃないの。それでも、この計画が実現可能だとあなた方は断じたってわけ？　甘過ぎるわ！」

「会社側も組合とは鋭意交渉するつもりでいました。難しいのは承知していますが、だからといってリストラ案に聖域を作っていいとは――」

「誰が聖域を作れといったの」

テーブルに置いたファイルに、指先を押し付けながら、黒崎は遮《さえぎ》った。「根拠がないといってるの、私は。その根拠のない数字を、あなた方は実現可能性ありと断じているわよねえ。そんなことだから、帝国航空の再建計画を何度もミスリードするのよ。その事実について、まず認めなさい」

黒崎は、視線をねじ込むように半沢に向けてきた。

鉛を飲んだような重い沈黙が、どろりと流れ出す。

金融庁と対峙している銀行側のテーブルには半沢ら帝国航空担当チームのほか、関係部門長がつき、最上席では紀本がさっきから渋い顔で腕組みをしている。背後の壁際に並べた椅子には、渡真利を含む関係部門の次長クラスが緊張した面持ちで控えているのだが、どういうわけか、曾根崎の姿もその中に混じっていた。ヒアリングが始まる直前、紀本に腰巾着のようについてきて、半沢の目を盗んでちょうど紀本の後ろ辺りに着席したのである。振り返ってわざわざ確認したりはしないが、半沢の窮地にほくそ笑んでいるに違いない。

金融庁の指摘に対し、いままでは合理的な説明でなんとか躱《かわ》してきた。だが、その均衡が破られ、形勢は黒崎に傾こうとしている。この場の誰にも、見えない天秤がそっちに傾くのが手に取るようにわかったはずだ。

「帝国航空の業績予測について、見方を誤っていたのは事実でしょう！　あなた方の与信判断は、まったく機能していなかった。どうなの？」

黒崎の詰問に、

「いままでの与信判断について甘さがあったことは、事実です」

半沢がこたえた瞬間、両脇、そして背後にいる銀行員たちの間から音にならない嘆息が洩れ出るのがわかった。

「謝りなさいよ、あなた」

黒崎はいった。「おかげで私たち金融庁が、帝国航空に対する与信方針を放任したようにいわれてるわけ。とっても迷惑してるのよねえ」

半沢の隣で、田島がおもむろに顔を上げた。浮かんでいるのは、そのひと言でようやく輪郭が露わになったこの調査目的への嫌悪だ。

黒崎がここに来たのは、東京中央銀行の与信運営を不安視したからでも、航空行政を懸念したからでもない。

自分たちのメンツを守るために違いなかった。

帝国航空への与信がここまで膨らんでしまったのは、また、同社の経営になんらかのブレーキがかけられなかった原因は、ひとえに銀行にある——今回の調査で黒崎が目論《もくろ》む落としどころはその一点しかない。

「どうなの！」

鞭《むち》のような黒崎の言葉が会議室の沈黙に罅《ひび》を入れ、全員の視線が、半沢に集まる。

「申し訳、ございませんでした」

半沢が詫びると、勝ち誇った笑みを黒崎が浮かべるのが見えた。般若《はんにゃ》のような面相が割れ、形崩れしたおかめ顔になる。

「そうよねえ。でも、あなたがここで謝っただけでは、問題は解決しないのよ」

じゃあなんのために謝罪させたんだと言いたいところだ。発言の意図が読めない。「本件については、金融庁で与信方針に対する意見書を交付させていただくから、そのつもりでね」

帝国航空一社への与信方針について意見書を出すなど、いままで聞いたことがない。異例中の異例である。

「その前に、おたくからは本件に関する状況説明書を提出してもらうわよ。もちろん、頭取名でお願いしますよ」

最後のひと言は、すぐ近くにかけている紀本に向けて発せられた。はっ、と小さくかしこまった紀本だが、半沢に怒りの浮かんだ視線を向けてくる。黒崎の手前、かろうじて怒鳴りつけたいのをこらえているような表情だ。

だが、

「状況説明書ならいくらでも書かせていただきます」

半沢のひと言で、黒崎の顔つきが変わった。

紀本が身を乗り出し、何かいおうとしたのがわかったが、それには構わず半沢は続けた。

「ですが、私どもとしましては、過去の金融庁検査において、帝国航空に対する与信判断は問題なしとされていたという認識です」

「なにいってるの。あなた方の資料が不正確だったから、そういうミスリードが起きたんでしょう」

黒崎は鋭く言い放った。「だいたい、申し訳ございませんと、たったいま頭を下げたのはなんだったの？」

「私が謝罪したのは、過去の与信判断にあった甘さについてです」

半沢はいった。「しかしながら、検査当時の与信状況については御庁にも資料を提出し、当行与信方針に了解を得たという認識でおります」

「ほう」

黒崎は、あごを突き出し、目を細めた。両脇を固めている金融庁の役人たちは、いまにも噛《か》みつかんばかりの勢いで歯をむき出している。どいつもこいつも、黒崎の番犬のような奴ばかりだ。役人たちが寄越す喧嘩腰の視線を、いま半沢は平然と受け止めていた。

「じゃあ、あなた方はきちんと必要な情報を私たちに上げていたと、そういうの？」

「その通りです。少なくともその時点で私どもが入手していた情報については、正確に、そちらにお渡しししております」

正確に、のところを半沢は強調した。まっすぐに黒崎を向いたまま、「そうだな、曾根崎」、と背後にいる曾根崎に話を振り向ける。

「あ、いえ、その――」

内輪での態度はでかいが、外部の人間との折衝にはからきし弱い曾根崎は、突然のことに動揺している。

「はっきりこたえろ！　正しい資料は提出してるんだろうな」

半沢に叱責され、「そ、そうです」、とようやく曾根崎はこたえた。見れば、黒崎の睨《ね》め付けるような視線と、会議室の全員からも視線を向けられ、緊張に青ざめている。

「そういうことです、黒崎さん」

半沢はこたえた。「いまさら、当時の判断を我々のせいにしていただいては困ります。もちろん、その件については詳しく状況説明書に書かせていただきます」

「あ、そう」

黒崎は半沢を見据えたまま、「島田！」、と呼ぶと傍らにいたモアイ男から、さっとファイルが差し出された。

「これは、検査当時、おたくらが当庁検査官に提出した書類なんだけど。そこまでいうんなら見てもらいましょうか」

クリップで留められたその書類を島田に渡すと、モアイが立ち上がって半沢のところまで運んできた。

帝国航空に関する検査資料一式である。

「その資料に、帝国航空が策定した当時の再建案の内容が書いてあるわよねえ。撤退路線に減便、人員削減数。ちょっと読んでみてくれる」

前回、金融庁検査が入ったときの資料である。「読みましょう」、と田島がいい、半沢から資料を受け取ると、当該箇所を読み上げた。

「赤字二十路線からの撤退、十路線については三割の減便、人員削減五千人――」

その数字を聞いた黒崎は、すました顔でうなずいた。

「そう、それが私たちに報告された数字。ところが、検査後に帝国航空が正式発表した再建案はこうなってる。――島田」

モアイが、手元の資料を読み上げた。

「わが帝国航空は、このたび業績悪化に伴う再建案として次の――」

「余計なところまで読むんじゃないわよ！」

叱責され、「失礼しました」、とうろたえながら、モアイは続ける。

「赤字十五路線からの撤退。次に、減便は一割。人員削減三千五百人、となっております」

「何がいいたいかわかるわよねえ」

猫なで声を出した黒崎だが、突然手を振り上げると力任せにテーブルを叩いた。「あなたたちの報告、間違ってるじゃないの！　金融庁検査を乗り切るために意図的に数字をでっちあげたとしか思えない。これをどう申し開きするつもりなの！　こたえて頂戴、半沢次長」

まさか――。

さすがに半沢も驚き、傍らの田島に目で問う。田島もおずおずと立ち上がった。

「私から説明をさせていただきます。営業第二部調査役の田島と申します。前回検査時から帝国航空の担当チームに在籍しておりました」

当時の再建案に記載した数字について、さすがに半沢にはこたえようがない。本来なら、当時の担当次長であった曾根崎が発言すべきところだが、いま曾根崎は背後の壁際の席で知らぬ顔を決め込んでいた。無責任極まる態度である。

「ご報告しておりますリストラの内容につきましては、帝国航空からの報告を受けたもので、私どもで手を加えた事実はございません。ただし、当時はリストラ内容を検討しているところでして、最終決定された再建案の内容と異なることは十分に考えられます」

「帝国航空が再建案を発表したのはいつなの？」

誰にともなく黒崎が問う。田島が慌ててクレジットファイルを覗き込んだが、こたえたのはモアイだった。

「検査の一週間後ですね」

「ふざけないで頂戴！」

黒崎の怒りが爆発した。「たった一週間で、ここまで内容が変わることがあるっていうの？」

「たしかに、そうなんですが……」

困惑している田島を遠目に見つつも、曾根崎は沈黙したままだ。

「そんなバカな話はあるはずないでしょう」

ヒステリックに叫んだ黒崎は、手元の資料に両手を叩き付けた。

「といわれましても――」

なおも反論しようとしている田島だが、そのときモアイがそれを遮った。

「我々の事前調査によると、帝国航空では、リストラ内容を直前に変更するなどということはあり得ないと証言しております」

予想外のマズイ状況へと押し流されつつあった。

「ご指摘はわかりました」

半沢が割って入る。「それにつきましては、行内で確認した上で回答させていただく、ということでよろしいでしょうか」

「言い逃れできるとでも思ってるの、あなた」

黒崎はいったが、どうせ自分の勝ちは変わらないと思ったのだろう。「いいでしょう。反論できるものなら、してみなさい」

そういうと、一方的にその日のヒアリングを終了したのであった。

3

「あの後、オレも各方面に聞いてみたんだけどさ、どうやらこのヒアリングの背後で、霞が関の微妙なかけひきがあるようだな」

営業第二部の半沢のデスクに渡真利が訪ねてきたのは、黒崎のヒアリング終了後の、午後八時過ぎであった。

この日金融庁側から指摘された様々な事項や質問に対する回答書づくりのため、帝国航空の担当チームは徹夜覚悟で作業を続けているところだ。

自販機コーナーへ行き、百円コーヒーをふたつ買った半沢は、ひとつを渡真利に渡し、空いているスツールにとまった。窓際に小さなコーヒーテーブルがあり、その向こうに東京駅から八重洲界隈の夜景が見える。

「聞かせてくれ」

大学時代から幅広い人脈を武器に情報通として知られる渡真利は、官庁にも大勢の情報源を確保している。

「政府内で、帝国航空をめぐる一連の出来事の根幹に、金融行政の不備があるのではないかという議論が出てるらしいんだ。それらしいことを黒崎もいってたよな」

半沢はうなずいた。渡真利は続ける。「進政党政権は、前政権の施策をことごとく否定してきてるだろ。今回の帝国航空の再建案しかりだ。さらにいうと、帝国航空への銀行支援の是非をきっかけに、金融庁のあり方についても、見直し論が出始めたらしい」

「そんな話は聞いたことがないな」

半沢がいうと、「ごくごく最近になって、それを声高に主張し始めた政治家がいるんだ」、と渡真利は意味ありげに半沢を見た。「誰かわかるか」

「もしかして、白井か」

先日、東京中央銀行を訪問したときの、真っ青なスーツ姿を、半沢は思い浮かべた。

「その通り」

人差し指を立てておちゃらけてみせた渡真利は、すぐに真剣そのものの表情に戻った。

「だけど白井ひとりが騒いでいるぐらいなら問題にはならない。そもそも、国交大臣が、管轄外の金融畑に口出ししていること自体、不快だと思われる程度だろうよ」

「箕部か」

察しよくきいた半沢に、

「ご明察」

渡真利は告げ、うまそうにコーヒーを一口すする。「白井は、箕部の後ろ盾を得て、金融庁に揺さぶりをかける作戦だ。金融庁を管轄する金融担当大臣は、的場内閣の弱点といわれる財務大臣田所義文《たどころよしふみ》の兼任だが、政府内の金融庁批判をかわせるだけの実力はない。そこで金融庁は自らの潔白を証明するために、今回のヒアリングの実施を思いついたってわけだ。つまり、奴らはなんとしても帝国航空に対する巨額支援の責任を一方的に銀行に押し付けるつもりなんだよ。もっといえば、半沢、お前にだ」

コーヒーの紙コップを持ったまま、渡真利は人差し指を半沢に突きつけた。「今回のヒアリングで、支援姿勢に問題ありと認めることになれば、独自の与信判断で支援を継続してきたヒストリーそのものが否定される。同時に、帝国航空の業績見通しに対する銀行評価の信憑性も失うことになる。タスクフォース案に反対するために、お前がどれだけの根拠を並べ立てたところで、もう世論は誰も銀行を信用しないだろうよ。自分たちの利益のためにありもしない理屈を並べ立てているとでも思われるのがオチだ。そうなれば、結果的に銀行はタスクフォースの債権放棄を呑まざるを得なくなるだろうな」

「白井の思うツボか」

ぼそりとつぶやいて笑った半沢に、「おい、人ごとじゃないんだぞ」、と渡真利は危機感もあらわに眉を顰《ひそ》めた。

「小耳に挟んだところでは、金融庁は今回の意見書を交付するのに、マスコミも呼んで結構なセレモニーを計画してるらしいぜ。日本中が見ている前で、私どもが悪うございました、と頭取に頭を下げさせたいか」

半沢は、小さく舌を鳴らした。

「いいか、さっきのヒアリング、紀本常務は、金融庁に対するお前の態度に問題があったって周囲に洩らしてるらしいぜ。お前が金融庁を刺激するから、窮地に追い込まれることになったってな。まあ、お前のことだ。そう簡単にはコケたりしないだろうが、とにかく、気をつけろよ。前門の黒崎、後門の紀本。渡る世間は鬼ばかりだ」

渡真利が去っていった後、しばらくすると帝国航空に出向いていた田島が戻ってきた。

この日の質疑応答を受け、昨年八月の金融庁検査で作成した資料を持って、帝国航空の山久の話を聞きに行ったのである。

「どうも話が噛み合わないんです」

首尾をきいた半沢に、田島はそういって首をかしげた。「山久さんによると、ウチには発表時と同じ再建案を出してるはずだというんですよ。これがその資料だそうで」

田島が出したのは、昨年八月の日付が入った帝国航空の内部資料だ。「これを見ると、たしかにウチが金融庁に提出した数字が間違ってることになるんです。直前に変更になったんじゃないかってきいたんですが、そんな事実はないと」

「誰が書類を受け取ったかわかるか」

「これ見てください」

そういって田島が差し出したのは、資料受け渡し時の受領証のコピーだ。といってもそれは正式なものとはいい難く、写っているのは名刺の裏表である。その表に曾根崎の名前が印刷され、裏には雑な文字で、日付と、受取書類名が手書きされている。

再建計画書——。

「曾根崎じゃないか。しかも名刺が〝受け取り〟代わりとは。ふざけた話だな」

ヒアリングの場で、知らんぷりを決め込んでいた巨体を半沢は憎々しげに思い浮かべた。「ちょっと疑問に思ってたんだが、あいつは今日、何をしにあの場に来てやがった」

曾根崎に、まったく発言する意思がないのは明らかだ。半沢が黒崎に論破されるのを期待して来ていたのかも知れないが、どうもそれだけではないような気がする。

「ひょっとして、あいつには、何か気になることがあったんじゃないか」

「もしかして――このこと、ですか」

田島は指をあごに当て、考え込んだ。「可能性はありますね。前回の金融庁検査で、帝国航空への融資が分類されれば、曾根崎次長の失点になっていた可能性がありますからね」

分類を恐れた曾根崎が、その場しのぎに虚偽の再建案をでっちあげた可能性はないとはいえない。

「あの野郎……」

半沢はつぶやくと曾根崎のデスクに電話をかけた。二度目のコールで、大儀そうな曾根崎の声が出た。

「営業第二部の半沢だ。いま時間、あるか」

「忙しいんでな。それに、帝国航空の件なら、すべて引き継ぎは済ませたはずだ。そっちで解決してくれ」

「その帝国航空の件だが――」

「断るっていってるだろうが」

傲慢な態度に、「じゃあ、明日のヒアリングでお前に質問してもいいんだぞ」、そういうと電話の向こうで黙り込んだ。

受話器を叩き付けた半沢は、「お前も来るか」、と田島に声をかける。

「もちろんです」

ふたりして、足早に営業第二部のフロアを出た。

4

「なんの用だ。迷惑なんだよ」

まだほとんどの部員が残業をしている審査部フロアの最奥に、曾根崎はデスクを構えている。その前まで突き進んだ半沢は、

「迷惑してるのはこっちだ、曾根崎」

そのデスクに両手を突いて、相手の目を覗き込んだ。「帝国航空の再建案、お前が取りまとめていたそうじゃないか。なんで数字が違う」

「あれは、開投銀主体で練っていたんだ。オレは単にできあがった数字を報告――」

いいかけた曾根崎の鼻先に、半沢は田島が持ち帰った、当時の再建案を突きつけた。正しい数字が記載された書類である。

「そんな言い訳が通用すると思うのか」

曾根崎の大きな丸顔を、半沢は睨み付けた。「帝国航空の山久さんは、これと同じ書類をお前に渡したそうだ。どういうことか、説明してもらおうか」

差し出された書類を一瞥した曾根崎の瞳が揺れ動いた。だがそれも一瞬のことで、動揺はすぐさま厚顔の下に押し隠されてしまう。

「さあ、覚えてないね」

曾根崎はしらばくれて横を向いた。「お前らと違って審査部は毎日が修羅場だ。そんな細かいことまで覚えてられるわけねえだろ」

「修羅場はウチも同じだ。覚えていないのは、ただお前の記憶力が悪いからだろうが」

続いて半沢が、受領証代わりの名刺のコピーを曾根崎のデスクに叩きつけると、曾根崎は思わず喉を鳴らし、額に滲《にじ》んだ汗を手で拭った。

「これで思い出したか。それにしても雑な事務だよなあ、曾根崎」

半沢があきれた調子でいうと、

「お前だって名刺を受け取り代わりにすることくらいあるだろ！」

曾根崎は、ムキになって言い返してきた。しかし、

「ただの一度もないね」

半沢の答えは、にべもない。「いつもそういうデタラメな考えで仕事してるから、こんな大事な書類を受け取ったことも忘れるんじゃねえのか。いや、本当に忘れているのか怪しいもんだけどな」

曾根崎は椅子にかけたまま、固まったように動かない。凄みのある眼差しが半沢に向けられているが、その裏側で言い逃れのセリフが渦を巻いているのが見えるようだ。

その目に向かって、半沢はいった。

「金融庁に提出した数字、お前が書き換えたのか」

「オレが？」

曾根崎は心外そうにきいた。「なんでオレがそんなことしなきゃならないんだ。第一、あの書類はオレが作成したかどうかすらわからないだろ。通常、金融庁検査の書類は調査役が作成し、次長が閲覧する。それでいけば、あれも当時の部下たちが作ったはずだ。それは営業第二部とて

同じだろう」

「ちょっと待ってください」

そのとき田島が、たまらず口を挟んだ。「検査当時、私らはもっぱら資産査定をしていて再建案には関わっていません。再建案についての書類を作成したのは、誰でもない曾根崎次長じゃないですか」

「なんだと？」

曾根崎は、ついに椅子を蹴って立ち上がった。「お前、オレを陥《おとし》れるつもりか」

「次長こそ、部下に責任を押し付けないでくださいよ」

田島も言い返す。「正直に自分が作成したとおっしゃったらどうなんです」

「貴様！」

デスクを回ってきた曾根崎が、田島につかみかかろうとする。その様子に、周囲で成り行きを見守っていた部員たちが慌てて駆け寄ってきた。

「よせ、曾根崎」

すばやく、ふたりの間に割って入った半沢は、有無をいわせぬ態度で曾根崎を制した。「誰が作成したにせよ、いったん承認印を捺したからには、お前は責任を免れることはできない。それが銀行の掟だ。たとえ担当が替わろうと、過去の責任がずっとついて回る」

呪いをかけられたように、曾根崎はぴたりと動きを止めた。不安、怒り、そして——動揺。様々な感情の入り混じった目に向かって、半沢は続けた。

「もし、お前が意図的に数字を改ざんしたのなら、ここで正直にいえ。さもないと、この件、オレは納得できるまで徹底的に調べることになる」

半沢と田島、そして審査部で曾根崎の部下である行員たち、その全員の視線が曾根崎に向けられていた。

「何様のつもりだよ、半沢」

曾根崎はせせら笑った。「たしかに、帝国航空から再建案を受け取ったのはオレだったかも知れない。だが、オレは改ざんをした覚えなどない。ついでにいうと、部下に改ざんしろと指示した覚えもない。受け取った書類に書かれていた数字をそのまま報告しただけだ。もし嘘だというのなら、証明してもらおうじゃないか」

あくまで、曾根崎は自らの潔白を主張するつもりらしい。

「だったら、そのときお前が受け取った再建案を見せてもらおうか。どこにある」

「トボケたこといってんじゃねえよ」

曾根崎はドスの利いた声を出した。「帝国航空の担当はお前だろう。残ってる書類は全てお前のところにあるはずだ。捜すんなら、そっちのファイルでもひっくり返して捜したらどうだ」

手持ちの書類の中にないことはわかっている。

「言いたいことはそれだけか」

「いやいや、まだあるさ」

曾根崎は、いまや憎悪を浮かべた顔を半沢に向けた。「金融庁の黒崎から目をつけられているのは、オレじゃない、お前だ。人に責任を押し付ける暇があったら、明日の弁明でも考えたほうが身のためなんじゃないか」

「そうか、わかった」

半沢は、静かにいった。「この件についてオレは徹底的に調べるつもりだ。覚悟しておくんだな」

曾根崎ののど仏が上下に動いたが、言葉は出てこなかった。最後にぎらりとした眼差しで睨《ね》めつけた半沢は、田島とともに審査部のフロアを足早に後にした。


「先ほど、半沢が押しかけてきました」

ノックとともに顔を出した曾根崎は、紀本の執務用デスクの前までやってくると慌てた様子で告げた。

「半沢が？」

そろそろ帰宅しようかと書類を片付けていた紀本は、その手を止めて曾根崎を見上げた。

「金融庁に提出した再建案の数字を意図的に改ざんしたのではないかと」

「で、君はなんとこたえたんだ」

曾根崎から視線を戻し、紀本は再び手を動かし始める。

「再建案の数字はそのまま書いたとこたえておきました。帝国航空の資料はすでに営業第二部へ移管済みだから、そっちで捜せと」

「なるほど」

紀本はちらりと顔を上げた。「それでいい」

だが、元来が気の小さい曾根崎は、半沢の前でこそ虚勢は張っても、内面に押し寄せる不安を抑え切れない様子だ。

「しかし、半沢にもし、実際のところがバレたらどうしたものかと」

紀本は、書類を放り込んだ引き出しをゆっくりと閉め、落ち着き払った表情で椅子にもたれた。それから、困ったものでも眺めるように曾根崎を見上げると、

「実際のところとは?」

と改まってきいた。

「再建案の数字を書き換えて、その——」

「ほう、書き換えた?」

紀本は怪訝な表情を作ってみせる。「それは君の思い違いだろう、曾根崎君。それとも夢でも見たのかな」

「は? 夢……」

紀本の答えがよほど意外だったのか、曾根崎は刹那《せつな》言葉を失った。

「そんな事実はどこにもない。再建案の数字は、おそらく帝国航空が何かの手違いで検討途中のものを君に渡したからそうなった。そうだよな」

紀本の意図するところを得るまで、たっぷりと数秒の時間を要した。いま、曾根崎に浮かんだのは、小狡《こずる》い笑みだ。その歪《ゆが》んだ表情に向かって、紀本はさらに言い添える。

「帝国航空の山久氏にひと言協力を頼めば、半沢の疑いなど簡単に晴らせるんじゃないのか」

「おっしゃる通りです、常務。お帰りのところ、失礼しました」

曾根崎が紀本の前を辞去し、ドアが閉まるのを見届けると、

「愚かな男だ」

紀本は、紛れもない本音を口にした。

銀行という組織を生き抜くのに最も必要なのは、学業で得た知識でもなければ学歴でもない。知恵だ。

知恵の有る者は生き残り、無い者は去っていく。

部下の背中を見送りながら、紀本が再確認したのは、この自明の理《ことわり》に他ならなかった。それが銀行であり、ひいては社会なのだと――。


「どこまでシラを切るつもりなんでしょうね、曾根崎次長は」

営業第二部に戻った半沢に、なおも田島は憤懣やるかたないふうである。「無責任過ぎますよ」

帝国航空担当チームのシマだった。遅い時間だが、激務の営業第二部には帝国航空の担当チーム以外にも、まだ大勢の行員が残っている。

傍らの空いているデスクに半沢はかけ、いまのやりとりを頭の中で反芻《はんすう》していた。

「曾根崎の改ざんを証明する方法はないか」

それは田島への問いというより、自問に近かった。

「曾根崎次長が受け取った書類でもあれば証明できるかも知れませんが、改ざんを立証したところで、金融庁からはペナルティを食らうだけってところが、浮かばれないんですよねえ」

「それどころか、検査忌避《きひ》となれば刑事告発される事態だ」

半沢は、いった。「どっちにしても、この問題の落としどころは見つける必要がある」

「せいぜい、〝錯誤《さくご》〟といったところですかね」

田島がそろりと口に出したのは現実的な妥協案だ。「提出書類を作成する段階で、間違えたと」

「黒崎にしてみれば、鬼の首でも取ったようなものだな」

そう報告したときの様子を想像しながら、半沢はいった。「銀行の錯誤による資料提出が原因で、検査が誤った方向に導かれた――そう結論づけるのは目に見えている。そして、最終的に当行に対してなんらかの処分が下ることになる」

「どっちにせよ、金融庁の思うツボか」

田島が悔しそうにいった。「でかい土産を持っていきやがるなあ。結局、帝国航空問題で、自分たちは正しかったとそれで証明できるわけだ」

「どっちにしても、曾根崎は全力で責任回避してくるぞ」

半沢はいった。「なにがあっても自分だけは泥をかぶらないよう切り抜ける。そういう男だ。資料は部下が作成したの一点張りで押し切るだろう」

「冗談じゃありませんよ」

田島が憤然として顔色を変えた。「それじゃあ結局、オレたちが濡《ぬ》れ衣《ぎぬ》を着せられることになっちまうじゃないですか。次長、どうすればいいんですか」

田島だけでなく、チームの全員に見つめられて半沢は考え込んだものの、この事態を打開する答えは容易に見つかりそうになかった。

5

「さて、まずは宿題から片付けていきましょう」

　翌日のヒアリングは、午後三時から開かれた。昨日と同じ会議室の上座に陣取る黒崎の横には、モアイ像さながらの島田が控え、ボディガードのような鋭い眼光を、半沢ら、東京中央銀行の行員たちに向けてきている。

　ヒアリングという当たり障りのない呼び方はしていても、この会の本質は、いわばバトルである。

　金融庁と銀行のプライドを賭けた戦いだ。

　金融行政において、謝罪と処分は、敗戦国並みの屈辱とペナルティを意味している。

　だが、その戦況は著しく半沢に不利で、一夜明けたいまも、金融庁の指摘を乗り切る策を見いだせないままだ。

　ヒアリングには、この日も半沢ら帝国航空担当チームの他に、関係各部門から大勢の行員たちが出席してきている。その誰もが厳しい表情なのは、これを無事に乗り切る見通しがつかないことを暗に予見しているからに他ならない。

　そんな中、本来の当事者でありながら今や他人顔の曾根崎は、余裕すら窺わせて、壁際の、昨日と同じ席にかけていた。

「いい気なもんですね、曾根崎次長」

　半沢の隣にいる田島が憎々しげにいった。声が大きかったからきこえたかも知れないが、曾根崎はまるで無視して手元の資料に見入ったままだ。「自分が矢面に立たないと思って、あの態度ですよ。内弁慶っていうか、外部との交渉ごとにはからきし弱いくせに」

田島の憎まれ口に、半沢がうなずこうとしたとき、

「半沢次長」

と黒崎から名指しを受け、半沢は立ち上がった。「発表してくれるかしら？　なんで再建案の数字が間違っていたのか、わかった？　私はおそらく意図的なものだと思いますけどね。改ざんがなぜ行われたか。その目的はなんなのか、腹をくくって話して頂戴！」

「それにつきましては、先ほどまで関係者に確認しておりましたが、まだ原因が判明しておりません。いま暫くお時間を頂戴できませんか」

苦しい弁明だ。

「時間稼ぎをするつもり？」

黒崎の顔がどす黒い怒りに溢れた。「くだらないわね。だったら私が調べてあげます。前回の検査時に帝国航空担当だった者、立ちなさい！」

黒崎が声を張り上げ、半沢の横にいたメンバー五人がおずおずと立ち上がった。しかし、曽根崎は知らんぷりをして、かけたままだ。

「帝国航空の再建案に関する資料を作成したのは誰？　手を挙げなさい」

黒崎はきいたが、メンバーの反応はない。

「この者たちは当時、同社の資産査定を担当しておりました。再建案にはタッチしていません」

已《や》むなく、半沢が助け船を出した。「その再建案については、別の者が作成したと思われます」

「別の者？　その人間をここに連れてきなさい。いますぐよ！」

そのとき、

「私です」

その一声とともに、背後でゆっくりと立ち上がる姿があった。

曾根崎だ。

いま、突如全員の注目を浴びた曾根崎は、ほんの僅《わず》か気後れしたように頬のあたりを震わせながら、続けた。

「審査部次長の曾根崎でございます。昨日のご指摘を真摯《しんし》に受け止め、営業第二部とは別に当審査部で独自に調査をしたところ、事実究明に至りましたので、ご報告を申し上げたいと思います」

会議室がどよめいた。

「マジですか」

田島が小声でいい、半沢も思わず目を見開く。

「それならそうと、早くおっしゃい！」

黒崎の鋭い舌鋒に、「申し訳ございません」、と曾根崎はしおらしく詫びてみせた。

「本来なら冒頭に発表すべきでしたが、なにぶん、営業第二部で調査しているとのことでしたので、控えさせていただきました」

思いがけない展開に曾根崎の意図を計りかね、半沢は息を潜めた。

「それで、誰が意図的に改ざんしたの？」

あからさまな誘導尋問で、黒崎は不正と決めつけている。半沢をはじめ、田島や他のメンバーが驚きの表情を浮かべる中、

「いいえ、意図的に改ざんしたわけではございません」

曾根崎は、どこか得意気な表情まで浮かべて続けた。「私ども審査部で調査したところ、帝国航空側のミスで、検討中の素案が渡されていたことが判明いたしました。御庁検査時に作成した資料に掲載した再建案の数字は、それに基づくものであるとの結論に達した次第です」

「検討中の素案ですって？」

予想外の話に、黒崎は素っ頓狂な声を上げた。

「そうです。従いまして、本件は単純に帝国航空側の事務ミスに起因したものでございます」

いま、黒崎に、明らかな失望の色が浮かぶのがわかった。銀行側の失態を突き、一気に土俵際まで追い詰めようとした、その思惑が外れた瞬間である。

「黒崎検査官、お聞きのように、ご指摘の点は、当行ではなく帝国航空側のミスによるものです」

タイミングを見計らったかのように、やりとりを聞いていた紀本が口を挟んだ。「となれば、当行も、そして御庁も、帝国航空の業績予測を見誤ったのは致し方なかったと考えられないでしょうか。御庁はその時点で導かれる、至極当然の検査判断をされたのだと思料《しりょう》いたします。いかがでしょうか」

紀本の発言は、金融庁の方向性とも一致している。

自らの検査結果を正当化したい金融庁からすれば、責任の所在が銀行から帝国航空に変わったところで、所期の目的は達成することになるからだ。

「帝国航空側のミスだという結論は間違いないの？　それは常務も確認されたと」

苛立ちながら、黒崎は、紀本に念を押した。

「もちろんです」

太鼓判を押した紀本は、優勢な成り行きに勝ち誇ったような視線を背後の曾根崎と交わす。

「いいでしょう」

黒崎はいい、手元の資料に何事か書き添える。「ただし、理由はどうあれ、金融庁検査資料に誤った数字が記載されたのは事実ですからね。本来ならこれは重大過誤、いえ、検査忌避に当たる。本件経緯については文書で正式に回答をしていただきます。いいわね、紀本常務」

「もちろんでございます」

紀本が笑みを浮かべた途端、ヒアリングの会場にようやく安堵の空気が流れる。曾根崎を振り返り、「これについては曾根崎君、君が作成してくれたまえ」、そう命じる。

「回答書には、帝国航空の状況説明書も忘れないで。いいわね」

銀行側の一方的な主張を鵜呑みにせず、帝国航空の所見も求めるあたり、黒崎の仕事ぶりも周到だ。

いずれにせよ絶体絶命のピンチを曾根崎が救ったことには違いない。

その傍らで、半沢は、非現実的な疎外感を覚えないではいられなかった。自分が対応に苦慮した問題が、思いもしない、しかもいとも簡単な形で落着していく。

「かしこまりました」

都合が悪いときには黙《だんま》りを決め込んでいたくせに、自らの手柄となるとわざわざ立ち上がって了承した曾根崎は、半沢のほうを一瞥し、鼻に皺を寄せてみせた。ざまあみろ。そういわんばかりだ。

「そんな話があるのなら、事前にこちらに通すのがスジでしょうに。ひどいですよ」

想定外の展開に、田島が小声で口にしたのは恨み節だ。

「まったくだ。しかし、腑《ふ》に落ちないな。昨夜、君が会ったとき、山久部長からそういう話は聞かなかったのか」

「まったく聞いてません」

首を横にふった田島は、怪訝《けげん》な表情を浮かべている。

本当にそんな話があったのなら、曾根崎にではなく、田島が訪ねたときに話してしかるべきではなかったか。普段の山久なら、そうするはずだ。

だが、いまその疑問を悠長に考えている暇はない。

「それじゃあ、今日の本題に入りましょう。まず、私の第一印象をいうわよ。関連会社に対する与信引き当て状況を検討させてもらったけど、いったいあなた方はどういう与信管理をしてるの」

帝国航空の関連会社は二百社ほどあり、東京中央銀行の支援総額は五百億円を超える。

それぞれが帝国航空を主要取引先としている関係上、同社に万が一のことがあれば、その大半が破綻する可能性が高い。

あえて金融庁がこの関連企業群をこの日のヒアリングのテーマにしたのは、それだけ論点が埋もれているからに他ならない。半沢に対して個人的な恨みを抱く黒崎にとっては、恰好《かっこう》の攻撃材料になるに違いなかった。

「まず、帝国空港サービス」

黒崎が指摘してきたのは、空港での手荷物や貨物の搭載といったグランドハンドリング業務を行う関連会社であった。「この会社の業績見通しに、前回検査時には赤字体質の脱却とある。本当にそうなの？」

　黒崎の質問は的を射ていた。

「いえ。親会社の帝国航空の業績が悪化して見通しが悪い上、同社の業務はリストラの対象となっています。今後、事業集約によるコスト削減が急務だと考えております」

「だったら、この自己査定は見直して、正常債権からの格下げを検討するべきでしょうが」

　黒崎の目的は、東京中央銀行が正常だと判断している融資を、〝分類〟に追い込むことだ。正常と判断した先が破綻すれば検査を実施した金融庁の判断が問われるが、分類させれば、万が一のときにも責任を問われることはない。そこには、官僚としての黒崎の保身も見え隠れしている。

　なんとか合理的な回答はしたものの、その後の黒崎の指摘は重箱の隅をつつくほど細かく、そして執拗に続いた。

「さて、次。京阪《けいはん》帝国住宅販売。この会社についてもかなり問題があるわよね」

　ヒアリングはすでに二時間近く続いていたが、黒崎は疲れた表情ひとつ見せない。「帝国航空ほどの規模の不動産子会社としては、事業展開力も非力で収益力もない。それなのに、おたくは住宅用土地開発資金として、五十億円もの資金を十年の長期で突っ込んでいる。どう見たって異常じゃない？」

　こたえようとした半沢を遮《さえぎ》り、「それとこの会社――」、と黒崎は一方的に続ける。「いまはともかく、スジが悪過ぎないかしらねえ」

　何を企んでいるのか、意味ありげな眼差しを半沢に向けてきた。

「どういうことでしょうか」

尋ねた半沢に、

「あなた方は、この京阪帝国住宅販売についてちゃんと調べてるかってきいてるのよ。問題ある取引先があるでしょう！　どういう与信判断してるの！　――舞橋ステートよ！」

半沢の隣で慌てて同社の取引先情報に目を通していた田島が、クレジットファイルのページを開いて寄越した。

舞橋ステートは、京阪帝国住宅販売の主要取引先だ。

「京阪帝国住宅販売が建て売り住宅を建てて販売した土地の多くが、舞橋ステートから転売されたものでしょう。つまり、この会社は舞橋ステートという会社にかなり依存しているということになる。なのに、あなた方は舞橋ステートについて何ひとつ調べた形跡がない。どういうこと？」

そんな細かいことまで知ったことか。

本来ならそう返してやりたいところだが、相手が金融庁ではそれもできない。

黒崎の目論みは透けて見えた。半沢に謝罪させ、許しを請わせ、この場に出てきたことを後悔させでもしない限り、重箱の隅をつつくような質問を続けるつもりだ。

「それにつきましては、こちらの調査が行き届いていませんでした」

そう認めた半沢に、黒崎は憎しみのこもった目を向けてくる。

「全体的に与信の裏付けが甘い！　反省なさい！　謝罪は？」

ねじ曲がった性格そのものに唇を曲げ、ヒステリックに激昂《げっこう》してみせる。

論理ではなく、単なる金融庁と銀行という管理する側とされる側の上下関係をことさらに強調せんがための嫌がらせ。まさに、黒崎の面目躍如《めんもくやくじょ》である。

半沢は、静かにひとつため息を洩らした。

「申し訳ありませんでした。当行の調査に一部不備があったようです。お詫びいたします」

「最初からそうやって謝っていればいいのよ」

黒崎はあごを突き出して喜悦《きえつ》の表情を見せた。「だけど、それで済むと思わないで。今回のヒアリングに関し、当庁としては、指摘事項に関する速やかな回答書を要求します。そして、それに対しては、帝国航空に対する過去の与信判断に遡《さかのぼ》った意見書を交付するつもり。おわかり？今回のお粗末な答弁を踏まえれば当然、厳しい内容になるからそのつもりでいて頂戴」

いたぶるように、黒崎は続けた。「もうひとつ付け加えると、意見書の交付は、金融庁長官から御行頭取に直接手渡しすることになるから、よろしく。もちろん、その様子はマスコミに公開されるから、覚悟しておくことね」

テーブルを取り囲む銀行員たちに鋭い一瞥をくれ、いまようやく黒崎は、満足そうにひとつ頷いた。長かったヒアリングの終了が宣言されたのは、間もなくのことであった。

6

限りなく〝負け〟に近い結果だ――。

「次長、お疲れ様でした」

営業第二部のデスクに戻り、がっくりと肩を落とした半沢に、田島が声をかけてくる。その田島に続き、金融庁に提出していた資料の入った段ボール箱を抱えてチームのメンバーたちが戻ってくると、誰ともなく半沢のデスクの周りに集まってきた。

「結果ありきのヒアリングだと思います」

田島が悔しそうにいった。「しかし、このままではウチの銀行が世間に誤解されることにならないかと」

こちらからの回答書がどうであれ、金融庁の意見書は東京中央銀行にとって厳しい内容になることは目に見えている。マスコミに対して、銀行の与信判断の甘さ云々と喧伝《けんでん》するに違いなく、その内容が批判的であればあるほど、金融庁の立場は保全される恰好だ。

それを受けて、おそらくテレビや新聞は、銀行バッシングに動くだろう。帝国航空に対する銀行の融資姿勢が問題となれば、タスクフォースが進める債権放棄にとってこれ以上ない追い風になる。

半沢はデスクで腕組みをしたまま、こみ上げてくる苦い思いに眉を顰《ひそ》めた。

「すまん、今回はオレの力が及ばなかった」

思いをそのまま口にした半沢だが、「ただ気になることもある」、と続ける。

「例の再建案のことですか」

察しよく、田島がきいた。

「山久部長は、たしかに曾根崎に再建案を渡したとはいったんだな。そのとき、検討中の素案を誤って渡したという話は――」

「聞いていません」

田島ははっきりと否定した。

「大事なところだ。山久部長に会って確認したい。これから時間をもらえないだろうか」

自席に戻った田島が、帝国航空の山久に連絡を入れた。

「これから帰るところなので、こちらに出向いたほうが早いだろうとのことですが」

「お待ちしております、と伝えてくれ」

半沢はいうと瞑目し、山久が到着するのを待った。


「お疲れのところお呼び立てした恰好になりまして、申し訳ありません」

営業第二部に隣接する応接室に山久を通した半沢は、昨日、田島が受け取ってきた再建案の受領書をテーブルに出した。曾根崎の名刺のコピーである。

「単刀直入にお伺いしますが、山久さん、このとき曾根崎に、検討中の素案をお渡しになったそうですね」

「検討中の？」

山久は驚いて目を瞬《またた》いた。同席した田島がちらりとこちらを見るのがわかる。「どういうことですか、それ」

「昨夜、曾根崎とそういうやりとりをなさいませんでしたか」

「いえ――」

半沢の問いに、山久は首を横に振った。

「曾根崎は、御社から検討中の素案を間違って渡されたと主張しているんです」

「はあ？」

山久の表情は、心外そのものだ。「そんなことあるはずないじゃないですか。私はちゃんと正しい再建案を渡してますよ」

「間違いありませんか」

半沢は、ちらりと田島と顔を見合わせた。

「もちろんです。ウチでは銀行さんに渡す書類は、取引銀行の数だけあらかじめコピーして準備しています。東京中央銀行さんだけ書類を間違うなんてこと、考えられませんね。なんで曾根崎さん、そんなデタラメをいってるんですか」

「申し訳ございません」

半沢は深々と頭を下げた。「つまらないことでお呼び立てしてしまいました。どうやら、私どもに行き違いがあったようです。お許しください」

7

「今回の件は、ちょっとマズかったな。小耳に挟んだ情報だが、紀本常務が、根回ししているらしいぜ」

「根回しって、なにを」

すかさず渡真利に質問したのは、半沢と同期入行の近藤直弼《こんどうなおすけ》である。広報部次長職にある近藤は、銀行の新しいキャンペーン企画で忙しい最中だったが、渡真利に誘われて先ほど合流したところだ。

銀座裏通りにあるバーのテーブル席だった。この辺りにしては大きな店の片隅で、いつものことだが、会話が他人に聞かれることはない。銀行員が内輪の話をするときには、こういう席を確保するのが常識である。

渡真利はバーボンの水割り、半沢はシングルモルトのウイスキーのロック、そして近藤が飲んでいるのは、最近ハマっているというモヒートである。

「今回のヒアリングの件さ」

渡真利はいった。「金融庁に突っ込まれたピンチを曾根崎が救ったってな。ついでに半沢の対応には問題があるとさ」

「何のために、そんな根回しをしてるわけ」

近藤がまたきいた。腹が減ったからといってピザを注文し、渡真利の話に聞き入る様子にかつての病気の気配はない。

近藤が心の病に倒れたのは三年以上も前のことだ。その後、紆余《うよ》曲折があって本部に返り咲いたのが二年ほど前だが、新しい仕事はどうやら軌道に乗っているらしい。

「結局のところ、紀本さんは頃合いを見計らって帝国航空の担当を審査部に戻したいんじゃないか。あるいは、半沢、お前を担当から外したいだけかも知れない」

渡真利がいうと、近藤は顔を上げてバーの薄暗い空間に目を凝らしながら考える。そして、「なんで」、とまたきいた。

「そりゃあ、半沢が担当でいる限り、扱いづらいからだろうよ」

渡真利はいった。「債権放棄に対して、半沢が拒絶の稟議を書くのは目に見えてるからな。それは、債権放棄賛成派の紀本さんにしてみれば許容できないことなのかも知れん」

「担当を替われといわれれば、いつだって替わってやる」半沢はいった。

「お前がそういいたい気持ちはわかるが、残念なことに、それには頭取を納得させる理由が必要だ」

渡真利が指摘した。「その理由が、今回の金融庁ヒアリングで出来たってことよ」

「だけどわからないな。そこまでして担当を替えてもさ、債権放棄をしたら大損するわけだろ。銀行にとってメリットがあるとは思えないじゃないか」

近藤がさらに質問した。「そりゃまたどういうわけで?」

「謎だな」

ぼそりと渡真利。「半沢、わかるか」

「さあな。なんぞ賛成しなきゃならないだけの理由があるんだろうよ」

半沢がいうと、何かききたそうに渡真利が顔を上げたが、「だけど、それが何かはわからない」、と続けたところで視線はグラスに戻っていく。

「それでさ、金融庁が交付する意見書って、厳しい内容になりそうなのか」と近藤。

「たぶんな」

自身、ヒアリングに参加していた渡真利はいった。「事と次第によっては——いや、ここまでくると確実に、半沢の〝次〟に影響することになるぜ」

銀行は人事がすべてだ。すべての仕事は、次の人事によって報われる。評価されれば栄転、失敗すれば横滑り。次長職での失敗は、出世コースからの脱落を意味する。

「それで近藤に意見をききたいんだけどさ、こういうのってなんとかならないのか」

渡真利がきいた。

「なんとかって?」

「金融庁はマスコミの前で意見書を交付すると同時に、概要を流すつもりだと思うんだ。オレの予想ではウチの銀行をこき下ろした内容になってるんじゃないかと思う。放っておいたらマスコミに何を書き立てられるかわからんぜ。そうならないように、うまく情報をコントロールすることはできないかと思って」

「要するに、新聞やテレビに批判的なことをいわせないようにしたいってことか」

渡真利がうなずくと、近藤は低く唸《うな》った。広報部次長として、マスコミの人間たちと接するのが近藤の普段の仕事だ。銀行の宣伝、プレスリリース作成、取材対応など広報部の仕事は多岐《たき》に亘る。

「結論からいうとだな、それには限度ってものがある」

近藤はいった。「ご存じの通り、当行はテレビや雑誌に相応の広告宣伝費を落としてるわけだから、正直、批判的な記事を止められる媒体もなくはない。しかし、一方ではそういう理屈が通用しない媒体もあるんだよ。たとえば『週刊潮流』とかな。それに、報道部門となると、競合他社に抜かれるわけにはいかないから、意見書が交付されたこと自体は、報じないわけにいかない」

「いいじゃないか、報道させておけば」

半沢がいうと、渡真利は呑みかけの酒を噴き出しそうになった。

「バカいえ。お前のことを心配していってるんだぞ、オレは」

「ありがとよ。だけどな、結局のところ、なるようにしかならないんだよ、こんなもの」

「そんな悠長に構えてる場合か」

渡真利があきれていった。「バンカーとしての将来がかかってるんだぞ」

「大した将来じゃない。それに、いっておくが別に悠長に構えてるわけじゃない。もしそう見えたんなら、お前の目の錯覚だ」

半沢はいった。「オレだってな、やれるだけのことはやってる。だけど、やれることには限界ってものがある」

「まさかお前、手を上げちまうつもりじゃないだろうな」

疑わしげにいった渡真利に、「まさか」、と半沢は笑ってみせた。

「お前、本当にそれでいいのかよ」

今度は大真面目な顔で渡真利はきいた。「マスコミの前で、ウチの頭取が晒《さら》し者になるんだぞ。しかもその原因は、お前の力が及ばなかったからってことにされるんだ。いくらなんでも、マズ過ぎるだろう」

「そうかもな」

半沢は、薄暗いバーのなんでもない一点を見据えたまま、黙って酒を呑み続けた。

8

審査部の曾根崎が、帝国航空の山久に、「会いたい」、と連絡を入れたのは金融庁のヒアリングが終了した翌日のことであった。

用向きは電話では告げていない。もっとも電話で告げられるような内容でもない。

アポを入れた午後二時に山久を訪ねると、担当時代に通い慣れた財務部の応接室に通された。天気のいい日で、こんな用事でもなければ、窓から見える東京湾を航行する船舶や港湾施設を、日がな一日眺めていたいほどの景観だ。

「ご無沙汰しております。いかがですか、その後」

入室してきた山久は、前担当である曾根崎が訪ねてきたことに、かすかな戸惑いの表情を浮かべながらもお定まりの言葉を口にした。

「お陰様でなんとかやっております。本日はお時間を頂戴しまして、ありがとうございます」

曾根崎は頭を下げながら、さてどう切り出したものかと考えた。自分では絶対に認めはしないだろうが、典型的な内弁慶である曾根崎は、行内での大きな態度とは裏腹に、顧客の前では借りてきた猫そのものだ。

当たり障りのない世間話が始まった。山久が話すのは主に業界全般のことで、タスクフォースなど個別の話題は意図的に避けているらしい。「元担当者は担当者ではない」という線引きは、さすがに大会社の財務部長らしい見識である。

「実は本日は、特別なお願いがあって参りました」

どれぐらいそんな話を続けたか、山久のほうから用向きを尋ねる気配がまるでないので、話の区切りを待った曾根崎から、意を決して切り出した。

「曾根崎さんから特別なお願いなどといわれると、緊張しますな」

山久は冗談めかしたが、実は緊張しているのは曾根崎のほうで、浮かべた笑みは引きつっている。

「先日、当行に金融庁から御社に関するヒアリングというものがありました。そこで、前回の金融庁検査で当行が提出したデータが問題になりまして」

「どういうことですか」

問題ときいて、山久はそれまで見せていたなごやかな表情を引っ込めた。

「どうやら、私のところで数字を書き間違えたらしく、実際の再建案の内容と異なるものが提出されていたようなんです」

こまかな嘘をまぶした発言であった。だが、曾根崎にしてみれば、意図的に再建案を改ざんしたとは、口が裂けてもいえない。

「金融庁からの指摘で大変に困っておりまして、行内でいろいろと検討した結果、帝国航空さんにご協力をいただけないかということになりました」

「協力というと、どのような」

山久が先を促し、いよいよ、肝心なくだりを曾根崎は口にした。「帝国航空さんの錯誤で、再建案がまとまる前の素案を頂戴したということにしていただけないでしょうか」

しばし、山久はこたえなかった。感情を消し、曾根崎を凝視したまま思案している。何を考えているのかは、曾根崎にはわからない。

「金融庁にそう説明したいということですか」

やがて山久が硬い声できいた。「そういう方便であれば、何もウチにいちいち断りを入れる必要などないじゃありませんか。勝手におやりになればいい。いまのお話は、聞かなかったことにしておきます」

「いやいや」

曾根崎は、胸の前で両手をひらひらさせた。「そうはいかない事情がありまして。金融庁からは、御社の状況説明書の提出を求められております。それを頂戴しないといけない」

「状況説明書？」

山久の眉が顰められた。「どういうものですか、それは」

「かくかくしかじかの理由で、再建案の素案を誤って当行に交付してしまったという、御社名での報告書と申しますか――」

「ちょっと待ってください」

山久は、少々驚いた口調でいった。「たしかにあのとき、私はあなたに再建案をお渡ししましたよ。その内容、間違っていましたか」

曾根崎は恐縮し、「いえ」、と唇を噛む。

「間違ってもいないのに、間違っていたとは書けませんよ、それは」

もっともな山久の言葉だが、曾根崎は青ざめた。

「おっしゃる通りです。ただ、金融庁に対してウチの数字が錯誤であったと報告するわけにはいかないんです」

「それはお宅の都合でしょう。なんであんな数字を間違うんです。間違いようがないじゃありませんか」

山久は釈然としない顔で問うた。

「金融庁検査を乗り切るために、こちらもいろいろ大変なんです。数字だって、馬鹿正直に出していたら、〝分類〟されてしまうかも知れません。すべては帝国航空さんを守るためなんですよ」

「ほんとにウチのためですか」

疑わしげに山久はきいた。「ご自分のためなんじゃないですか？　意図的な改ざんか錯誤かは知りません。でも、仮に錯誤なら、間違いは誰にでもあるじゃないですか。ミスはミスだときちんと認めることがどうしてできないんですか」

「どうしてといわれても……そういうものでして」

「まったく、わけがわからない」

嫌悪感を滲ませた山久の態度に、曾根崎は困り果てた。山久は続ける。「ご自分のミスだとおっしゃればいい話じゃないですか。その状況説明書とやらは金融庁に提出するんでしょう？　つまり公の書類というわけだ。そんな書類を当社が作成すれば、当社もまた嘘に荷担したことになる。できませんよ、そんなこと」

焦りつつも曾根崎は、なんとか山久を翻意させる方法はないかと知恵を絞った。だが、出てきたのは、

「支援させていただいてるじゃないですか。これから同様の支援を継続したいと思っていますし、御社もそれは同じだと思いますが」

という、口にしてはならないひと言だ。

元来が気の小さい男である。そういう男だからこそ、ここぞという場面で極端な発言をしてし

まうのかも知れない。

　案の定、山久の顔色がさっと変わった。

「そういうのを優越的な地位の濫用《らんよう》っていうんじゃないですか」

　ところが、冷静さを欠いた曾根崎は、

「どう取っていただいても構いません」

　火に油を注ぐひと言を口にしてしまった。「もちろん、支援するしないは稟議で決まることです。しかし、この件で帝国航空さんにご協力いただいたとなれば、行内の心証も良くなるでしょう。今後の支援も円滑に進むんじゃないですか」

「ほう」

　山久は乗り出していた体を肘掛け椅子の背に戻した。曾根崎に向けられたのは、怒りと軽蔑のこもった視線だ。

「ひとつ伺いたいんですがね。曾根崎さん、あなたはまた弊社の担当に戻られたんですか」

　山久から改まった口調で問いが発せられた。

「いいえ、そういうわけでは」

「じゃあ、支援云々とおっしゃるのはおかしいじゃないですか。支援がらみの話なら、半沢さんの担当でしょう。あなたが出る幕ではない。半沢さんと相談させていただきますよ」

　半沢の名前が出て、曾根崎は慌てた。

「いやいや、ちょっとお待ちください。本件については、半沢ではなく当時の担当である私がまとめることになっておりますので。半沢とは無関係なんです」

「半沢さんとは無関係？」

山久は怪訝そうな顔になる。「じゃあ、さっきの支援云々の話はなんなんです」

「いやその——あれは——」

それまでの威圧的な発言から一転して、曾根崎はうろたえ、口ごもった。「別に、それが支援の条件になるという意味ではありませんから、その——」

「なにをおっしゃっているのかわからないですよ、曾根崎さん」

山久は呆れ顔で、ぱんと膝を叩いた。「まあいずれにせよ、そんな書類は出せません。お引き取りください」

9

帝国航空の本社ビルを後にする曾根崎の虚ろな表情は、どこかに魂を置き去りにしたかのようであった。

駅まで歩く足取りはふわふわと浮遊しているようで、地面を踏む感覚すら乏しい。一歩を踏み出すごとに体のエネルギーが地面に吸い込まれてしまうようだ。

正直なところ、曾根崎は帝国航空という会社を甘く見ていた。これだけの業績悪化企業である。銀行支援がなければ立ちゆかないのだから、「書け」といえば書類のひとつやふたつ、簡単に書いてくれるとタカを括《くく》っていたのだ。

それがまさか、こんな展開になろうとは——。

もし、帝国航空の状況説明書を入手できなければ、救世主と持ち上げられた曾根崎の評価は地に墜ちる。いや、それで済めばまだマシだ。金融庁ヒアリングでのあの発言がすべて嘘だったとなれば、単に叱責を受ける程度では到底済まない。悪くすれば、刑事罰ものである。最悪だ。

明るかった銀行員としての将来にはいま、おどろおどろしい暗雲が立ち込めようとしている。この絶望的な状況の中で、曾根崎が頼れるのは、もはやひとりをおいてない。

審査部に戻った曾根崎はすぐに役員室に連絡し、紀本の在室を確認するや椅子に座ることなくフロアを出た。

「常務、ちょっとよろしいでしょうか」

入室した曾根崎に、紀本はデスクから無言で立ち上がると、手ぶりでソファを勧めた。

「実は、例の書類の件で、帝国航空へ行って参ったのですが、山久部長が書類の作成を渋っておりまして」

紀本の目からふっと光が失せた。見ていると居心地の悪くなる、空洞のような目である。

「鋭意、説得したのですが、どうしてもうんといいません」

その目が吊り上がり、

「いまさら、なにをいってるんだ、君は」

発せられた声には、怒りが滲《にじ》んでいた。「そういうことは、あの場で発表する前にきちんと詰めておくべきだろう」

「申し訳ございません」

曾根崎は立ち上がると、腰をふたつに折った。

紀本の返事はない。

おそるおそる顔を上げると、窓の方へ顔を向け恐ろしいほど真剣な顔で黙考する紀本の姿があった。その横顔に向かって曾根崎は続ける。

「お忙しいところ恐縮ですが、常務。交渉にお口添えをいただけないでしょうか」

だが、足を組み、手であごをつかんだまま、紀本の返事はない。まるで曾根崎の言葉など聞こえなかったかのようだ。

やがて、紀本から嗄《しゃが》れた声が出てきた。

「バカも休み休みいいたまえ」

突き放すようなそのひと言に、曾根崎は射貫《いぬ》かれたように体を硬直させる。

「私に、君の嘘の片棒を担げというのか」

神経質そうな紀本のこめかみに血管が浮き出している。

「今日の山久部長の感触では、私ひとりでは荷が勝ち過ぎるかと。何とぞ常務にご出馬いただきたく——」

いつもなら引き下がるところだが、曾根崎にしては珍しく食い下がった。もう紀本に頼るしか、曾根崎に残された解決策はないからだ。

紀本は憤然として考え込んでいる。

金融庁とのヒアリングで見せた曾根崎の対応が、東京中央銀行を最悪の窮地から救ったと紀本は喧伝して回っていた。仮にそれが根も葉もない嘘だと発覚すれば、曾根崎を持ち上げた紀本自身の顔にも泥が塗られることになる。怒り狂ってみたところで、状況説明書がなくて困るのは紀本とて同様なのだ。この場でどんな叱責を受けようと、最終的に紀本が山久懐柔のために動いてくれるのではないか。曾根崎が期待する理由はまさにそこにある。

「山久部長はなんとおっしゃってるんだ」

案の定、しばらくの沈黙の後、紀本がきいた。

「嘘は書けないと、そう──」

紀本の右手が動き、音を立てて肘掛け部分を叩いた。

「散々、面倒を見てきただろうに」

「どうも山久部長もわかっておられないようでして。頑なというか。銀行との関係を指摘してみたのですが、逆ギレするありさまで話になりません」

自分に都合良く話を作った曾根崎の報告に、紀本は考え始める。

山久説得のために赴くことがどういう結果をもたらすか、検討しているのだろう。臨機応変に対応できる処世術は、紀本の強みである。

「この話を神谷社長にお願いするには、少々無理がある。やはり、説得するとしたら山久部長か」

「お願いします」

再び、曾根崎は頭を下げた。紀本が出れば、なんとかなる。長く審査畑を歩み、修羅場という修羅場をくぐり抜けてきた百戦錬磨《れんま》だ。それに東京中央銀行常務の威光が加わった紀本にならば、さすがの帝国航空も逆らえまい。

紀本は横顔を向けたまま目だけを曾根崎に寄越し、指示を出した。「いますぐアポを取ってくれ。

大至急だ」

内藤から呼び出しがあったのは、ちょうど曾根崎が紀本と密談をしている頃のことであった。

同じフロアにある内藤の執務室は、そこだけが重厚な静けさに満ちた森のようである。その雰囲気を醸《かも》し出しているのは、深い絨毯《じゅうたん》と、棚に並んだ書籍の数々で、それは他の役員の執務室では決して見られない光景であった。さぞかしお堅い書籍が並んでいるのだろうと思って見ると、経営学やマーケティングの泰斗《たいと》たちの原書に混じって、エーコの『薔薇《ばら》の名前』などの海外ミステリが並んでいるという野趣《やしゅ》がある。洗練されたバンカーである内藤という男の奥行きと幅、そのものだ。

「当部で準備する回答書の原案はあれでいい」

金融庁に提出する書類は、予定より早くとりまとめて、この朝原案を内藤に送っておいた。「あとは、帝国航空からの書類だが、どうだ」

「審査部からの提出を待っているところです」

半沢は答えたが、すでに内藤に呼び出された目的が他にあることを見抜いていた。

「単刀直入にいうが、金融庁の意見書次第では帝国航空の担当替えがあるかも知れない。理由はわかるな。まあ、それだけで収まればいいが」

内藤は何かを言いかけ、珍しく逡巡《しゅんじゅん》する。

「人事の件ですか」

先回りした半沢に、内藤は渋面を見せた。

「金融庁のヒアリングでの対応がまずかったという指摘が一部の役員から出ている」

名前はいわなかったが、その役員が紀本らであることは容易に想像がつく。

「部長はどうお考えなんですか」

「曾根崎君の説明で、最悪の窮地を脱したのは事実だが、それはそれでいかがなものか」

不満を、内藤は匂わせた。「ところが、彼はいまや、役員会のヒーローだ」

「あんなのはただのスタンドプレーですよ」

「その通り。しかし、ヒーローは作られる」

内藤はかすかな苛立ちを口調に滲ませた。それは半沢に対するものではなく、この東京中央銀行の、いや会社組織というものの性質に対するものではないか。

「だが、今後の成り行き次第では、誰かが責任を取らなければならない」

内藤がここまでいうからには、おそらくなんらかの具体的な話が進行しているに違いない。

「気にしたところで意味のないことだが、一応、君の耳に入れておく。降りかかる火の粉は振り払わねばならん。もちろん――自分の力でな」

黙って立ち上がった半沢は、小さく一礼してその静かな個室を後にした。

10

紀本と曾根崎のふたりが通されたのは、昨日とは違う役員フロアにある応接室であった。

「ご無沙汰しております、山久部長」

山久の入室とともに立ち上がった紀本は、そういって深々と頭を下げた。

「こちらこそ。本日は紀本常務自らお越しいただき、ありがとうございます。お元気そうで」

帝国航空の担当が営業第二部に移った段階で紀本も担当役員ではなくなっているのだが、そんな筋違いの面談にも、山久は違和感を顔に出すことはない。やはりそこには、長年取引をしてきた相手に対する敬意があるのだろう。それは、曾根崎に対する昨日の態度とは明らかに異なっていた。

「どうですか、タスクフォースは」

単刀直入、紀本は帝国航空にとっての懸案に切り込んでいく。

「ご存じの通り、好き放題、やられてますよ」

呆れてみせた山久だが、言葉には隠しようのない不満が立ち上った。

「業界は違っても、お上《かみ》に手を焼くのは同じですなあ。だが、生き残るためには、それを乗り越えなければならない」

紀本は、ずいっと体を前のめりにすると山久をぐっと見据えた。「本日、お時間をいただいたのは、私からひとつお願いがあってのことです。昨日、曾根崎からもお願いに上がった件だが――御社に悪者になっていただきたい」

ズバリそのままの物言いだった。これにはさすがの山久も息を呑んだようになり、しばし黙り込む。

「弊社に虚偽書類を作成しろと、そうおっしゃる？」

「その通りです」

紀本はうなずいた。「その代わり、協力していただいただけのことはさせていただく。お互いいまが苦しいときだ。この通り」

そういうと、テーブルに手をつき、頭を下げる。

「ウチを助けると思って。——おい、曾根崎」

紀本に促され、曾根崎はカバンから一通の書類を取り出してテーブルに置いた。

「こちらで状況説明書を作成して参りました。これに御社のご印鑑を頂戴するだけで、お互いに幸せになれる。お願いします、部長」

そういって紀本は、テーブルの書類を山久の前へ滑らせる。

だが、山久はなかなかそれに手を伸ばそうとはしなかった。

「部長——」

紀本がまたひと押ししようとしたのと、山久から思いがけない言葉が洩れたのは同時である。

「状況説明書なら、もうこちらで作成しましたから、結構です」

言葉の意味が飲み込めなかったか、紀本はまじまじと山久を見つめた。

「作成、された？」

代わりに聞いたのは曾根崎だ。「どういうことでしょうか」

「嘘は書けません。したがって、正確なところで、日付やお渡しした書類の内容などについて書いてあります。採用するかしないかは御行の判断に委ねます」

それでは、意味がない。

落胆した曾根崎の前で、山久は、脇に置いたファイルからホチキス留めされた書類を取り出すと、紀本の前に差し出した。状況説明書だ。

「控え……?」

紀本から、ぽつりと声が洩れ、曽根崎もそれに気づいた。書類の右上。たしかに、そこに「控」という ゴム判が捺《お》されている。紀本の表情がみるみる強ばっていった。

「これの原本は、どうされました」

「それは先ほど、提出させていただきました」

「提出された?」

思いがけない展開に、紀本が明らかな驚愕を浮かべる。「し、しかし、誰に――」

「半沢さんですよ」

唖然《あぜん》とした紀本が、瞬きすら忘れて山久を見、それも束の間、慌ててその説明書に目を通し始める。その横顔がみるみる青ざめていく様を眺めながら、曽根崎は胃をわし掴《づか》みにされたような痛みを感じた。

「なぜ半沢に、お渡しになったんです」

紀本の声には、抑制しきれぬ怒りが滲み出ていた。

「偶然、先ほどいらっしゃったもので。ついでに持って行ってもらっただけですよ」

紀本の手から、書類が力なくテーブルに落ちる。

「失礼――」

手を伸ばした曽根崎は、その書類を貪《むさぼ》るように読んだ。

弊社再建案については、取引銀行に対して一斉にリリースしております。お問い合わせの書類につきましても、当時担当であった御行審査部曾根崎雄也次長に対して、通常の手続きに則《のっと》り公式書類として交付しており、その内容については特に訂正すべきことはございません。また、金融庁に報告された数字が誤っていたとのことですが、その件については弊社は一切、関与するところではありません。

日付とともに記された状況説明書には、受取証代わりの曾根崎の名刺コピーまで添付されている念の入れようだ。

気がついたとき、曾根崎は立ち上がっていた。

一瞬真っ白に消し飛んだ視界の中で、驚いた山久が自分を見上げている。

なぜだ——。

いったん弾けた意識が再び戻ってくるに従い、状況が示す意味は次第に飲み込めてきた。

半沢だ。

この書類は、半沢が書かせたに違いない——。すべてを知っていて、曾根崎を貶《おとし》めたのだ。

絶望の淵で曾根崎の胸に湧き上がったのは、半沢に対する激しい憎悪だった。

11

「貴様、どういうことだ！」

営業第二部のフロアをずかずかと真ん中辺りまで進んできた曾根崎は、デスクに半沢の姿を見つけると声を荒らげた。

「どういうこととは？」

涼しげにこたえた半沢に、曾根崎はますます激昂《げっこう》し、怒声を上げた。

「帝国航空の状況説明書だ。寄越せ！」

あまりの剣幕に、営業本部のフロア全体が静まりかえり、このやりとりに注目が集まる。

「寄越せといわれても無理だな。あれはもう、ない」

曾根崎は、穴の開くほど半沢を睨み付ける。その目に向かって、半沢はいった。「もう上に回した」

「ふざけるな、半沢！」

曾根崎はいまにも掴みかからんばかりの勢いで半沢のデスクに拳《こぶし》を叩き付けた。「お前、当行がどうなってもいいのか。山久はな、自分のミスを認めたくないがために、あんな書類を書いてるんだ。決まってるじゃないか！」

「おもしろいことをいうな、曾根崎」

半沢は愉快そうに唇の端に笑いを浮かべる。「どういうことか、説明してくれないか」

「帝国航空は、自分たちのミスを認めて金融庁の心証を悪くしたくないんだよ！　だから、ありもしない内容の説明書をでっちあげて、真相を知ってるオレじゃなく、お前に渡したんだ。それをお前は真に受けたのか！」

それは、銀行に戻る道すがら紀本が作ったストーリーであった。さもありなん、の嘘である。

「すると、なにか？」

改まった口調で半沢がきいてきた。「山久部長が嘘の説明書を書いたと。そういうことか」

「当たり前だろうが！」

百九十センチ、百キロの巨体で、曾根崎は吠《ほ》えた。しかし、半沢はまったく動ずることなく、引き出しを開けると何かを取り出して机上に置いた。

刹那、曾根崎の視線がぴたりとその上で止まり、ピンで留められたように動かなくなる。

ＩＣレコーダーだ。

ごくりと生唾を飲み込んだ曾根崎の喉仏が大きく上下した。

「いまお前がいったこと、本当なんだな？」

椅子にかけたままの半沢から鋭い眼光が放たれ、曾根崎を射貫いた。一切の誤魔化しを許さない、揺るぎのない視線だ。

曾根崎の唇が動いたが、声は喉元に貼り付いてしまったかのように、出て来はしない。言葉にならない微《かす》かな息が流れ出てきたのみである。

「そうか、わかった」

半沢は、おもむろにＩＣレコーダーを手に取ると、フロア中が注目する中、再生ボタンを押した。

――どういうことですか。

スピーカーから流れ出た声は、山久のものであった。しかし、その後に続いたのは紛れもなく曾根崎自身のものだ。

——どうやら、私のところで数字を書き間違えたらしく、実際の再建案の内容と異なるものが提出されていたようなんです。金融庁からの指摘で大変に困っておりまして、行内でいろいろと検討した結果、帝国航空さんにご協力をいただけないかということになりました……。帝国航空さんの錯誤で、再建案がまとまる前の素案を頂戴したということにしていただけないでしょうか。

曾根崎の顔が引きつるのがわかった。

慌ててICレコーダーを奪い取ろうとするより一瞬早く、半沢がそれを取り上げ、冷徹な表情を曾根崎に向ける。

辺りはしんと静まりかえり、全員が息を呑んで事態の成り行きを見守っている。

「ど、どうして——」

曾根崎の唇が、ぶるぶると震え始めた。いま、まん丸に見開かれた目に浮かんでいるのは紛れもない、恐怖だ。顔面は蒼白で、空調の効いた室内だというのに額には玉の汗が浮かんでいる。

もはや言葉すらない曾根崎に向かって、

「オレは、基本は性善説だ」

半沢はいった。「だが、悪意のある奴は徹底的にぶっ潰す」

全員が見つめる中、曾根崎はぐっと唇を噛んで動かなくなった。半沢に対する剥き出しの敵愾心がいま、激しい動揺の波に洗われていくのがわかる。

「お前、山久部長が自分のミスを認めたくないがために書類を書いたといったな」

その曾根崎を、半沢は猛然と睨み付けた。「ありもしない内容の説明書をでっちあげただと？ふざけたこといってんじゃねえぞ。どういうことか、ここにいる全員が納得できるように説明してもらおうか」

半沢の一喝《いっかつ》に曾根崎の巨体が震え上がり、目に恐怖が宿った。

「いや、こ、これは何かの間違いだ。何かの――」

「おもしろいじゃないか。だったら、どう間違ってるのか説明してもらおうか。言い逃れできると思ったら大間違いだぞ」

しかし、青ざめ、激しく狼狽《ろうばい》しているだけの曾根崎から、反論らしいものはもはや出てはこない。

「随分とコケにしてくれたじゃねえか」

半沢はいった。「このことは、しっかりと報告させてもらうからな。タダで済むと思うなよ。その前に、いまここでオレたち全員に謝罪しろ、曾根崎」

その一言に、遠巻きに見ていた田島ら、かつて曾根崎の部下だった連中が集まってきた。その背後には、営業第二部の半沢の部下たちがさらに取り囲み腕組みをして、曾根崎に対して怒りを孕《はら》んだ視線をむけている。

曾根崎は呼吸困難に陥ってしまったかのように苦しげに表情を歪《ゆが》め、拳を握りしめた。

その顔面はすでに汗まみれで、いま固く目が閉じられたかと思うと、みすぼらしく泣き出しそうな声が絞り出された。

「す、すまなかった――」

「ふざけんな。そんな一言で済ませようと思ってるんじゃないだろうな。謝るんなら、しっかりと謝ったらどうなんだ！」

半沢の怒気に、曾根崎は気圧《けお》されるようによろめいたかと思うと、どんとデスクに両手を突き頭を垂れる。

「申し訳、ございませんでした！」

発作のように発せられた謝罪に、誰からも返事はない。その様子に軽蔑と怒りの眼差しを向けた部下たちが仕事に戻っていく中、曾根崎の啜《すす》り泣きが始まった。

「お前のような奴が、銀行を――この組織を腐らせるんだ。よく覚えておけ！」

半沢の一言に、曾根崎が逃げるようにしてフロアから足早に出ていく。それを見送った半沢は舌打ちをひとつしただけで、後は何事もなかったかのようにデスクに広げた書類に目を通し始めた。

第四章　策士たちの誤算

1

「業務改善命令を発令します」

金融庁長官から書類が差し出されると、報道陣のカメラのフラッシュが焚《た》かれ、頭《こうべ》を垂れた中野渡の影を幾重にも浮かび上がらせた。

業務改善命令とは、いってみれば金融業界におけるイエローカードだ。金融庁検査での不祥事が招いた結果だったが、それでも、検査忌避と認定されなかっただけマシである。そうなれば、刑事告発すら有り得る事態であった。理由はどうあれ、この行政処分が現状の審査体制に与える影響は計り知れない。それだけではなく、社会的信用の失墜は銀行の著しいイメージ低下を招くだろう。そしてなによりこの改善命令は、プライドの高い東京中央銀行のバンカーたちにとって、恥以外の何物でもない。

「謹んでお受けいたします。ご迷惑をおかけし、申し訳ございませんでした」

中野渡の硬い声をマイクが拾い、再びフラッシュが浴びせかけられるその様は、ある種の残酷さを半沢の胸に運んできた。

世間的には、杜撰《ずさん》な管理で検査をないがしろにした東京中央銀行に、金融庁が鉄槌《てっつい》を下したと思われているだろうし、ある意味それは正しいのかも知れない。しかし、この事態の裏に隠された思惑は、善悪で切り分けられるほど単純なものではない。

それは、異例としかいいようのないスピード処分にも表れている。おそらくは、綿密な事前調査と金融庁内での意見調整が整った上で、あのヒアリングがあったのではないかと思わせるに十分だ。

それが事実なら、背後で暗躍している人物は、半沢の思うところ一人しかいなかった。

黒崎だ。

銀行への敵愾心に突き動かされた黒崎の目的は、どうあっても東京中央銀行を足元にひれ伏させることだったはずだ。黒崎の中で変容を繰り返す勘違いした官僚主義と階級意識、そして選民思想は、かくしてここに成就したといっても過言ではないだろう。

業務改善命令を発令した長官は、いま続いて新たな書類を中野渡に交付しようとしている。

帝国航空向け一連の融資に関する意見書だ。

業務改善命令が黒崎の執念ならば、この異例ずくめの意見書は、手段を選ばず銀行に債権放棄を迫ろうとするタスクフォース、ひいては白井国交大臣の繰り出す手管のなせるわざであった。

意見書の内容は、内々に金融庁筋から洩れ聞こえてきて、すでに半沢の耳にも入っている。

要旨は大きく三つ——。帝国航空に対する債権の「分類」検討、行内与信体制の見直し、社会的立場からの航空行政への影響の再検討である。いうまでもなくそれは、国交省の意向が強く反映されたものといっていい。

「航空行政への影響を考えろだなんて、いったいいつから金融庁は国交省の出先機関になったんですか」

この情報に接したときの、田島の発言はもっともであった。

銀行の会議室でテレビ画面を見つめる半沢の胸に、再びほろ苦い敗北感が込み上げてきた。

「不手際だな。みっともない」

自らが率いる箕部派の会合を抜け出してきたという箕部は、着席するや、いきなり紀本を叱りつけた。

業務改善命令の失態ではなく、いまだタスクフォースの債権放棄案を正式決定できないままでいることを、叱責したのである。

平河町《ひらかわちょう》にある日本料理屋の個室だった。見かけはいかにもの老舗風だが、芸能人や政治家御用達で料理は二流、値段は一流。食通を気取った金持ち連中に人気の店だ。

その箕部の隣には、いつもながら真っ青のスーツを身にまとった白井がいて、刺々《とげとげ》しい眼差しを紀本に向けている。

「面目次第もございません」

座布団を下りた紀本は、両手を畳についで頭を下げた。「ですが、金融庁の意見書のおかげで、帝国航空に対する与信判断が早急に見直されることになるのは確実かと。いましばらくお待ちください」

実際のところ、金融庁に呼び出された中野渡頭取に業務改善命令と意見書が手渡される図は、役員会を震え上がらせた。

かくして、債権放棄を呑む方向で押し切れるはずだと紀本は考えている。

「酷《ひど》い話ですね」

箕部の横で目を三角にしているのは、国交大臣の白井だ。「いままでの融資自体がそんなデタラメだったなんて。それなのに、あれこれと理屈を並べてタスクフォース案に抵抗するとは、どういう了見なんです」

「お恥ずかしい限りです」

紀本は深々と頭を下げた。「しかし、先生方のおかげで、事態も好転しつつあります」

金融庁の指摘では、それが黒崎の意図的なものであるかどうかは別として、ことさら現担当である営業第二部を低く評価していたことも、紀本にはフォローの風だ。

「お陰様で、帝国航空の与信を見直すチャンスをいただきました。ありがとうございます」

頭を下げた紀本に、

「遅いわよ」

鋭く、白井は吐き捨てた。眉間に皺を寄せ、怒りに青ざめている面相は、マリア・テレジアもかくやの女帝ぶりだ。

「今までろくな管理もしてこなかった銀行が、タスクフォースの提案に抵抗して航空行政を混乱させる。いいですか。こうしている間にも帝国航空の飛行機は飛んでるのよ。あなた方銀行員はいっそういうことを認識してるんですか」

大臣とはいえ、二十歳近くも年下の女が、なんのためらいもなく上から目線で発言する。いったい自分のことをどれだけ偉いと勘違いしているのかは知らないが、それを指摘したところで逆上するのが関の山だ。腹は立ってもぐっとこらえている紀本は、そんな内面を微塵《みじん》も感じさせることなく、恐縮した表情を崩さないでいる。

「これであの中野渡という頭取もわかったでしょう。乃原先生は、今月末の回答期限に銀行を集めた合同報告会というイベントにしようとおっしゃり、今日、取引銀行に通達したらしいですわ」

その話は、紀本の耳にも入っている。「それまでには当然、しかるべき結論を出していただかないと困りますからね」

紀本は、低頭しながら、低く唸った。そろそろ、営業第二部からも正式稟議が上がる頃だとは思っていたが、タスクフォースもここで一気にカタをつけるつもりだ。

曾根崎の失態さえなければ、半沢を担当から外せたかも知れない。実際、この処分を踏まえて暗に担当替えをほのめかした紀本だが、中野渡は、「一旦、任せたのだからしばらくは様子を見ようじゃないか」、と耳を貸さなかった。金融庁の意見書を受け、半沢はどんな稟議を上げてくるつもりなのか。

「しっかりと、対応させていただきます」

かしこまった返事をした紀本は、ここからが勝負だと、表情を引き締めた。

2

「次長、お願いします」

田島に促され、思索に耽《ふけ》っていた半沢はいま顔を上げて自分を見つめる面々を見やった。

すでに時間は午後十一時を過ぎている。

午後から始めたミーティングだ。営業本部のフロアにある会議室に帝国航空担当チームが全員集まり、いままでかかってそれぞれの担当分野についての分析と所見を述べ検討を重ねてきた。長い議論も、先ほど田島が発表した総論でひと通り終結し、後は、担当部署としての総合的な判断を残すのみである。

「当該案件を判断するにはもう十分だ。議論は尽くされたな」

半沢は断じた。「タスクフォースの提案について、当チームとして最終的な結論を出すときだ」

半沢はそこで言葉を切り、自分を見つめる部下たちの顔を見ながら続けた。「債権放棄の申し入れは、拒絶する。この結論をもって正式な稟議を作成することとしたい」

全員が真正面から向けてきている眼差しには、まさに命がけともいえる覚悟が滲んでいた。

それもそのはず、この稟議は、金融庁の意見書に真っ向《まっこう》、逆らうものだ。金融行政において監督官庁の意向に背くことがいかに重大なことであるか、この場にいる全員が認識している。

もし、半沢直樹という男が世渡り上手な銀行員であれば、この状況でなお債権放棄を拒絶するなどという結論は決して出しはしないだろう。波風を立てず、長いものには巻かれろのことわざ通りに振る舞ったに違いない。

だが、半沢はそうはしなかった。

結論ありきの検討ではなく、白紙から検討を重ね、愚直なほど真っ直ぐに、唯一正しいと信じられる結論を導き出したのだ。

「この稟議、役員会では全く歓迎されないでしょうねえ」

緊張感の漂う中、田島が冗談めかして、ニヤリと笑った。

「従うより、逆らうほうがずっと難しい」

半沢は、いまや肩の力を抜いていった。「だが、与信所管部の仕事は、あくまで合理的で正しい結論を導き出すことだ。我々がもし、意図して誤った結論を役員会に上げたとしたら、それは我々自身の存在を否定することになる。世渡りのために結論を歪《ゆが》めるわけにはいかん」

異論を差し挟む者は誰ひとりとしていない。

通常、銀行の融資稟議は、定型的なオンライン端末で行われるが、これから作成する稟議書は全てが手書きで作成されるという例外的なものであった。融資案件でもなく、条件変更でもない。つまり、一般業務として準備されたどのカテゴリーにも当てはまらないのは、それが「債権放棄」という特殊な案件だからである。

かくして――。

半沢が、まとめられた稟議書を内藤に提出したのは翌日午後のことであった。

半沢にソファを勧めた内藤は、自分の前に置かれた分厚い検討資料に、黙って目を通し始める。

陽春の日射しが部長室に四角い陽だまりを作る午後だったが、それとは逆に内藤の表情は厳しいままだ。

全てに目を通すまで、どれぐらいかかったか。

最後のページを読み終えた内藤は、そのまま瞑目《めいもく》して押し黙った。そして、

「わかった。これでいい」

そんな一言が転がり出てきたのは、随分長く感じられた沈黙の後であった。

3

東京中央銀行の役員会は、毎週火曜日の朝九時に招集されるのが定例となっていた。

かつて役員会は、二週間に一度の定期開催だった。それを、議題があろうとなかろうと、毎週一度は役員が集まり意見交換してはどうか——という、いかにも行内融和に腐心する中野渡らしい提案があり、いまの形に変えた経緯がある。

かくして試験的に開催された役員会がいつしか恒例のこととなり、やがて役員会は〝火曜会〟と呼ばれ、定着するまでになった。

役員会は時に重要案件を抱えて議論が紛糾し、午後にまで長引くことはあるのだが、その火曜会以外の日に——この朝のように、木曜日に緊急招集されることは余程の緊急事態を除いて稀《まれ》であった。それほどに、この日の議題が重要であると、中野渡が認めたことの証《あかし》である。

「先日回付させていただきました帝国航空に関する議案につきまして、私から説明をさせていただきます」

定数確認に続いて指名された内藤は、議題について説明し、すぐさま稟議の内容に言及しはじ

めた。

役員会はしんと静まりかえり、息苦しいほどの緊張感が漲《みなぎ》っている。

一通り説明を終えた後、それまで堪えていた怒りを露わにしたのは、紀本であった。

「いったい、営業第二部は何を考えているんだ」

紀本は、憤懣やるかたない表情で拳を握りしめている。「金融庁の意見書をなんだと思っている。検討した挙げ句、この程度の稟議しか出てこないのなら、君らにこんな重要案件を任せておくわけにはいかん」

鼻息も荒く言い放った紀本は、「担当者に書き直させろ」と内藤を睨《にら》み付けた。

「それはいたしかねます」

激情に駆られたかの紀本とは対照的に、内藤はあくまで冷静な態度だ。「内容が間違っているのであれば、即座に見直しをさせていただきます。しかし、内容に誤りがないのに書き直させるわけにはいきません」

「話にならないな」

紀本は頬を震わせた。「帝国航空再建は、いまや政府の意向だ。金融庁の意見書を無視するのか、君は」

「無視はしていません。与信所管部として、これ以上正しい結論は他にないと信じております」

内藤は毅然として退《ひ》かぬ構えだ。

「それは金融庁の意向に逆らうことになるんだぞ。それでも構わないというのか」

紀本はついに立ち上がり、人差し指を内藤に突きつけた。

「誠心誠意、検討をしたと申し上げています」

内藤は紀本を見据えた。「これを踏まえ、役員会での公明正大な議論を期待しています。私どもの見解は、これ以外にはありません。議論の末、その結論が違うというのであれば、この稟議を否認していただきたい」

紀本が何か反論を口にしかけたとき、

「紀本君の気持ちもわかるが、内藤がいうのも、正論だな。与信所管部が政治的バイアスがかかった結論を出しては状況を読み誤るもとだ」

中野渡が理解を示して紀本を封じた。「さて、皆さんの意見を伺おうか」

「よろしいですか」

挙手したのは、審査部長の前島《まえじま》である。同じ審査部出身の紀本に隠れて影が薄いが、全てにおいて紀本をスケールダウンさせた、〝リトル紀本〟といった男である。

「借りたものは返すのが当然という理屈だけならこの結論でもよろしいでしょう。しかし、いまや社会問題化している帝国航空に対して、返さないからけしからん、というだけでは世論は納得しません。むしろ、銀行のイメージを損ない、将来的な不利益を被ることになるのではないでしょうか。ここは、多少の損失を覚悟しても再建を後押しし、世の中の信頼を得ることを最優先すべきだと思いますが」

「お言葉ですが、五百億円という額は多少の損失でしょうか」

内藤が疑問を呈した。

「いや、前島君がいったように社会的な姿勢が問われているという点については、まさにその通りでしょう」

すぐさま前島を擁護したのは資金債券部長の乾《いぬい》である。こちらも旧T出身で、旧閥意識の強い男だ。

「五百億円の損失は遺憾ではありますが、金融庁からの意見書はもはやそれを織り込み済みであると思います。与信所管部としての正論はわかります。ですが——ここは公器としての銀行の立場を優先させて、あえて〝損して得取る〟決断が求められているのではないでしょうか」

内藤は眉を顰めた。営業第二部から上げた稟議は、合理的判断に基づいたものだ。なのにいま役員たちが口にしているのは、政治的判断そのものではないか。口から先に生まれてきた乾のような男が、言葉巧みに役員会を誘導する。まともに聞こえる論理だけに始末が悪い。

「金融庁の意向を尊重すべきです」

そのとき、紀本がまた重々しく口を開いた。その目はまっすぐに中野渡に向けられ、ここが勝負といわんばかりの決意とありったけの威厳を放っている。

「目先の損失は痛い。しかし、ここで航空行政への影響を無視して当行の利益を優先するわけには参りません、頭取」

紀本の有無をいわせぬ口調である。「たしかに、タスクフォース発足の経緯には問題があったかも知れません。彼らの対応が適切ではなかったことも事実でしょう。しかしながら、いまはそうした細部ではなく、大局を見るときです。世論は、帝国航空再建のための債権放棄案を支持しております。ここは社会的要請を受け入れ、タスクフォース案に基づいた支援を行うべきではないでしょうか」

趨勢《すうせい》は債権放棄に傾きつつあった。テーブルの中央にいる、中野渡はじっと耳を傾けたまま、微動だにしない。

僅《わず》かに挟まった沈黙をとらえ、

「ひとつ、よろしいでしょうか」

内藤が発言を求めた。

「債権放棄がいかにも金融庁の意向であるようにおっしゃいますが、本当にそうでしょうか」

口にしたのは、紀本への反対意見である。「たしかに、金融庁の意見書では航空行政への影響の再検討という表現がありましたが、それはそのまま債権放棄に賛同せよという意味では決してないのではありませんか。もとより、我々が最優先させなければならないのは、航空業界の保全ではなく、金融システムの安定化です。我々は帝国航空を見放すとはひと言もいっていない。助けるといっている。果たして企業融資とはなんであるか。与信判断をして融資をし、回収する。この原則を維持できるにもかかわらず、意見書の表面的な解釈に止まり、金融業の本質を自ら放棄するんですか。これが天下の東京中央銀行の与信判断として本当に正しいとお思いでしょうか。私は、債権放棄には断固として反対です」

内藤の、いつになく激しい口調に、役員会はひそかに息を呑んだ。

そのとき、

「詭弁《きべん》だ、そんなのは」

紀本が斬って捨てた。「世の中の誰が、そんな解釈をしている。君、ニュースを見てみたまえ。金融庁が債権放棄に前向きだと、一斉に報じられたのを知らないのか」

「マスコミの報道が常に正しいわけではありません。現に我々は、何かある毎《ごと》に貸し渋りだの貸し剝がしだのと、実態とかけ離れた報道をされているじゃありませんか。常務はそれでもマスコミが正しいとおっしゃるんですか」

内藤の指摘に、さすがの紀本も返す言葉がない。「金融庁は、金融システムの安定化に常に配慮してきました。それは常務もよくご存じでしょう。この債権放棄がなければ帝国航空の再建が不可能だというのならまだわかります。債権放棄がなくても再建可能なのに、見え透いた政治ショーに荷担して巨額の損失を計上するんですか」

紀本から中野渡へ視線を向け、内藤は続けた。「経営判断は、常に銀行の収益に寄与するものでなくてはなりません。我々営業第二部の稟議は、現在ある情報を分析して導き出しました。経営判断として債権放棄をするというのであれば、そこには、将来それが必ず銀行経営に寄与するという確固たる信念がなければならない。いま五百億円もの債権を放棄するのなら、五年先、あるいは十年先にそれに見合う収益が上がるという理由付けがあるべきだ。それもないのにただ債権を放棄することは、決して正しい経営判断とはいえないのではないでしょうか」

中野渡に対し、内藤は真っ向から正論を叩き付けた。普段のスマートな印象をかなぐり捨て、いま内藤が問うているのは、バンカーとしてのプライドと決意に他ならない。

その迫力に、それまで発言の機会を狙っていた前島と乾が悔しそうな表情で黙り、もはや反論の余地がないと思われたとき、

「これは、ソロバン勘定で解決すべき問題ではないと申し上げている」

唐突に、やけに改まった紀本の声が響いた。

見てくれのスマートさとは裏腹に、いま泥臭く執念深い銀行員の本性をまざまざと露わにした紀本は、テーブルの反対側から内藤に白眼を向けてきた。切羽詰まった男の殺気すら漂っている目だ。

「私は、債権管理担当役員として、この結論に銀行員生命を賭けようと思います」

予想もしていなかったひと言が、紀本から飛び出したのはそのときだ。

会議室が、息を呑んだ。

「どういうことだね、紀本君」

眉を上げた中野渡の問いに、

「もし、この稟議通り債権放棄を拒絶するのなら、私の役職を解いてからにしていただきたいと申し上げているのです」

そう言い放ったのである。

「もはや、こんなものは議論で決める類いのものではありません。また、いまどれだけ議論を尽くしたところで、正解はないでしょう。内藤部長がいうのもたしかに一理はあるやも知れない。しかし、長く債権回収畑を歩んできて、いま現在この東京中央銀行の債権管理を任されている私の経験と考えによれば、ここで当行だけが足並みを乱し収益確保に汲々とするなどという浅ましい行動は絶対に回避すべきだ。絶対に、です。もちろん金融システムの維持は日本経済にとっても重要だし、バンカーのプライドも大いに結構だろう。だが、それより前に、我々は社会の一員として守るべきものがある。私はそれを申し上げているんです。この稟議は否認し、タスクフォースによる債権放棄を受け入れたい。そうするべきだ。もし、それが受け入れられないのであれば、この場で私は常務取締役の役職を返上します」

内藤との議論では劣勢を打開できないと読んだ紀本の、それはまさに、捨て身の戦法であった。

この意見に、会議室は水を打ったように静まり返ったまま、ざわめきすら起きないでいる。ただただ全員が紀本の断固たる決意と、それに対する中野渡の出方を窺うのみだ。

「そうか、わかった」

やがて、中野渡がいった。「君がそこまでの覚悟なら、私もこれ以上はいうまい。この稟議は紀本君の責任をもって否認することにしたい。それでよろしいか、紀本君」

「ありがとうございます」

紀本は立ち上がり、役員たちに向かって深々と一礼する。予想もしなかった展開に、内藤が挙手したのはそのときだ。

「否認されるのなら、条件付きにしていただきたい」

内藤の発言は、ざわめきをもって受け取られた。

「条件とは？」

「紀本常務の意見は、競合他行もまた同様に債権放棄を承諾するという前提に立たれていると思います。ですがもし――もし、主力銀行の開発投資銀行がこの債権放棄に反対の立場を表明した場合は、その限りに非《あら》ず――。その条件を付していただきたい」

「往生際が悪いな」

紀本がテーブルの向こうから熱い目でせせら笑った。「開投銀は、すでに債権放棄に前向きだ。そんなものは条件にもならない」

「まったくだ」

同意を示す役員からの発言がそれに重なり、内藤へ冷ややかな視線が向けられたが、

「まあいいじゃないか」

中野渡の飄々とした声がそれを遮った。「開投銀の態度は知らないが、ウチが債権放棄を表明したところで、肝心の開投銀が反対では意味がない。わかった、否認はするが、その条件は付けよう。それでいいか」

「ありがとうございます」

壁際の席で立ち上がった内藤を、紀本が睨み付けている。頬を上気させ、この僅かな役員会の間に疲労し、やつれてしまったように目が熱い。そのとき、険しい表情ながらその紀本の唇に勝ち誇った笑みが浮かんだのを、はっきりと内藤は見た。それは、死闘を制した男の、まぎれもない勝利に安堵し、酔いしれるような笑みであった。

4

「お陰様で、本日、債権放棄に同意することで行内をまとめることができました。先生方にはご心配をおかけしまして申し訳ございませんでした」

座敷に入ったところで正座をした紀本が、畳に両手をついた恰好で報告すると、「そうか、それはよかった」、と上座にいた箕部が満足そうにうなずき、手前の席を勧める。箕部の横には、この日も鮮やかな青いスーツを身にまとった白井がいて、喜んでいないわけではないだろうが、

どこか冷ややかな眼差しで、紀本を見据えていた。この回答期限の土壇場まで決定がズレ込んだことを根に持っているのだ。

「それにしても、どうしてこんなに時間がかかったんですか」

銀行の内部事情などまったく関せずといった白井は、なおも腹の虫が治まらない様子だが、「まあいいじゃないか、白井大臣」、と隣から箕部が鷹揚《おうよう》にとりなした。

「これで、〝白井タスクフォース〟が国民の懸案だった帝国航空再建を果たすお膳立てができたんだ。いままでのことは水に流してやれ」

「本当に銀行というところは」

なおもいう白井に、

「今後は君も銀行と付き合っていく場面もあるだろうし、こういうことも勉強だ。な、そうだろ、紀本君」

箕部はいって紀本に同意を促した。

「どうぞよろしくお願いします」

再び紀本が頭を下げたとき、三人だけかと思ったテーブルにもう一膳、準備されていることに気づいて、首をかしげた。箕部からは同席者として白井の名前しか聞いていなかった。果たして誰が来るのか。そのとき、

「お連れの方がいらっしゃいました」

という案内の声に続き、「いやあ、どうもどうも」、というだみ声とともにどかどかと上がり込んできた相手を見て、紀本は内心、舌を鳴らした。

「やあ、これは乃原先生、お忙しいのにお呼び立てして申し訳ありませんでしたね」

箕部の気遣いに、「いえいえ、箕部先生のお誘いとあらば喜んで」、と心にもない世辞をいって勝手に空いている紀本の隣席であぐらを掻く。

「紹介しますよ。こちらは、東京中央銀行常務の紀本君だ。長年世話になっているひとでね。で、こちらの先生が――」

「お互い、知ってますよ」

という乃原のひと言に、「なんだそうか」、と箕部は目を丸くした。

「まあ、銀行さんからすれば乃原先生とはいろんな場所で接点がありそうだからな」

「いやいや、そうじゃないんですよ」

乃原は顔の前で手をひらひらさせた。「小学校の同級生なんですわ、この紀本とは」

「ほう。それは奇遇だな」

なんの疑いもなくいった箕部に笑いかけた乃原だったが、その目の奥にちらちらしている本音を知っているのは紀本だけである。

「こいつは当時の学級委員でね」

乃原はわざとイヤな話を始めた。「私なんか、紀本の家来みたいなもんでしたなあ」

紀本は曖昧な笑いを浮かべるしかない。

「実はいま、紀本君から吉報を受けましてね、先生。東京中央銀行がタスクフォースの債権放棄に――」

「ええ、伺いました」

箕部に最後までいわせず、乃原はいった。「随分遅いが、まあギリギリ、首の皮がつながったなあ」

乃原の言葉に、箕部と白井が不思議そうな表情を浮かべた。おかしなことをいうな、と思っただろう。あるいはタスクフォース・リーダーとしての乃原自身の首の皮と勘違いしたかも知れない。

だが、乃原のいっている意味は、そうではない。他ならぬ紀本の首の皮のことであった。

5

乃原から、会えないかと紀本に連絡が入ったのは、年も押し迫った昨年の十二月下旬のことであった。ちょうど先の総選挙が終わり、進政党が地滑り的大勝を収めた直後のことである。

「久しぶりじゃないか、乃原。随分活躍しているみたいだけど、結構なことだ」

新橋《しんばし》にある郷土料理の店の半個室で待っていた乃原に、紀本は声をかけた。乃原と会うのは、ほとんど十年ぶりであった。

その十年前の前回、乃原と再会したのは、どこかの団体が開いたパーティ会場だった。そのとき――。

「やあ、久しぶりやなあ。覚えてるか？　池端《いけはた》小学校で一緒だった乃原や」

そう話しかけてきたのは乃原のほうで、声をかけられるまで、紀本は乃原のことなどすっかり忘れていた。

記憶の中でやせぎすだった少年は、いまワイングラスを手にして立つ肥満体の中年男になっていた。四十代半ばにしては白髪が目立ってはいるが、いわれてみると顔かたちに当時の面影を残している。

紀本の思い出の中で、乃原はひたすら昏《くら》い目をした少年だった。どれだけちょっかいを出しても、やり返すことも言い返すこともしてこない。ひたすら、黙り込み、冷ややかな目を向けてくる。泣くわけでも喚《わめ》くわけでもないその態度が憎らしくて、紀本はいつも乃原を目の敵《かたき》にし、自分の取り巻きをけしかけたりしていじめていた。当時の紀本は、スポーツ万能でこざっぱりとしてカッコよく、学級委員で女子にもてた。父親が銀行の支店長だというのも、紀本の自慢のひとつだった。当時の紀本は、いやいまでもなお——銀行員が最も価値のある仕事だと信じて疑わない。一方の乃原は、ひ弱な運動音痴で、いつも誰かのお下がりを着ているような冴えない少年だった。だが、その乃原に、勉強だけはかなわなかった。どれだけ頑張っても、どれだけ乃原をいじめ抜いても、紀本は乃原には勝てなかった。

そんなある日、事件は起きた。

「乃原さんとこの工場な、潰れたぞ」

きっかけは、ある日父が洩らしたそんなひと言であった。朝食の席でそれを聞いた紀本は、さっそく学校でその話を友達に言いふらしたのだ。噂はあっという間に拡がっていき、たしか前日から学校を休んでいた乃原が数日後に出てきたときには、学級中が知るところとなっていたのである。

「お前んち、潰れたんやろ。大丈夫なん？」

　果たして会社が潰れるということがどういうことなのか、具体的にそれを知っていたのは乃原本人だけかも知れない。次々に浴びせかけられる質問を、乃原はただ目を真っ赤にしてやり過ごしていたが、そのうち誰かの、

「紀本君ちのお父さんの銀行が迷惑してるらしいで。アホやから倒産したんやろ」

　というひと言で、その様子を片隅から見ていた紀本に、恨みの込もった視線を向けてきた。いつになく乃原が見せた怒気の激しさにうろたえながらも、噂を広めた張本人として引っ込みのつかなくなった紀本が、

「なんや、乃原。ほんとのことやないか」

　そういったとたん、椅子を鳴らして立った乃原が、頭から飛びかかってきた。紀本は教室の後ろにあるロッカーにしたたかに背中を打ち据《す》えられ、そのまま振り回されて、最後には床に叩き付けられた。運動音痴の乃原のどこにこんな力があるかと思うほどで、どれだけふりほどこうとしても乃原は紀本の体に回した腕を離そうとせず、最後には紀本の腕に噛みついてきた。

　その痛みに紀本が泣き出したとき、教室にやってきた担任教師が乃原を引きはがし、その頬をしこたま張った。

「なんでケンカなんかしたんや？」

　事情を知らない教師は、同級生たちの「乃原君がいきなり紀本君に、飛びかかっていった」、という情報だけで乃原を叱り続けた。だが、そのとき乃原は、どれだけ理由をきかれても紀本に飛びかかった理由を口にしなかった。

「お前、理由もないのに紀本君とケンカしたんか」

なおも叱りつける教師に、「紀本君が乃原君の家のことを話したからだと思います」、見ていた女子のひとりがそう助け船を出し、それまで泣いていた紀本は、自らの悪事をばらされた負い目を感じた。


軽い気持ちで友達に話してしまったが、余計なことをいってしまった、という思いはさすがにこのとき紀本にも浮かんだ。ところが、教師は紀本を叱りつけるのではなく、「なにがあっても、暴力はあかん」、という一方的な理由で、乃原を責め続けたのである。

学級委員の紀本は、いつもいい子だった。教師にも贔屓《ひいき》されている優等生だ。きちんと事情をきかずに叱った手前、教師のほうも引っ込みがつかなくなっていたということもあるだろう。

その教師に向けた乃原の烈《はげ》しい怒りの眼差しが、それから何十年も経過したパーティ会場で記憶の底からまざまざと甦ってきた。


いまから考えると、一筋縄ではいかない乃原の図太い性格は、そんな子供時代からの経験に裏打ちされているのではないかという気もする——。

「なんや、いま弁護士やってんのか」

そのとき、過去のことなどまったく忘れてしまったかのように紀本はいったが、心の奥底でくすぶった動揺に、つい自分が関西弁に戻っていることさえ気づかなかった。「まあ、なにかあったら頼むで」

「まあな」

そういって乃原が向けてきた目に、紀本は腹の底がひやりとするような気配を感じた。その目は、時を経てなお静かな怒りをたたえているようにも見える。唇に、薄笑いが浮かんでいるのにも、ぞっとした。

そのときは、ただ名刺を交換しただけで別れたのであったが、その後間もなく乃原は再建屋として頭角を現し、マスコミなどでも顔や名前を売るほどになっていった。


そして昨年十二月のその夜——。

十年前よりも随分と貫禄を増した乃原は、半個室の奥まった席にいて、紀本の社交辞令を、

「いやいや、たいしたことないわ」

と受け流し、上座を紀本に勧めた。

乃原が、ただ懐かしさだけで面談を申し入れてきたとは思えない。おそらく何かビジネス上の理由があってのことだ。それが何かはわからないが、紀本のほうにも、再建弁護士として名を馳せた乃原との関係を今後のビジネスに生かせる場面があるはずだという計算もあった。

会食といっても、居酒屋風の気楽な雰囲気の店であった。とはいえ、オフィス街の店舗とあって、客スジは平均年齢も高く、落ち着いている。

酒が運ばれてくるまで乃原は、天気の話などして時間をつなぎ、ようやく乾杯してから、

「それにしても随分偉くなったなあ」

と紀本の名刺をしげしげと眺めた。「ウチの仕事をしてもらったことはあるんか」

酒が入って、紀本も自然に関西弁が口を衝《つ》いて出る。

「クライアントになったことはないな。法廷の原告と被告で闘ったことは何度もあるけどな」

「お手柔らかに頼むで」

紀本はいい、頭の中にある何件かの訴訟を思い浮かべた。かつて顧客との裁判で銀行が負けることは稀《まれ》であったが、近年は、その傾向も変わりつつある。東京中央銀行も例外ではなく、そのいずれかに乃原が関わっていたとしても不思議ではなかった。本来負けるはずのない相手を負かして、弁護士としての地位を高めていったのが乃原という男のはずだ。

「実はな、東京第一銀行時代のことで、ちょっと小耳に挟んだことがあるんや」

乃原が切り出したのは、食事もそこそこに進んだ頃合いであった。酒も生ビールから日本酒に切り替わり、紀本もほろ酔いになってきている。ところが乃原のほうは、いくら飲んでも顔色ひとつ変わるでもなく、酔っているふうにも見えなかった。そして、半個室であるにもかかわらず、途切れなくタバコを吸い続けている。

「なんや、小耳に挟んだって」

紀本は軽い口調でいった。乃原と会うというので多少緊張してここに来たが、酒が入るに従い、身構えるほどのことは何もないと思い始めていたところである。初めこそ、弁護士と銀行常務という社会的立場を意識していた会話は、いつのまにかかつて同級生だった幼なじみの雰囲気になってきていた。

だが、

「東京第一銀行ってのは、相当あくどいことに荷担してるんやな」

そのとき乃原が切り出した話で、紀本はいっぺんに現実に引き戻された。

「人聞きの悪いことをいうなよ」

あえて笑って躱《かわ》そうとしたが、乃原の目は笑っていない。

「誰がそんなことを――」

その場の成り行きに戸惑いながら尋ねた紀本に、乃原はうまく答えをはぐらかし、

「ああいう話が公になると、お前、困るんちゃうか。頭取の謝罪だけではすまんやろな。もしかすると役員のクビが飛ぶとか」

乃原の腹が読めぬまま、「なにいうてんねん」、と一度は突っぱねてみた。

「どこで根も葉もない話を聞きつけてきたかは知らんが、いったい何がいいたいんや、お前」

「ほう、根も葉もない話か」

乃原はにたりと笑い、紀本の心のひだまで見透かすような上目遣いになる。「進政党の箕部先生とえらい仲良くやってるみたいやないか」

箕部の名前が出た途端、紀本は動転して冷酒の入ったグラスを落としそうになった。

「そやけど、あんなカネ貸してええんか？　世間に知れたら箕部先生もえらい困るやろうなあ。お前ら、みんな知ってて融資したんやろ。不適切極まりないなあ」

紀本は一気に自分が青ざめていくのがわかった。

「なんのことか、わからんな」

乃原の目の底がぎらりと光ったのはそのときだ。

「そんなら、これ週刊誌に話してもええな。今度、『東京経済』のインタヴュー、受けてくれいわれててな。真相がどうなんかは、記者が少し調べたらわかるがな」

「おい、なに考えてんねん。やめてくれよ」

無理矢理笑いを浮かべて制止するしかなかった紀本に、「そうか、やめて欲しいか。それなら、こっちの話も聞いてくれよ。ひとつ頼みがある」、と乃原はようやく本題を口にしたのであった。

「ここだけの話やけど、今度オレは政府の組織を任されることになった」

そのときだけあたりを憚《はばか》るように、低く平板な声で乃原はいった。

「政府の組織っていうと、再生機構とかか」

紀本が尋ねると、首を一度横に振り、「正確にいうと、政府というより大臣の私設諮問《しもん》機関になる」、という。

「大臣？」

大臣といってもいろいろである。折しも総選挙での与野党逆転が実現し、新政権が誕生したばかりでいまが組閣の真っ只中だ。

「国土交通大臣や」

「国交大臣か。しかし、誰が大臣になるかはまだ――」

「白井亜希子が任命されるらしい」

紀本は目を見開いた。もし事実なら、それはまったくの内部情報であるはずだ。真っ先に紀本の脳裏に浮かんだのは、総選挙特報で見たド派手な青スーツ姿だった。選挙カーの上から、声を張り上げている勇ましい女性候補の姿は、現代日本のジャンヌ・ダルクとも称され、折しも優勢と伝えられていた進政党のイメージリーダーのような扱いだった。それはわかるが、つい何年か前までテレビのアナウンサーだった当選回数の浅い女性議員が、よりによって国交大臣になど任命されるのだろうか。

そんな疑問を口にした紀本に、「間違いない」、と乃原は断言した。

「白井新大臣は、任命されたらとある会社の再生を真っ先に手がけたいと考えてな。その旗振り役をオレにやってくれと内々に打診してきた。まだ返事はしてへんけどな、引き受けるかどうかは、お前の話を聞いてから決めようと思ってるんや」

「ちょっと待ってくれ」

話が見えず、紀本は顔の前に右手を掲げた。「なんで、オレの話がそこに絡《から》んでくるんや。そもそも、どんな会社の再生や」

「帝国航空」

乃原が告げた社名を聞いた途端、紀本はぎょっとして目を見開いた。

「なんやて。あそこは、もう再生の道筋がついてるで。この前、有識者会議で再建案が決定して、ウチもそれにはお墨付きを出したばかりや」

そのとき、

「その再建案は否定する」

予想外の乃原の発言に、さすがの紀本も言葉を失った。

「憲民党が作った再建案は採用せえへん。それが進政党としての方針や」

「それをやるんなら、はよせんと時間ないぞ」

帝国航空の経営状態を知悉《ちしつ》している紀本は焦った。同社の資金繰りは綱渡りだ、一刻も早く再建案を軌道に乗せ、追加融資をしないと破綻してしまう可能性すらある。

そのとき、

「債権放棄してくれへんか」

乃原のひと言に、紀本は凍り付いた。「銀行に債権放棄してもらいたいんや。開投銀はいままでの与信スタンスからして、おそらく引き受けるやろ。お前んとこにも七割、五百億。頼めるか」

「そんな無茶な」

唖然としてまばたきすら忘れていた紀本は、慌てていった。「債権放棄せんでも再建できるはずや。五百億円なんて、いくらなんでも巨額過ぎる」

「あかん、それでは」

乃原は撥《は》ね付けた。「再建案の練り直しでは憲民党との違いがわからへん。オレとしては、引き受けた以上、誰にでもわかる形でスピード再建してみせたいんや。そのためには債権放棄してもらわなあかん」

「冗談いうなよ」

さすがに腹を立てて、紀本はいった。「そんなことできるわけないやろ」

そのとき、タバコの煙越しに、乃原は不気味な眼差しを寄越した。

「それなら、インタヴューで話すまでや。覚悟しとけよ」

ぞんざいな口調で乃原は吐き捨てる。「お前にはえらいいじめられたからな。四十年分の利息つけてお返しや。旧Sの連中が知ったらさぞかし悲しむやろな。こんな連中と合併したばっかりに銀行の看板が汚れて」

出身銀行でしのぎを削る東京中央銀行の内情を、すでに乃原は調べ上げていた。「銀行にとっちゃ致命的やろなあ」

「頼む、そういう波風立てるような真似はせんといてくれ」

たまらず頭を下げた紀本に、

「波風やて？　アホなこといいなさんな。そんな些細《ささい》なもんやないやろ。ある意味、これは正義の告発や。お前の銀行のやってること、反社会的行為そのものやないか」

乃原の目が生々しく光り、紀本を責め立てる。

「同級生の仲やないか、乃原」

なんとか温情に訴えようとした紀本に、「どんな同級生や」、と乃原は撥ね付けた。

「人のことさんざん小馬鹿にしよって。お前がオレにしたこと、お前は忘れても、オレは絶対に忘れへんで」

「子供の頃の話やないか」

「そうか子供の頃の話か、ほんなら大人の話、しよやないか」

乃原は改まり、吸っていたタバコを、すでに吸い殻で一杯になっている灰皿に置いた。「航空行政に寄与して帝国航空を救済するという大義名分で五百億円の債権放棄をするか、東京第一銀行時代の問題貸し出しをいま公にして銀行の信用を落とし、ついでに行内の勢力争いで惨めな敗北を喫すか、どっちが得かよう考えてみんかい」

追い詰められた紀本であったが、ギリギリのところで反論を試みた。

「そやけど——そやけど、お前さっき白井亜希子の諮問機関任されるいうてたやないか。箕部は白井の後ろ盾やで。お前がいってること、矛盾してへんか」

「そやから、お前の返事を聞いて、諮問機関のリーダーを引き受けるかどうか決める、いうてるやないか」

乃原はいった。「もしお前がノーなら、オレは知ってる情報をバラす。それで箕部や白井がどうなろうとオレは痛くも痒《かゆ》くもないわ。そもそもオレは、ああいう派閥の領袖《りょうしゅう》なんて奴らは大嫌いやねん。あいつら、日本の政治を腐らせてるだけや。大いに困らせてやれ、思うてんねん」

「お前の目的はなんや、乃原」

紀本はきいた。

「オレは、帝国航空を一気に立て直した立役者としての評価が欲しい。それだけや」

無論、その結果、乃原はますます頼りになる再建弁護士として地位を上げ、法外な報酬を支払うだろう顧客を多数獲得するに違いない。

乃原が欲する評価とは、要するにカネと名誉以外の何ものでもない。そのために、脅迫まがいの取引すら辞さない。それが乃原正太という男なのだ。そしていま、乃原の前で紀本はなすすべもなく平伏させられようとしていた。

「わかった。債権放棄を呑むように働きかけよう」

もはや逃げ道のないことを悟り、紀本は降伏の白旗を揚げた。

「働きかけるやて？　ふざけんな。債権放棄は絶対に呑めよ」

有無をいわせぬ口調の乃原に、「わ、わかってるから」、紀本はそううなずくしかなかった。

6

いま、乃原はそんなやりとりのことなどおくびにも出さず、箕部と白井のふたりを相手に、うまそうに酒を呑んでいる。

「タスクフォースの〝合同報告会〟は明朝ですわね、乃原先生」

白井が声を弾ませてきいた。和食の店にもかかわらず、白井は特別に運ばせたシャンパンのグラスを握りしめている。普段、箕部の前ではアルコールを控えていると聞いているが、事態の進展によほど気を良くしているのだろう。

「閣議が無ければ、私もその場に出席したいぐらいですわ」

「いやいや、そんな泥臭い現場に大臣自らお出ましになる必要はありませんよ。それに明日の閣議は、我々にとって重要な法案が討議されますからな」

「重要な法案？　なんですの」

白井の問いに、

「開投銀の民営化法案です」

乃原はこたえた。「田所《たどころ》大臣が強硬に反対されているやつですよ」

「ああ、そういえば」

白井は言いかけたが、大した話ではないと思ったか、これ以上、その話を突っ込んで聞こうとはしない。

「まあ、政治の話はお任せするとして」

乃原は話を戻した。「我々のほうは、朝の合同報告会を経た後、夕方五時に、ホテルでの記者会見をセットしております。白井先生は国会の後、そちらにお出ましください。白井大臣直々に、銀行の債権カットと再建案を発表していただくという趣向にしておきます」

記者会見については、すでに白井の秘書を通じてスケジュールに組み込まれているはずだ。乃原の手回しに抜かりはない。

「盛大な記者会見になるはずですよ」

にんまりとしていった乃原に、

「楽しみですわねえ」

白井はうっとりした表情を浮かべる。

「もとよりタスクフォースは白井大臣の諮問機関です。正式な再建案の取りまとめは後日に回すとしても、その成果だけでもいち早くマスコミに発表することは進政党にとって意味があるかと存じます」

「さすが、乃原先生だ」

箕部の賛辞に、乃原は莞爾《かんじ》としてほほえんでみせる。付き合いでシャンパングラスを口に近づけながらその横顔を窺った紀本は、「本当に、恐ろしい奴だ」、と内心おののいた。

箕部にせよ白井にせよ、面従はしても敬意の欠片も持ち合わせていない政治家を相手にうまく立ち回り、私欲を満たしていく。その手練手管にすっかり呑まれてしまった紀本は、己に課された役割をなんとか果たして安堵する一方、以前に増して乃原に嫌悪感を抱かないではいられなかった。

だが、これで全てのお膳立ては整った。

あとはなるようになるだろう。そう思うと急にアルコールが回ってきた。相変わらず隣でヘビースモーカーの乃原がタバコを吸い続け、これでは料理の味も匂いもあったものではない。会話も歯が浮くようなものばかりで、早くこの会食が終わってくれないものかと、紀本はそればかり考え始めた。

7

「自分の進退を賭けて決裁を仰ぐなんて、禁じ手じゃねえか」

以前来たことのある新橋の居酒屋、その片隅の粗末なテーブルで渡真利はさっきから荒れている。いや、渡真利だけではない、半沢もまた怒り心頭で、据わった目をして酒を呑んでいる。

役員会での紀本の発言と債権放棄を許容する決定は、この日瞬く間に本部内の与信所管部に知れ渡った。

「だいたい、それが健全な議論といえんのか。自分の進退と稟議を天秤にかけるなんて、まったく論理的じゃないね。バカのすることだ」

渡真利は決めつけた。「曾根崎なんぞをヨイショして恥を掻いただけじゃ足りなかったんだろうよ」

その曾根崎は、業務改善命令の発令当日、人事異動で人事部付けが言い渡されていた。人事部付けといっても仕事があるわけではない、出向のポスト待ちである。

「それだけ、紀本さんは債権放棄を進めたかったんだろう。暴論を振りかざしてもな」

そういいつつ、半沢の視線は、さっきから渡真利ではなく奥のカウンターに置かれた小型テレビに向けられている。

九時のニュースが流れていた。真っ青なスーツ姿の白井がマイクに向かって真顔でまくし立てている音は聞こえない。だが、帝国航空関連の話題であることだけはわかる。

「どうも、あの女に屈したような気がして気分が悪いな、半沢」

自分も振り向いてテレビ画面を一瞥した渡真利がいった。「政権交代といえば聞こえはいいが、素人たちがやりたい放題やってるだけにしか見えねえぞ」

半沢は重たく黙り込み、焼酎のロックグラスを唇に運んでいる。それにシビれを切らしたように渡真利は続けた。

「それにな半沢、内藤部長には悪いが、開投銀が債権放棄を拒絶したときには同調するなんて条件、意味ないんじゃないの？　オレの得た情報だと、例の民営化法案、明日閣議で上がるらしいが財務大臣が反対してる。まず廃案だ。ということはつまり、晴れて開投銀は政府系銀行として留め置かれるってわけだ」

それは、開投銀の判断が債権放棄の受け入れに傾くことを意味している。

「あの条件は、オレが頼んでおいたものだ」

半沢の返事に、渡真利は目を見開いた。

悪あがきであろうと、少しでも可能性があるのなら、いまはそれに賭けるしかない。

半沢はテレビから視線を戻し、また焼酎のロックグラスを口にした。開投銀の谷川とは、役員会の結果を聞いた後に電話で話している。民営化案が閣議決定されれば債権放棄は拒絶されるだろうが、その可能性はないだろうとのことであった。脱官僚を標榜する進政党であるが、財務大臣の田所だけは、元財務官僚ということもあって、当初から民営化案には強硬な反対意見を表明している。この趨勢《すうせい》はいかんともしがたく、債権放棄は、行内で抵抗はしたものの、谷川の力も及ばぬところになりつつあるらしい。

「いずれにせよ、明朝だよな、タスクフォースの合同報告会は。万事休すか。それにしてもさ、そんなゴミ箱みたいな報告会からゴミ以外の何が出てくるっていうんだよ、なあ」

渡真利はよほど今回のことが腹に据えかねるのか、言いたい放題である。「あの白井って女の出世のために、みすみす五百億円をドブに捨てるなんて、まったくやってらんねえな」

「まったくだ」

半沢も鼻に皺を寄せた。「どうせ、記者会見で自分の手柄だというんだろうよ。憎たらしい銀行を屈服させたってな」

「ってことは、オレたちはやっつけられたってわけだ、あの白井に」

渡真利は半ばやけくそだ。

画面の切り替わったテレビにすでに白井の姿はなく、国会に関するニュースがテロップで流れている。

「ノーガードで打たれっ放しかよ、半沢」

渡真利は大いに嘆いた。「なんとかしてくれや」

だが、政局を伝えるテレビをじっと見つめたまま、半沢からの返事は、ついになかった。

8

合同報告会当日の金曜日、午前九時前。会場は異様な雰囲気に包まれていた。内幸町にある一流ホテルの豪勢な会議室である。

「金もないのに、なんでこんな立派なところでやるんですかね」

不信感を露わにした田島に、「乃原の趣味だとさ」、半沢がぶっきらぼうにこたえる。事前に山久から聞いた話だ。

「ウチは社内でやりたかったんですが、マスコミも取材に来るし、見栄《みば》えがするほうがいいと乃原氏が主張するもんですから。それでいて料金はウチ持ちなんですからね。図々しいにもほどがありますよ」

電話で怒りをぶちまけていた山久はいま、スタッフのひとりとして受付前に立ち、やってくる銀行関係者にひたすら頭を下げ続けている。

半沢と田島のふたりを見ると、「本日はお世話になります」、と深々と頭を下げたが、その表情には悲愴感がこびりついていた。「こんなことになってしまい、本当に申し訳ございません」

会場は数十人の関係者がすでに着席していたが、お互いに話をするでもなく、重い雰囲気だ。

指定の席に着いた半沢は、隣の、まだ空席のままの開投銀の席を一瞥した。「今朝の閣議決定を確認してからになると思います」とは、先ほど連絡をしたときの谷川の話である。閣議は午前八時から。おそらく九時前後には、結果がわかるだろう。

いま山久らが少し焦った様子でしきりに連絡をとろうとしているのは、おそらく谷川の到着が遅れているからに違いない。

着席した半沢は、腕組みしながら目を閉じ、じっと待っている。

午前八時五十五分。あと五分で、合同報告会が始まり、おそらくは銀行団による総額三千億円を超える債権放棄が決まる。

それにしても、オレは今、何を待っているのだろう。

目を開けた半沢は、まだ誰もいないひな壇を睨み付けながら虚《むな》しい思いにとらわれた。

この会の開会をか、谷川の到着をか、それとも、バンカーとしての敗北の時をか――。

そのとき

「次長、次長――」

田島が声をかけてきた。

ふと思念の底から現実に戻った半沢が振り向くと、声を低くして田島がいった。

「いま、携帯、鳴ってましたよ」

「考え事をしてたんでな。すまん」

カバンから携帯を出した半沢は、いましがた送られてきたメールを読んで息を呑み、おい、と傍らの田島に見せる。

渡真利からだ。

――速報。田所大臣閣議欠席。

「まさか」

田島がはっと顔を上げ、「次長、これ、もしかすると――」、と後の言葉を呑み込む。

この朝のために、渡真利は霞が関の知り合いに連絡して閣議の情報を仕入れていたらしい。

半沢の返信には、ただ一言――「了解」。

――続報頼む。

はあっと溜息を洩らして田島が呻吟《しんぎん》したとき、会場で動きがあった。

入り口を固めていた帝国航空の社員の人垣を割って、十人ほどの男たちが会場に入ってきたのだ。タスクフォースのメンバーたちだ。

先頭に立ってきた乃原は、ひな壇に設置されたテーブル席に着くや、「肝心の開投銀が遅れているが、まず私から一言申し上げたい」、そう切り出した。

「我々帝国航空再生タスクフォースは、この数カ月に亘る精査および検討を経て、帝国航空の有効な再建策を国土交通省の白井大臣に提案することになった。取引各行には、かねて再建案の一角をなす債権放棄を頼んでいるが、本日この場で賛成意見を確認した上で、再建案の目処《めど》を国民の皆さんにお知らせしようと思う」

そういって乃原は、持っていたマイクを隣にいるサブリーダーの三国に手渡し、自分はタバコに火を点けて泰然と椅子の背にもたれた。

「それでは、時間ですので、まずはご出席の皆さんから報告をいただくことにしましょう。申し上げておきますが、ここは議論の場ではなく、単にご報告を聞くというだけのことですから。よろしいですね」

出席者から舌打ち混じりの嘆息が聞こえたが、三国は完全にそれを無視している。「それでは、大東京銀行から」

後方の席にいた男が立ち上がった。

「行内で検討した結果、債権放棄を受け入れることで正式決定しました」

「債権放棄額はこちらの申し出通りですね」

目の前にいる三国が鋭い視線を半沢の背後に向けると、「その通りです」、という返事がある。

乃原の表情はぴくりとも動かない。それもそのはず。大東京銀行の与信額は些少で大勢にほとんど影響がない。

どうやら発表は、与信残高《ざんだか》の少ない順のようであった。

「次、白水銀行」

銀行名は、呼び捨てだ。債権放棄を受ける側だというのに、乃原も三国も、ものを頼むというふうではまるでない。お上の威光を笠に着て、威張り散らした挙げ句に金融機関の譲歩を引き出す。ビジネスの原則どころか、人としての原則まで踏み外したも同然の態度である。

半沢の後ろの列で白水銀行関係者が立ち上がった。

「当行は、主力および準主力銀行の対応に準ずることといたします」

白水銀行の担当者は水野《みずの》といい、半沢も見知っている男である。百億円近い与信額があることから、この件では何度も東京中央銀行の対応を問い合わせてきていた。

「対応に準ずるとはどういうことだ」

不愉快を隠そうともしない乃原のだみ声が水野に向けられた。「なんで債権放棄の正式な決定にしない」

「取引先の業績が悪化した場合、主力銀行の対応に準ずるのは金融業界の不文律《ふぶんりつ》でして、それに従ったまでです」

　水野はきっぱりと言い放った。「主力および準主力行が仮に債権放棄をしないのに、付き合い程度の我々の銀行が債権放棄をするわけにはいきません。意に沿わぬ言い方かも知れませんが、ご了承いただきたい」

　振り向くと、先に債権放棄を表明した大東京銀行の担当者がイヤな顔をしているのがわかったが、水野は有無をいわせぬ口調である。

「主体性の欠片《かけら》もない」

　乃原が吐き捨てた。「そんなことだから、バブルがはじければこぞって大損するようなバカなことになるんだ。よく覚えておくんだな」

　乃原は新たなタバコに点火して椅子の背にふんぞり返った。怒りながらも余裕があるのは、すでに開投銀や東京中央銀行が債権放棄に応じるとの確信があるからだろう。

　ところが――。

「私どもも、主力行以下の決定に従わせていただきます」

　次に指名された東京首都銀行担当者の発言に、半沢はひそかに笑いを浮かべた。会場のどこかでぱらぱらと拍手が湧く。銀行団のせめてもの抵抗である。

「そんな意向が聞きたいわけじゃないんだよ」

　乃原の怒声が部屋に響き渡ったが、東京首都銀行の担当者は平然として、「といわれましても、これが役員会の決定ですので」、と繰り返すのみだ。

「まったく、銀行ってところは腐り切ってるな。次はどこだよ」

乃原は頬を震わせ、その目からぎらついた光を放ったとき、「残高順でしたら、次は当行だと思います。第一信託銀行です」

半沢の斜め後ろで立ち上がる気配がした。

「申し訳ありませんが、当行も同意見で主力、準主力の――」

「もういい！」

乃原が言い放ち、室内は息苦しいまでの緊迫感に包まれた。乃原の放つ怒気に会場は静まりかえり、ささくれ立っていく。半沢の手の中で携帯が振動し、メールの着信を告げたのは、まさにその瞬間だった。

半沢の隣で、極度に緊張した田島がごくりと生唾を飲むのがわかる。いま、マイクを握りしめた乃原の濁った目が半沢に据えられたところだ。

「東京中央銀行さんよ、お宅の報告をここにいる銀行員たちに発表してもらおうか」

そう告げた。「そうすればもはや、主力だの準主力だのと同じなんていうアホな発言も聞かなくて済むからな」

帝国航空の山久がやってきて、マイクを半沢に手渡すと、立ち上がった半沢は正面にいる乃原をまっすぐに見据えた。

「それでは、東京中央銀行の所見をここに述べさせていただきます。お申し出の債権放棄要請について、昨日、当行役員会で正式な対応を決定いたしました。その前に、債権放棄の根拠が明示されないこのような提案について――」

「ここは意見発表の場じゃないんだよ」

タスクフォースへの批判を予見した乃原がそう言い放ったときだ。

バタバタと慌ただしい足音とともに、数人の男女が入室してきて、半沢は発言を中断した。谷川をはじめとする、開投銀の行員たちだ。

ちらりと半沢を一瞥した谷川は、指定された最前列の席に近づくと、「遅くなりました」、とその場で一言詫びる。

「それで?」

谷川らが着席するのを待って、乃原が再び半沢に質問を向けた。「きいてるのはお宅の結論なんだよ、結論!」

入室したばかりの谷川が、乃原の態度に事態を察したか、さっと身構えるのがわかった。いま硬く感情を閉ざした目が、乃原から半沢に向けられたところだ。

「それでは結論を申し上げます」

半沢は、谷川から乃原に視線を転じて、続けた。「東京中央銀行は、この債権放棄を――拒絶します」

会場が息を呑むように静まり返ったのも束の間、どよめきに包まれていく。

その喧噪《けんそう》を打ち破ったのは、

「そんなバカな話があるか!」

というひと際大きな乃原の怒声だ。ひな壇で立ち上がった乃原は、顔面を朱に染めて、傲然《ごうぜん》と半沢を見下ろしている。

「東京中央銀行は、債権放棄を役員会決議したはずだ。デタラメをいうのもいいかげんにしろ!」

唾を飛ばして激昂する乃原に、

「別にデタラメを申し上げたわけではありません」

静かに半沢はこたえた。「私どもの決議には、開投銀が債権放棄に同意したときに限るという条件が付いております」

「なにっ！　しかし開投銀はまだ――」

乃原が目を剥いて言いかけたとき、最前列ですっと立ち上がった人影があった。

谷川である。

半沢からマイクを受け取った谷川は、静かではあるがしっかりとした口調で、発言を始めた。

「到着が遅れましたことをお詫び申し上げます。開発投資銀行の谷川でございます。ただいま、結論のみ述べろとの乃原リーダーのお言葉がありましたので、簡潔に、弊行の結論を述べさせていただきます。開発投資銀行は、タスクフォースによる債権放棄の要請について、見送りの決断を下しました――以上です」

愕然《がくぜん》とした乃原は、瞬きすら忘れて谷川に目を向けたまま動かない。

隣席の三国は、顔面蒼白だ。

激しく動揺したこのふたりが、突きつけられた結論にたじろいでいるとき、唐突に開いたドアからひとりの男が駆け入ってきた。

その若い男は、会場内の異様な雰囲気に一瞬気後れしたように足を止めたが、すぐにひな壇まで行き、乃原と三国の間で腰をかがめ、小声で何事かを報告する。

それを聞いた途端、乃原は顔を天井に向け、全身の力が抜け落ちてしまったかのようにストンと椅子にへたり込んだ。

三国が頭を抱えている。

果たして何が起きたのか――。

「もういい」

やがて、乃原からしわがれた声がこぼれ落ちてきた。「これまで。今日は、おしまいだ」

そういうや、よろよろと立ち上がってひな壇を下りると、出入口のドアに向かって歩いて行く。

そこにいた帝国航空社員たちがさっと分かれてできた通路を、ずんぐりした体が消えていくのを全員が見送ったとき、

「皆さんの意向はよくわかりました」

おもむろに、蒼白の面相となった三国が口を開いた。「後日、その決定が誤りであったと気づいたときには、もう遅いでしょう」

出てきたのは、精一杯の負け惜しみの言葉だ。それとともに、後のメンバーたちを引き連れ、足早に会場を後にする。

「心臓が口から飛び出るかと思いました」

田島が額に浮かんだ汗を拭きながら、まだ青ざめている顔を半沢に向けた。

「まったくだ」

そういいつつ、半沢は握りしめていた携帯の画面をいま再び見つめる。渡真利から新たなメールが着信したところだった。

――開投銀民営化案、閣議決定！

半沢は即座に返信した。

――知ってるよ。ありがとな。

――は？

渡真利の素っ頓狂な声が聞こえそうな返事があった。――なんで知ってる？

――サッチャー に聞いた。

――サッチャー……!?

半沢はもう一度、谷川からのメール画面を開いてみた。

――民営化案通過。債権放棄見送ります。

そのとき、会場を立ち去ろうとしていた谷川が半沢を振り向くのが見えた。その右手があがり、半沢がそれに応じる。

「彼女、やりますね。開投銀内をまとめるの、大変だったでしょうに」

田島が感嘆したような声を出した。

「だろうな。だが彼女は最後まで諦めずやり遂げた」

半沢はいった。「さすが、サッチャー。〝鉄の女〟だ」

9

紀本が駆けつけたとき、議員会館内にある白井の部屋には、息苦しいまでの雰囲気が充満していた。

怒りも露わに肘掛け椅子に収まっている白井は、紀本が入室してくるのを見ても不機嫌に押し黙ったままだ。普段鮮やかなブルーのスーツも、この日ばかりはくすんで見える。テーブルを挟んだ反対側には乃原と三国のふたりがかけて、こちらもむっつりと押し黙っていた。

「遅くなりました」

一礼した紀本に、

「債権放棄が条件付きになっているとはどういうことなんだ！　そんな話、聞いてなかったぞ。おかげで記者会見も台無しだ」

乃原の非難が向けられた。

「そ、それは――」

紀本は、緊張で喉の奥をひくつかせ、「実は、担当サイドの意見を頭取が聞き入れてしまって――」、と口にしたのは、どこか子供じみた言い訳であった。額からはどっと汗が噴き出し、ポケットから出したハンカチでせわしなく汗を叩く。

「なんでオレにいわなかった」

乃原はなおもいった。「そういう大事なことはきちんと事前に報告しろといっただろうが！」

乃原の怒りの激しさに気圧《けお》されたようになり、紀本は反論らしきものを口にするのがやっとだ。

「し、しかし、開投銀は間違いなく賛成する――君もそういったはずだ」

乃原が、鼻に皺を寄せ不愉快そのものの表情を浮かべた。

「開投銀の民営化法案が閣議決定されてしまうとは、まったく、予想外のことだったがね！　そもそもなんで、法案に賛成したんです。大臣が反対すれば済む話だったはずだ」

閣議決定は全員一致が原則だ。当初から反対していた田所財務大臣の病欠というアクシデントがあったにせよ、白井が反対すれば法案を葬《ほうむ》ることができた。だが、乃原の非難は、白井には予想外のことであったらしい。いま驚きと苛立ちに目を見開き、

「どういうことなんでしょうか」

と硬い声になる。「たしかに、私は賛成しましたが、それは官僚の天下り批判を受けた首相の方針に従ったまでです。それがなにか、問題なんですか」

「大問題ですよ」

血走った目でぎろりと白井を見据えた乃原は、「開投銀の態度を覆させたのは、あんたがた進政党だ。自分で自分の首を絞めてどうするんですか」、と怒りをぶちまける。

白井の眉が動き、ほんの僅かの間、乃原に対する嫌悪の色が浮かんだように見えたが、それはあっという間に見えなくなった。乃原は続ける。

「開投銀は民営化を恐れていたからこそ我々に協力しようとしていたのに、それを台なしにしたんですよ。いったい何を考えておるんだ。肝心なときに病欠とは、田所大臣の首を絞めてやりたいよ」

乃原の弁舌に巻かれ、白井の表情が怒りと屈辱でみるみる蒼白になっていく。もとより、それを知っていたとしても、議員歴の浅い白井に反対出来たか、難しいところである。

「そんな重要なことだとは誰も私に報告してきませんでした。先生もどうしていってくださらなかったんです」

いまや怒りに震える声でいった白井に、

「そんなことは説明するまでもないことだ」

乃原は有無を言わせぬ口調になって続けた。「官僚どもにしてやられたんだ。脱官僚などといって、何でも議員が主導権を握ろうとする進政党政権への、これは巧妙な意趣返しなんだよ。理想は大いに結構。だが、現実を知らない者が理想を語ったところで結局は恥を掻かされるのがオチだ」

見上げた白井の瞳が怒りで揺れ動いている。

ちやほやされ、理想論を語り続けた世間知らずの議員が、ようやく醜悪な現実の駆け引きに敗れ、自らの不明に気づいたのだ。

「それで帝国航空の再建案は——」

「なんとかしますよ」

うろたえた白井に、乃原は吐き捨てるように言い放つ。その目が再び紀本に向けられると、

「お前には失望したよ」

怨嗟《えんさ》の声が口を衝いて出た。「もうお前には頼まない」

「ど、どうするつもりだ、乃原……」

不穏なものを感じた紀本に、乃原の答えはない。

「こうなったら、何がなんでも、銀行に、債権放棄を認めさせてやるさ」

上目遣いになった目に執念の炎を燃やした乃原から、低くしゃがれた声が絞り出された。「我々のメンツを潰した償いは、必ずしてもらうからな」

10

「まずは上々の首尾だった。おめでとう」

高々と腕を上げた渡真利は、ごつんと音がするほどの勢いで半沢と近藤のジョッキにぶつけ、一気に半分ほど空にした。

「タスクフォースの記者会見は、ショボショボだったらしいじゃないか」

渡真利は勝ち誇った笑みを浮かべる。「かくして債権放棄は無事、廃案。正義は我に在りときた」

「それはそうなんだが、だからといって帝国航空の再建が決まったわけじゃないのが、虚しいところだな」

半沢は憂鬱《ゆううつ》な吐息を洩らす。「ただ時間を浪費しただけで振り出しに戻る。崖っぷちは相変わらずだ」

「まあ、それはたしかにそうだが。ピンチをしのいだことには違いないじゃないか。意味のある勝利さ」

渡真利は評価の言葉を口にした。「そもそも再建といっても、債権放棄を伴う再建じゃあ意味がないからな。帝国航空のためといったところで、オレたちが心しなきゃならんのは、銀行の利益を損なえば元も子もないってことだ。時間はかかっても自力再建。これに尽きるぜ」

「そういえば当行にももうひとり、崖っぷちの人がいるけどね」

生真面目な顔で近藤が話題を変えた。

「紀本さんな。憐れなことだ」

言葉とは裏腹に、渡真利もほくそ笑む。「曽根崎はあのザマだし、捨て身で通したはずの債権放棄に、なんと開投銀も反対したんだからな。メンツも丸潰れだろうよ。小耳に挟んだところでは、今回の結果に、頭取も拍子抜けだったとさ。紀本さんの評価はいまや地に墜ちたも同然だ。いい気味だ」

「だけど、なんで紀本さんは、そこまでして債権放棄の受け入れに賛成したんだろうな」

近藤がいかにも釈然としない顔できいた。「半沢、その後何かわかったのかい」

「いや」

短く、首を横に振った半沢はふと虚空に視線を置いた。「あれが審査部の流儀なのかと思ったが、冷静に考えるまでもなく、そんなわけはない。それとは別に、債権放棄に賛成するだけの理由が何かあるんだろう。オレたちが聞いても、なるほどと納得できるような理由が。じゃないと、あんな主張をするなんて理屈が通らない」

「どうも怪しいな」

独特の嗅覚が働いたか、渡真利が鼻の先を人差し指で撫でた。「放っておくのか、半沢」

「まさか」

半沢は首をひとつ、横に振った。「きちんと理由を調べて、紀本さんとはいずれ決着をつけるさ」

「だったら徹底的にやってやれ」

渡真利が背中を押す。「大した理由もなく債権放棄して五百億円も損するところだったんだからな。紀本さんのいう通りやっていたら、得をしたのは、白井と乃原らタスクフォースの連中ぐらいだろうよ」

「あと、箕部啓治ね」

と近藤は補足し、「そういえば、今日の記者会見で、箕部の地元の話が出たの知ってる、半沢？」、と話を振ってくる。「どこかの新聞記者が、箕部が地元の路線を維持するためにタスクフォースに介入したという噂があるが本当かって」

「羽田・舞橋路線のことだろ。オレも後で山久部長から聞いて驚いたところだ。どこで聞きつけたかは知らないが、耳の早い記者だ」

「やっぱり、そう思う？」

近藤がニヤリと笑ったのを見て、話を聞いていた渡真利が目を丸くした。

「ま、まさかお前が？」

「出入りの親しい記者に耳打ちしといた。噂に過ぎないけどって」

「やるな。さすが敏腕広報次長だ」

「まあまあ」

近藤もまんざらではなさそうに頷く。

この日の会見で、それを白井に質問した場面が、唯一の見所であったとは山久の話だ。

「知らぬ存ぜぬで白井はシラを切り通してたが、もう少しで馬脚を露わすところだったらしい」

半沢の話に、

「そいつは惜しかったな」渡真利が指を鳴らした。

「帝国航空のためといいつつ、連中の最終目的は、自らを利することだけだからな。唾棄《だき》すべき政治屋どもだ」

半沢は、吐き捨てるようにいった。「乃原も白井も、そして箕部もな。おかげで、この大事なときに帝国航空に四カ月も空白期間ができちまった」

「〝クリーンな政治、進政党〟だからねえ」

渡真利が冗談めかし、進政党のキャッチフレーズとともに両腕を広げた。「すばらしいじゃないの。うれしくて泣けてくる」

「実際に泣けてくるのは帝国航空のほうだ」

半沢は忌々《いまいま》しげに鼻から息を吐くと、呪わしく真正面を見据えた。「このまま万が一のことがあってみろ。あいつら、タダじゃ済まさないからな」

「半沢次長、妙な融資を見つけたんですが」

帝国航空に関わる旧T時代の案件を精査していた田島が、とある情報をもたらしたのは、週明けのことであった。

第五章　検査部と不可解な融資

1

「妙なとは？」

半沢はきいた。

「箕部啓治への個人融資ですよ。当行と箕部との間に取引があったの、ご存じでしたか」

田島の顔をまじまじと見つめると、半沢は興味津々できいた。

「いったいどんな融資なんだ？」

「金融庁への報告書を作成するために、旧東京第一銀行時代からの帝国航空に関する資料を見ていたんですが。見てください。何年か前、赤字路線について当時の担当が記述していた書類にこんなくだりがありまして」

田島が開いてみせたのは、古いクレジットファイルに添付されたメモであった。

〝羽田・舞橋路線については路線開設以来の赤字が継続しているものの、同路線の舞橋市は当行親密先である箕部啓治代議士の地元でもあることを配慮、撤退を言及するのは時期尚早との判断である――〟

「箕部が当行親密先？　おもしろいじゃないか」

そろりと、半沢はいった。過去に取引はあったかも知れないが、少なくとも現時点で箕部との取引はないはずだ。「どんな取引か、調べたか」

「箕部啓治がまだ若手議員だった頃から、旧東京第一銀行との取引があったようです。運転資金名目で、数千万円程度の資金が何度か融資されていました」

運転資金といっても、相手は政治家である。政治資金絡みの目的に供されたことは想像に難くない。

「これがその明細なんですが――」

そういって田島は、プリントアウトした融資明細を差し出した。

「すでに回収済みのもので通常のオンライン操作で捉えられないものは、システム部に頼んでピックアップしてもらいました」

「五千万、四千万、次は三千万――」

半沢はそこに並んだ数字を指でなぞっていく。「本当に親密だったんだな」

意外だった。そのときふと、ひとつ突出した融資を見つけ、指の動きを止めた。

「二十億――？」

「そうなんですよ」

田島が意味ありげにいう。金利は、個人向けとしては少し高めの設定だ。融資日はいまから十五年前の七月。すでに回収済みではあるものの、当初は、融資期間は十七年という超長期で、資金使途はマンション建設資金となっていた。

「ちょっと違和感ないですか、次長」

田島は続ける。「通常この手の資金でしたら、ローンとかの定型的な貸し出しで対応するはずだと思うんです。ですがこれ、一般の事業資金扱いですよ」

個人向けの住宅ローンなどは、一定の条件が合えば融資をする、いわばパッケージタイプの融資だ。このほうが、手続きは簡単。普通はそうするはずだが、箕部に対するその融資にローンは適用されていない。

「定型貸し出しとしての条件を満たさない何かがあったというわけか」

つぶやいた半沢は、すぐにその異例ともいえる条件に気づいた。「当初七年間の元金返済据え置き期間？　なんだこれは。いったいどこのマンションだ」

一般的な据え置き期間は、半年かそこらがせいぜいだ。七年は長過ぎる。

「担保としてデータベースに登録されていたのは、ここなんですが」

千代田区麴町界隈の土地と建物の明細のプリントアウトを滑らせて寄越し、

「変だと思いませんか」

と田島は尋ねてくる。

設定されているのは、二十億円の抵当権だ。一見するとなんの変哲もない担保に思える。だが――。

いま半沢は、データのとある箇所に目を留めた。担保設定日だ。

「どうして、こんなことに？」

疑問が口を衝いて出た。それもそのはず、担保が設定されたのは、箕部啓治に二十億円が融資されてから五年もの年月が経過した時期の日付になっていたからである。通常の融資でこんなことはあり得ない。

「わかりません」

田島もまた、首を横に振って釈然としない表情を見せた。「この融資、担保設定が条件だったのに、五年間も無担保のままだったことになります。杜撰《ずさん》としかいいようがない」

「箕部啓治のクレジットファイルは見たか」

半沢はきいた。クレジットファイルには、取引先に対する融資情報の全てが保存されている。当然そこには、担保設定が遅延した理由も記されているに違いない。ところが、田島はさらに表情を曇らせ、

「実は、捜したんですが、どこにも見当たらないんです」

意外な返事を寄越す。

「見当たらない？　担当部署は個人部か」

「それが、登録上は審査部扱いになってまして」

「なんで審査部が担当するんだ」

田島と顔を見合わせ、ふたりして首をかしげた。

「さっき審査部で当たってきたんですが、どこにもファイルはありませんでした」

「書庫は？」

半沢が問うと、「もちろん捜してみたんですが、そこにも」、という返事である。「合同書庫に持ち出した形跡もありませんし、どうもおかしいんです」

銀行の書類は膨大な量に上るため、一定年数を経過した書類は、都内にある資料保存専用の合同書庫に持ち込まれて管理される仕組みだ。

「妙だな」半沢はいった。

東京中央銀行の稟議書の保存期限は回収後十年である。それ以前に、廃棄することはあり得ない。

「担当は誰だ」

「この融資は、当時審査部にいた灰谷《はいたに》という記録が残っていますが、現在の担当は登録されていないようですね。私も審査部に二年程在籍していましたが、箕部啓治に融資していた話は初耳です」

「どう思う?」

きくと、田島は少し考え、言葉を選んだ。

「旧Tの融資には、問題が多かったと聞いていますが、もしかしたらこれも、ルールを無視した融資のひとつなのかも知れません」

「回収済みだからいいってもんでもないしな」

椅子の背に体を預け、半沢はこたえた。

旧T――東京第一銀行が、半沢らの産業中央銀行と合併することが決まった後、融資部門で野放図に膨らんだ不良債権をいかに処理するかが、懸案となった。

その結果、合併前の最後の決算で旧Tは同行史上最大の赤字を計上して不良債権を一掃。身ぎれいになった上で東京中央銀行という新銀行の船出となった――はずであった。

しかし合併後間もなく、旧東京第一銀行がかつて無担保で貸し付けた数百億円の資金が相手を信用させるために用意したお金、つまり〝見せ金〟として使われていた詐欺事件が発覚。融資した全額が不良債権化するとともに、不正な手続きで融資した経緯が問題視されることとなった。当時、この融資に絡んでいた旧T頭取で、新銀行の副頭取になっていた牧野治が、特別背任罪で逮捕されるという不祥事に発展したのである。

この事件は、今も生々しい記憶となって半沢の胸に刻まれている。

これによって改めて浮き彫りになったのは、巨額の不良債権とは別に存在する、旧東京第一銀行の杜撰《ずさん》な融資と乱脈としかいいようのない経営実態だ。新銀行になってなお、旧T絡みの〝闇〟融資がいまだ存在していたことで東京中央銀行の株価は急落、これは氷山の一角だとまことしやかに噂されることになったのである。

ところが、旧T時代の問題貸し出しを洗い直そうとした矢先、保釈されていた牧野が自殺し、真相は永遠に闇に葬られた。いまだ東京中央銀行全行員の――旧S、旧Tどちらの出身にとっても、しこりとなっている大事件である。

「ちなみに、この当時の審査部長は紀本さんです」

意味深長に田島はいった。「もしかして、箕部啓治とそれなりの付き合いがあったとは考えられませんか。何しろ、〝当行親密先〟ですから」

田島はメモの文面にチクリと皮肉をいう。

「どうしますか、次長。このまま捨ておくわけにはいかないと思うんですが」

「箕部と旧Tとの関係について少し調べてみようじゃないか。君の仮説の通りなら、紀本さんがあそこまでタスクフォースに肩入れした理由がわかるかもしれない」

半沢は改めて書類を睨みつけた。「どうするかは、その理由次第だ」

2

調べてみると、当時箕部の融資を担当していた灰谷英介《えいすけ》は、いま中堅企業相手の審査を担当している法人部部長代理になっていた。

紀本の下でこの稟議を作成した当時は調査役。その後、合併を経てからもそれなりの出世を遂げたと見える。

「私が行って話をきいてきましょうか」

そう申し出た田島に、「いや、オレが行く」、そういって席を立った半沢は、法人部のある四階まで行くと、目的の席をフロアの奥に探した。

午後四時過ぎ。その日の決裁を終えたばかりの法人部は、戦場のような時間をやり過ごした後の、虚脱した雰囲気を醸《かも》し出している。いくつかデスクの列を横切り、窓際に置かれた灰谷のデスクの前に立った。

「すみません、ちょっとよろしいでしょうか」

声をかけた半沢に、見ていた書類から顔を上げた灰谷は、怪訝《けげん》そうな色を目に浮かべた。

「営業第二部の半沢です」

半沢は簡単に名乗り、箕部啓治に関する資料を灰谷に見せた。

「この貸し出しについて、ちょっとお伺いしたいんですが」

一瞥した灰谷の頬がふいにこわばり、「貸し出し？　何のことだよ」、と右手のボールペンをデスクに置いた。

「いまから十五年前に、当時憲民党の有力代議士だった箕部啓治に二十億円の個人融資をしています。旧東京第一銀行のシステムでは、あなたが担当者となっているようですが、覚えていらっしゃいますか」

「ああ、そんなことがあったかな」

半沢から目をそらし、どこかぞんざいな口調で灰谷はこたえた。白髪混じりの髪を短く刈り込んでいる灰谷は、馬面にメガネをかけ、いかにも頑固そうな顔をしている。

「実はその融資、五年間にわたり、まったくの無担保だったようなんですが、それには何か理由があったんですか」

半沢がきくと、

「さあね。昔の話なんで、忘れたよ」

椅子の背にもたれ、灰谷は投げやりにこたえた。「だいたいさ、完済された融資だろ。いまさらそんなものほじくり返してどうするつもりだ」

「ちょっと事情があって、詳しく知りたいんです。そもそもこれ、何の資金だったんです」

「あのなあ――」

灰谷は、部長代理の威厳を見せて半沢を睨んだ。「オレは忙しいんだよ。いったい、事情ってなんだよ。何の理由があって、そんなことを調べてるんだ」

「帝国航空を担当しています」

社名を聞いた途端、灰谷の目がすっと細められ、微細な感情がその表情に浮かんだような気がした。しかし、それは意志の力で瞬時に消し去られ、後には警戒心も露わな表情に変わる。半沢は続けた。

「ご存じだと思いますが、帝国航空に白井国交大臣のタスクフォースが送り込まれ、巨額の債権放棄を当行に要求してきています。対応を検討している中で、この箕部代議士への融資の事実を知りまして。タスクフォースと関係のある人物ですから、どういう取引だったのか詳しく知りたいんです」

「箕部さんとタスクフォースが関係あるって、どういうことだ」

灰谷は抜け目ない眼差しを半沢に向けたまま尋ねた。

「タスクフォースは、白井大臣の私設諮問機関ですが、その白井大臣の後ろ盾が箕部啓治だといわれています。しかも、再建案に政治の都合を持ち込もうとしている。関係ないとはいえないと思いますが」

「考えすぎだろ」

半沢の説明に、灰谷は取り合おうともしなかった。「こんな古い融資に、どんな関係があるっていうんだ。バカも休み休みいってくれ」

「直接の関係はなくても、箕部啓治がどういう人物なのかはわかるかも知れません。同時にそれは、帝国航空救済の大義名分を振りかざすタスクフォースの実態が果たしてなんなのか——それを繙《ひもと》くヒントにもなるはずです。私はそれが知りたい」

苛立《いらだ》ちを隠そうともしない相手に、半沢は粘り強くいった。「これが何の資金だったのか、教えてもらえませんか」

だが、

「何の資金かはそこに書いてあるだろ。字が読めないのかよ」

灰谷から返ってきたのは、木で鼻を括《くく》ったような返事である。

「マンション建設資金。たしかにシステム登録上はそうなっています。ですが——」

「書いてある通りだっていってるだろ」

半沢を遮《さえぎ》って、灰谷が声を荒らげた。「それ以上でも以下でもない。忙しいときに、つまらないことをきかないでくれ」

「では、ひとつだけ教えてください。なんでこの融資は、最初の五年間、なんの担保も設定されていなかったんですか。土地を取得したのなら、担保設定するのは当然の手続きだと思いますが」

「土地建物の購入が遅れたのは、売り手が渋ってたからだよ」

灰谷は面倒くさそうにいった。「何を勘ぐっているかは知らないが、くだらないことをいってんじゃないよ。迷惑だ」

「売り手が渋っているのに、先に借金だけしたと?」

灰谷の矛盾を、半沢は指摘した。二十億円の借り入れとなると、年利一パーセントでも利息だけで二千万円になる。必要もないのに、そんな無駄金を払うバカはいない。

「当時のウチのやり方にケチをつけたいのか」

融資スタンスを批判されたと思ったのだろう、灰谷は低い声を出した。「こんな回収済みの案件を持ち出してああだこうだというんじゃねえよ」

「ケチをつけるつもりはありません」

相手に視線を注ぎ、半沢は問う。「ただ、もし何か問題があったのなら、いま話していただきたい。そのほうがお互い手間が省けます」

「あるわけないだろ、そんなもん」

顔を真っ赤にして、灰谷は言い放った。「言いがかりもいい加減にしろ」

その灰谷の態度を静かに見据えた半沢は、ようやく、

「そうですか」

静かにいうと、小さく一礼した。「お仕事中、お邪魔しました。——行くぞ、田島」

灰谷に背を向け、さっさと法人部のフロアを後にする。

「なんなんですか、あの態度！」憤然《ふんぜん》とした田島に、

「所詮、小者だ。ちょっと検査部に寄り道してくぞ」

半沢はいった。

「検査部？」

聞き返した田島だが、すぐに半沢の意図を察してにんまりとした。「なるほど、そういうことですか」

3

「トミさん、いますか」

検査部の入り口に立って半沢が声を張り上げると、「おお、いるぞ!」、とどこかから返事があった。見れば、フロアの真ん中あたりにあるデスクで、手を上げている男がいる。

丸顔にタバコで黄色くなった歯は不揃いで、頭の毛は相当薄くなってまばらなバーコード。ワイシャツの上のボタンを外してネクタイを緩め、腕まくりしている。銀行員としては形崩れした印象の初老の男だ。

「なんだよ、いきなり。来るなら来るっていってくれや。出前の寿司でも取ったのによお」

東京中央銀行の検査部は大所帯だ。私物は、壁際に並んだロッカーに入れ、フロアにいくつもある大テーブルの思い思いの場所に座って仕事をするフリースタイルである。

〝象の墓場〟と揶揄される検査部は、出世コースを外れた銀行員のいわば出向待ちポストといっても過言ではない。ところが、トミさんこと富岡義則《とみおかよしのり》は検査部部長代理の肩書きのまま、すでに七年も在籍している特別な存在であった。

「よかった。もしかして、異動になっちまったかと心配してたんですよ」

「マジにいってんのか、半沢。オレのことなんかとっくに人事部は忘れちまったんだぜ。きっとこのまま定年もないだろうな」

富岡は、しらふのときでも酔っ払っているような男であった。口は悪いし、態度も悪い。上司にごまをするのは大の苦手だが、あらゆる業務に精通しており、仕事もできる。かつて八重洲《やえす》通り支店の融資課にいたことのある富岡は、当時新人だった半沢の面倒をよく見てくれた。仕事が終わった後、毎日飲みに連れて行ってもらった間柄だ。

「冗談ですよ。もし、検査に出てたら困ったなと思っただけです。地方だと三日四日は、うまいものを食って帰ってこないから」

半沢の軽口に、

「お前、検査部をなんだと思ってんだ」

一応怒ってみせた富岡だが、口元はニヤついている。地方店舗の臨店検査を、富岡が楽しみにしているのは事実だからである。

検査部はいくつかのチームに分かれており、富岡が率いるチームも、実際に週に何日かは検査に出る。フロアを訪ねていって会えるのは、こうした非番のときだけだ。

「まあ、その辺に座ってくれや」

空いている椅子を勧めた富岡が、「コーヒー飲むか」、といってフロアを出て行こうとするのを慌てて押しとどめ、田島が通路奥の自販機コーナーでコーヒーを三つ買って戻ってきた。

「それにしても珍しいな、忙しいお前がわざわざ訪ねてくるなんてよ」

うまそうにコーヒーを飲みながら、富岡はいった。

「実はひとつ、調べて欲しいことがありまして」

半沢はいい、箕部啓治の書類を広げた。「これなんですが」

覗き込んだ富岡は、「箕部っていうと、進政党の、あのオッサンじゃねえか」、とおもしろそうにいい、手で顎を撫でながら明細を眺めていく。くだけ過ぎなほどくだけたスタイルなのに、書類の数字を追う姿は妙に様になった。それもそのはず、富岡は半沢が一目置く、一流のバンカーである。

「ここに二十億円の融資があるでしょう」

半沢は該当箇所を指で示した。「マンション建設資金として融資していますが、七年の返済据え置きも異常なら、担保設定も五年後で、通常では考えられない」

「この二十億、別件に流用されたんじゃないのかよ」

富岡は鋭い指摘をしてみせた。

「可能性はありますね」と半沢。

カネに色はついていないといわれるが、そこに色をつけるのが銀行である。

かくかくしかじかの目的でカネが要るから貸してくれ——そういう依頼があって応じるのが融資の基本だ。もし、マンション建設資金と偽って他に流用したのなら、それだけでも重大な契約違反になる。

「しかし、これだけの融資が五年間も無担保で放置されることなんて、単なるミスでは考えられません」

「検査で、引っかかるからな」

富岡のひと言がそのまま、半沢たちがここに来た理由であった。

銀行の現場には、様々な種類の検査がほぼ一定期間ごとに入ることになっている。ルール違反の融資があれば、その検査で指摘されるはずだ。

「通常なら指摘された段階で担保設定されるはずなんですが、そうなっていない。いや、そもそも指摘されたのか――」

旧Ｔ時代の融資に対する不信感もある。半沢は真剣な双眸を富岡に向けた。

「クレジットファイルは見たか」

「それが、見つからないんです」

傍らからこたえたのは、田島だ。「審査部と地下書庫を捜したんですが、どこにも見当たらなくて」

「ファイルがない……」

ふうん、と疑わしげな反応になった富岡は、かけていた老眼鏡をずらした。「気に入らねえな、そりゃ。なんぞ案件があって、誰かが持ってってるんじゃないのかよ」

「いまは担当者の登録がありませんし、もし稟議中なら、オンラインで登録されているはずなんですがそれもない」

半沢の言葉に、なるほど、と富岡はもう一度書類をつまみ、

「こいつは？」

担当者欄にあった灰谷の名前を指で押さえる。

「灰谷部長代理には今しがた、けんもほろろに追い返されたところですよ。おそらく詳しい事情を知っているでしょうが、口を割ろうとはしません」

「当時の上席、調べたかよ」

富岡に聞かれ、

「紀本常務のはずです。当時、担当部長でしたから」

紀本の名前に、富岡の顔が上がった。

「――紀本さんか」

事の軽重に思い至ったか、富岡は椅子の背にもたれる。そして、

「もしかして旧T時代の、不可解な貸し出しってやつなのかな」

さすがに富岡も声を潜めた。「だとすると、調べるにはちょいとばかし、神経を使うな」

「だから、トミさんに頼んでるんじゃないですか。他にこんなこと頼めるひとはいません」

「また随分買いかぶられたもんだな」

富岡は笑ったが、すぐにその笑いを引っ込めた。「あんまり波風は立てたくはないけども、問題があるとなれば仕方がないか。いつまでに知りたい」

「可及的《かきゅう》的速やかにお願いします」

半沢のこたえに、「おいおい」、と富岡は目を丸くしたが、「帝国航空がらみで」というひと言で、腹に落ちたかのようにうなずいた。

「わかった。何かわかったら、連絡するわ」

お願いします、と頭を下げた半沢は検査部を後にする。

「大丈夫ですか、あのオッサンで。随分、ヨレてる雰囲気でしたが」

廊下に出るや小声で心配を口にした田島を、半沢は笑い飛ばした。

「見かけは冴えないが、能力は図抜けてる。仕事も速い」

「ホントですか」

田島は俄《にわか》には信じられないという顔をして見せた。だが、半沢のいった通り、富岡から連絡が

あったのは、わずか数日後のことであった。

4

その夜——。

新橋にあるガード下の居酒屋で、半沢は、田島とともに粗末なテーブルを挟んで富岡と向かい合っていた。

テーブルの上には、焼き鳥のレバーとハツ、皮が並んでいる。皮は冷えるとまずいが、この店の皮は食えた。契約した農家の地鶏を捌《さば》いているといった富岡の話は本当なのだろう。

「それで、どうでした」

最初のビールで喉を潤してから、早速、半沢はきいた。

「調べてみたが、これはちょいと妙な話だぜ、半沢」

声を低くした富岡は、鋭い目になっている。「あの融資は十五年前に当時の東京第一銀行本店審査部にいた灰谷英介が稟議書を作成し、その上司である紀本が承認、最終的にライン長の決裁を得て実行されたものだ。ところが、この融資に対する検査記録は一度しかない。融資が実行された翌年、同行の融資検査が審査部に入り、不動産担保の設定洩れを指摘した。ただその一度きりしかないんだ」

「ちょっと待ってください。それっておかしくないですか」

半沢の隣席にいた田島がきいた。「検査で指摘されたんなら、担保設定するでしょう、普通。

もし忘れていても融資検査は最低でも二年に一度は来るはずだから、次回検査時にもやはり不動産担保の設定洩れで上げられると思うんですけど」

「ごもっとも。オレが調べたところ、あんたがいうように、最初の検査以後、二年後と四年後に審査部には検査が入っている。ところが、そこであの融資の担保未設定が指摘された記録はない。いや、そもそも検査対象にすら入っていなかった」

意外な、事実だった。

「二十億円もの個人融資が検査対象にならなかったんですか？」

きょとんとして田島が聞き返す。「そんなの、旧Sじゃあ、考えられない話ですよ」

「旧Sだけじゃねえ。どこの銀行だって、そんな馬鹿な話はありゃしねえよ」

富岡がいうのももっともである。

「つまり、検査の指摘を無視して何の対応もしていなかったと」

半沢はきいた。

「そうなんだよな。ところがだ、こっから先が奇々怪々ってやつでな」

富岡はぐいっと手元のジョッキを空けると、テーブルごしに身を乗り出した。「記録上は、〝担保設定済みによる指摘事項解除〟と、実態と異なった報告がなされている。金融庁検査でも上げられたが、担保は設定済みだということで押し通してるんだ」

「まさか――」

田島が唖然《あぜん》とした顔を上げる。「虚偽報告じゃないですか」

「そうよ。それがまかり通っちまったんだ」

富岡は、半沢と田島の反応を確かめるような間を挟んだ。「どうだ、半沢。さすがのお前もたまげただろ」

「たまげたというか、呆れたというか」

半沢の反応に、富岡は唇の端に笑いを浮かべて横顔を向け、タバコをくわえた。頭上で列車がレールを打つ音が響き始め、やがてそれが聞こえなくなると店内にふっと喧噪が戻ってくる。目を細めた富岡が、もわりと煙を吐き出した。

「友達と合併先は選ぶべきだよなあ、半沢よ」

やがて富岡はいうと、冗談めかした口調とは反対の、厳しい表情を向けてくる。「合併前の旧Tには、決して外部には話せない融資がわんさか、それこそ山のようにあったのさ。反社会的勢力への融資、詐欺だの背任だのといったものに関わる融資、さらにこうした政治家と癒着した実態不明の情実融資――。どれもこれも、浮いた金欲しさの浅ましい連中が、規則を曲げ、さらに性根までひん曲げて積み上げたヤミの融資ばかりだ。そのいくつかは、この融資のように完済されているだろうが、おそらくはまだ融資されたまま残っているものもあるはずだ。あるいは、表向きまっとうな名目がつけられ、融資が継続されているかも知れない」

もちろん、そうした融資にはコンプライアンス上の問題があり、露見すれば世間のバッシングを受けるだろうものも数多く含まれているに違いない。

「やっぱりこれもそのひとつ、か」と半沢。

「それをいま決めつけるのは早計だろうがな」

慎重に、富岡は言葉を選んだ。「だけど、もし本当にそうなら、クレジットファイルが見つかさえないことになる」

「まあそんなところだろう。担当者の登録がなければ、融資の存在が知られても捜すとっかかりらないのもうなずける」

「人目につかないように管理されている――とか」半沢がそろりときいた。

「そして、いつか忘れ去られるのを待っているということですか」

今度は田島が尋ねると、富岡は厳しい目のまま、運ばれてきた日本酒の冷やをくいっと呷《あお》った。

「それでいいはずはねえよな」

それは、半沢や田島に向けたというより、自分自身に言い聞かせるような口調だった。「回収されて表面上は取り繕えても、この融資金が使われた事実は残る。そして、それはいつどんな形で世の中に暴露されるかわかったもんじゃねえ。この融資だってそうだ」

富岡は鋭く言い放った。「それにだ、問題融資とひと言でいっちまえば簡単だが、考えるまでもなくカネが勝手に貸されるわけはねえ。融資を実行するのはあくまで人、銀行員なんだよ。となれば腐っているのはカネじゃねえ、それを貸した銀行員のほうってことになる。その腐った連中がいまやお偉いさんになって、この組織でのさばっているとあっちゃあ、どうにも気分が悪いってもんだろう。世の中、正義はないのかって話だ」

「おっしゃる通りだと思います」

田島がいった。「合併しても、旧銀行のしがらみを隠し続けるなんて間違ってますよ」

「問題融資は、銀行経営にとって諸刃の剣だ。暴けば、銀行の看板にキズがつき、少なからず信用を失墜させることになるかも知れない」

富岡はいった。「だけどな、隠し通せばそれでいいってもんでもないんだよ。隠蔽《いんぺい》は隠蔽を生む。隠蔽はあくまで結果であって、原因は組織の体質にある。銀行の信用ってのは、それを乗り越えたところになくちゃだめなんだ」

「トミさんは昔となにひとつ変わらないですね」

富岡の熱っぽい話を聞きながら、半沢はしみじみといった。「もう十五年近く前、オレがトミさんの弟子だったときのこと思い出しますよ」

「お前と仕事してたときはオレも楽しかったよ」

ふと昔のことを思い出しながら、富岡はいった。「こいつは本当に生意気でなあ。上司だろうが、スジが通らないことは、きっちりかっちり論破してたもんな。とんでもねえ奴が銀行に入ってきやがったと、オレは密かに喜んでたんだ」

「そういや、トミさん、以前中野渡頭取と一緒に働いたことも、あったんでしたね」

ふと思い出して、半沢はきいた。中野渡がかつて営業本部で辣腕《らつわん》を振るっていた頃、富岡はその下にいたことがあったはずだ。

「昔の話さ。いまや中野渡さんは頭取、そしてオレは一介の部長代理だ」

半沢が、いつだったか耳にした噂話を思い出したのは、その富岡の表情を一瞥したときだった。

「これは私の推測に過ぎませんが、もしかして、トミさんが検査部にいるのは、中野渡さんの意向なんじゃないんですか」

突拍子もない話に聞こえたのか、田島が目を丸くした。半沢は続ける。「頭取からの特命で旧Tの問題融資を探っている人物が行内にいると、以前、小耳に挟んだことがあります。もしかしてそれ、トミさんなんじゃ?」

半分は冗談であった。

「おいおい、オレがそんな立派な人間に見えるかよ」

富岡はそういうと、怖い顔になっていった。「そんなのは、銀行の都市伝説なんだよ」

「すみません、余計なことといいまして」

半沢はそれ以上の質問を呑み込み、「ありがとうございました」、と改めて頭を下げた。

「で、どうするつもりだい、半沢よ」

富岡はきいた。「このまま、手も足も出せず、放っておくのか」

「いえ」

煙の充満した店内で、半沢は顔を上げる。「徹底的にやらせてもらいます。警察にあって銀行にないものがひとつある――」

「なんだそりゃ」富岡がきいた。

「時効ですよ」

半沢はこたえた。「たとえ十五年前の融資ですでに回収されていようと、銀行員に時効はない。きっちりけじめをつけるのが、バンカーの掟だ。その昔、これを教えてくれたのはトミさんじゃないですか」

「そんなこといったかな」

とぼけてみせた富岡は、愉快そうに笑い声をたてた。

5

「旧Tの問題貸し出しねえ」

話を聞いた渡真利の表情に影が差した。「合併前にだいぶ綺麗にしたって話は聞いてるけどな。そのひとつとなると、面倒だな」

新橋にあるバーだった。烏森《からすもり》神社に近い、路地に面した店である。古い民家を改造した店内にはカウンターが一本。二階にもグループ用の個室があるが、いまそちらの利用客はいない。カウンターの端には三人連れのサラリーマン客がいて、馴染みのバーテンダーにしきりに話しかけていた。半沢と渡真利の会話に耳を傾ける者は誰もいない。

「奴らにしてみれば、絶対に探られたくない腹だ。お前がききに来たこと、早晩、法人部の灰谷から紀本さんに連絡がいくだろう。そうなれば、お前はますます紀本さんにとって目障りな存在ということになる」

「だいたい奴らが真面目にカネを貸してりゃあ、そんな面倒なことにはならなかったんだ。不徳のいたすところだろうが」

半沢は容赦ない。「反省より先に不都合なことは隠そうとする、その態度も気にくわねえな」

問題貸し出しは、一般的な不良債権とまったく次元が異なるものだ。

不良債権は、きちんとした手続きに則《のっと》って行われた融資が、取引先の業績悪化などにより回収不可能になった末に発生するものだ。一方の問題貸し出しは、そもそもモラルハザードを含む貸し出しであって、不良債権化しているかどうかは関係ない。

「それでお前、その旧Tの問題貸し出しをどうするつもりだ」

渡真利がきいた。「その融資の存在を、公に指摘するつもりか。もしそうならやめておけ。そんなことをしても、なあなあで済まされちまうのがオチだ。中野渡頭取にすれば、せっかく進めた行内融和をぶちこわしにされたくはないだろうからな」

「公にするかどうかは、後の判断だ」

半沢はいった。「その前に、この融資の真相を突き止める」

「どうやって」

渡真利はきいた。「その灰谷って野郎を締め上げるつもりか？　そんなことしたって、口を割るような御仁とも思えないな。それとも紀本さんご本人に、いったいこれはなんだと詰め寄るか。それで問題解決となるとは思えんが」

「まあ、無理だろうな」

半沢は、シングルモルトウイスキーの入ったグラスを左右に傾けて氷を鳴らした。「だけど、そんなことをしなくても事実関係は確認できるよな」

「だから、どうやって？　当時の関係者で口の軽そうな奴を見つけるつもりか」

「伝票さ」

渡真利はしばし半沢の横顔を見つめた。半沢は続ける。「箕部が当時の東京第一銀行から借り受けた金額は二十億円だ。田島がマイクロフィルムの記録を調べたところでは、その全額が現金で引き出されていた」

「現金で引き出されちまったら、カネの行き先を追うことはできないだろうに」

あきれ口調で渡真利はいったが、

「いや、現金で引き出されてはいないと思う」

その半沢の言葉に、きょとんとした顔になった。

「なんだって？　お前いま現金で引き出されたっていったじゃないか」

「いった」

渡真利ではなく、目の前に並ぶ酒の瓶《びん》に視線を向けたまま、半沢は続けた。「しかし、二十億円の現金を引き出すのは現実的じゃない」

その指摘に、渡真利も考え込む。

「たしかに。それに、実務的でもねえな。金額が大き過ぎる」

銀行では、資金管理や収益上の問題から、現金の手持ち残高をできるだけ少なくするのが常識だ。キャッシュを手元に置いたところで、なんの利息も生まないからである。

さらにいうと、現金一億円の札束は、大人が両手でちょうど抱えられるぐらいの大きさの塊《かたまり》になる。それを二十個——つまり二十億円分支払うなど、運び出すだけでひと苦労だ。ついでに保安上の問題もあって現実にはあり得ない。

それだけの現金を払うのなら、安全のためにも、「支払い先へ振り込みをしませんか」と提案し、説得するのが銀行担当者の務めであり、おそらく当時の担当者もそうしたに違いない。振り込みにすれば、途中で盗まれることも紛失することもなく、相手口座に確実に届く。なにより、銀行も巨額の現金を準備せずに済む。

「つまり二十億円は、名目上、現金支払いという処理をしただけで、実際に現金で支払っていないんじゃないか」

　半沢は推測を口にした。「おそらくその資金は、同時処理でどこかの口座へ振り込まれたはずだ。何がいいたいかわかるよな」

「わかる」

　渡真利はふいに生真面目な顔でうなずいた。

「要するに、箕部は、この二十億円がどこに振り込まれたか、口座に記録を残したくなかったんだと思う」

　それが半沢の仮説だった。「なんでそんなことをする必要があるのか――？」

「マンション建設資金とは違う、表向きには知られたくない資金使途で使われた――からか」

　そろりと渡真利はいった。「事と次第によっては政治スキャンダルになるぞ。まさか、お前、箕部の野郎を――」

「いやいや」

　半沢は涼しい顔でいった。「オレの目的は、あくまで帝国航空を自主再建で救うことだ。それ以外にはない」

「そんなこといっちゃって。まとめて面倒みてやるつもりなんじゃねえか」

　疑わしげな目になった渡真利に、半沢は笑っただけでこたえなかった。

6

「半沢が、融資のことをききに来ただと？　なんでもっと早くいわなかった」

突如噴出した紀本の怒りに、灰谷の顔面から血の気が引いていった。

「申し訳ございません。まさか、それほど気にされていたとは露知らず——」

「気にするも何も、あの男のことだ。どんなことを言い出すか知れたもんじゃないだろうが」

低頭した灰谷を、紀本は怒りが収まらない様子で睨み付けている。

紀本を慕う旧T出身者たちの集まりであった。

会の名を、「棺《ひつぎ》の会」、という。

故牧野治の側近だった紀本によるネーミングである。長年親炙《しんしゃ》した牧野の葬儀で、家族と一緒に最後まで棺に付き添った紀本が、その遺志を忘れぬようにとの意味を込めて名付けた。年に数回、月命日の六日に開くささやかな会食の場である。

赤坂の中華料理店の個室で催されたその日の会の出席者は全部で五人。いま全員が息を呑み、灰谷に憐れむような眼差しを向けている。

「で、君は、なんとこたえたんだ」

紀本に問われ、「いえ、その——。昔の話だから、記憶にないと……」と、灰谷は顔を上げ、びくびくした態度でこたえる。

「何も話してないだろうな」

なおも問い詰めた紀本に、「もちろんです！」、とそこだけ声を張り上げた灰谷だが、すぐさま「申し訳ございませんでした」、とまたテーブルに額をこすりつけた。

その部下から目線を外し、

「それにしても――」

紀本はいまいましげに、舌打ちした。「我々の領分にまで、ずかずかと踏み込んでくるとは邪魔な男だな。回収済みの融資について、いったいなんの文句があるというんだ」

「帝国航空がらみだと申しております」

灰谷がこたえると、「だから、帝国航空となんの関係があるといってるんだ」、と紀本はもの凄い形相になって、灰谷を居竦《いすく》ませる。

ここにいる者たちにとって、紀本は絶対的な存在である。紀本を後ろ盾にした人事で勝ち上がってきた者にとって、親亀である紀本がコケれば皆コケる関係といっていい。

「いや、それについては、とくに――」

灰谷は頬を震わせ、言葉を呑んだ。半沢に対してもそうだったように、自分よりも目下の者には横柄な態度をとるくせに、目上の者にはからきし弱いという男である。

「我々の足を掬《すく》おうという魂胆ではないでしょうか」

そのやりとりを聞いていた別のひとりがいった。審査部長の前島である。「旧T時代の融資にケチをつけて、見当違いの反論でもするつもりかも知れません。元来が品性下劣な男ですから。大和田《おおわだ》さんとのこともしかり。要注意人物です、あの半沢は」

事の本質などまるで無視して、一方的に相手を悪人に仕立て上げるのは、前島の得意技だ。いまもその片鱗をのぞかせ、自らの領袖ともいえる紀本の怒りを掻き立てる。旧T出身の大和田暁《あきら》は紀本の前任者だが、とある事件をめぐり半沢と敵味方に分かれての紛争があった。その後、大和田の流れを汲《く》む行員一党にとって、半沢憎しの風潮は消しがたくその胸に刻みつけられている。

「万が一ということもある。箕部先生のものをはじめ君が管理している書類、無事かどうかしっかりたしかめておけ」

紀本の指示に、いまや蒼白な顔になった灰谷は、油が切れてしまったブリキ人形のようにギクシャクと頷くのがやっとだった。

7

朝一番で処理する急ぎの仕事を片付けた灰谷が、紀本の命を受けて東京中央銀行本部ビルを出たのは午前十一時過ぎのことであった。

ホワイトボードに取引先の名前を書き入れ、そのまま東京駅に向かって中央線に乗り込む。西新宿の取引先に立ち寄り、形ばかりの面談を済ませると、そのまま東新宿のとあるビルまで、五月の、初夏を思わせる陽気の中、徒歩十五分ほどの道のりを歩かなければならなかった。

見上げれば、灰谷の急《せ》いた心とは裏腹に、空にはのんびりと雲が流れている。

雑然とした駅東側の繁華街を通り過ぎた灰谷は、信号の向こう、窓のない殺風景なビルが見えたところでようやく足を緩めた。額の汗を拭き、小さな管理事務所前の入館チェックで行員証をかざす。

警備員がひとり。さらに背後の事務所内に事務員がひとりいるのが見えたが、とくに灰谷に注意を払うでもない。

何をしに来たかなどと踏み込んだ質問をする者はいないし、聞かれたところで古い書類を閲覧しに来たと答えれば何の問題もない。

このビルの正式名称は、東京中央銀行書庫センターといった。いまから三十年ほど前に旧東京第一銀行時代に建てられた老朽化の進む建造物で、地下二階から地上十階までの全フロアが、主に都内支店から持ち込まれる古い書類の保管スペースになっている。

古びたエレベーターが灰谷を七階のフロアへと運び上げると、扉が開いた途端、古い紙独特の匂いに包み込まれた。

そこはまさに、書類の海であった。古く使われていない図書館に迷い込んでしまったような錯覚に陥るのは、あまりにも静かだからだ。足音だけが異様に大きく反響するフロアには、幾重にも並ぶ書架が圧倒的な存在感を放っており、いつ、何度来ても息が詰まりそうになる。

勝手知ったる足取りで、北側の壁の前まで歩いていった灰谷は、ある書架の前に立ち止まると、そこに立てられた札を確認した。保管スペースは、支店毎に区画が割り振られている。

——荻窪西支店《おぎくぼにし》。

近くの壁にもたせかけてあった脚立を広げ、全六段ある書架の最上段にある段ボール箱を抱えて床に降ろした灰谷は、それを開けて中身を取り出してみた。

稟議書を広げ、そこに挟まった書類を確認して異常がないのを確認するのに、さして時間がかかるわけでもない。

続いて段ボール箱の数を数え、それが十三箱、ちゃんとあることを確認すると、わずか十分足らずで、灰谷がここに来た所期の目的は終わった。

入館チェックを通過して再び表に出、ほっと安堵の吐息を洩らした灰谷は、来たときの早足ではなくゆっくりと歩き出す。

保管書類に異常は無かった。

もっとも、半沢のチェックがまさかここまで及ぶはずもないことは、あらかた予想していたことではある。

紀本は用心深いが、その用心深さが、時に灰谷には鬱陶《うっとう》しいこともあった。

「忙しいときに、これだ」

灰谷は、雑踏を歩きながら舌打ちした。その舌打ちが、紀本に対するものか、或いは暑いほどのこの陽気に対するものか、当の灰谷にもよくわからない。おそらくはその両方かも知れない。


その灰谷の姿が交差点の向こうへ見えなくなる頃、事務所奥にいた男はやおらデスクの電話の受話器を取り上げ、そらんじている番号を押した。

「いま、法人部の灰谷ってのが来たんで、その連絡です」

「お、ありがとうよ」

電話の向こうから聞こえてきた男の声は、いつもながら肩の力が抜けていた。「で、どこへ行ったかわかるか？」

「七階でしたね。場所は監視カメラで見てましたから、すぐにご案内できますよ。いつもいらっしゃいます、トミさん」

「これから行くぞ。なんせ今日は暇でな」

富岡はいった。「遅めの昼飯でも行かないか。お返しに奢《おご》るぞ」

「だったら駅前の寿司屋がいいなあ」

男が冗談めかしていうと、

「おいおい、調子に乗るんじゃねえぞ。まあいいや。ちょっと待っててくれや」

富岡との短いやりとりが終わると、ビルの事務所は再び退屈な気配に包み込まれる。

銀行は人と紙でできているといわれてきた。東新宿のこのビルの書類は、保存年限を過ぎると運び出され廃棄される運命にあるが、考えてみればサラリーマンとしての銀行員の運命もまた、それとさして変わりはしない。

8

「おい、半沢。まだ銀行か」

検査部の富岡から半沢の携帯に電話があったのは、仕事がそろそろ一段落しようかという、午後九時過ぎのことであった。

「机にかじりついてますよ」

半沢がこたえると、

「おもしろいものがあるぞ。来てみろや」

電話の向こうはしんと静まりかえっていて、居酒屋でもなければ町の雑踏でもなさそうだ。どこだ、と思った半沢に、

「地下三階のエレベーター前で待ってるから」

と富岡は意外なことをいった。地下三階には、東京中央銀行の書庫がある。呼び出すには意外な場所だが、本当に何かなければ富岡はそこまでいう男ではない。

「いま行きます」

「あのな、半沢――」

電話を切ろうとした半沢に、富岡が一言釘を刺した。「お前ひとりで来い。いいな」

まだほとんどの部下たちが残っている自分のシマを一瞥した半沢は、「了解です」、と告げ、エレベーターに乗り込む。

地上二十階、地下五階という東京中央銀行本館の構造は、防犯上の理由から複雑そのものだ。オフィスフロアを離れ、金庫や書庫といった重要物件を保管するフロアに踏み込めば、迷路のように入り組んだ通路に方向感覚を狂わされるばかりでなく、そこは部外者の進入を阻む様々なセキュリティにも守られている。

オフィスフロアからのエレベーターで地下三階まで行くと、そこに富岡がいて半沢の到着を待っていた。

鍵の束を腰からぶら下げた富岡は、ひょいと右手を上げてみせると、勝手知ったる態度で書庫内に入っていく。両側に立ち並ぶ書架を整然と埋めているのは、各部署が管理している書類の段ボール箱だ。それぞれの箱には部署名と保管期限が記され、一般的な書類なら一定期間ここに保存された後に都内数カ所にある合同書庫へと運び出され、保管期限の経過後断裁、処分されることになる。

地下三階の書庫は、だだっ広い体育館並みのスペースが保管用に供され、圧倒されるほどの閉塞感と静謐に支配されていた。

どこまで行くのか、そのフロアをまっすぐに進んだ富岡は、さらに突き当たりまで進み、そこにある専用エレベーターのボタンの上のフラップを開け、暗証番号を押した。

地下四階は、特に重要と認定された書類が保管されている特別フロアだ。エレベーターの暗証番号は各部署の次長以上にしか知らされていない。ちなみに、地下四階から下、地下五階の役員専用書庫に立ち入れるのは、役員たちと秘書室長のみだ。

地下四階で、富岡は下りた。フロアの明かりを点灯させ、鬱陶しいほどの重圧感で立ち並ぶ書架を抜けて行く富岡は、慣れた足取りでフロアの最深部へと進み、壁際のとある書架の前に立った。

書架には検査部の札がかかっているから、おそらく富岡が管理しているのだろう。

当然、その書架にある保管書類のひとつが目的だろうと、半沢は思った。ところが、そのとき富岡は奇妙な行動に出た。書架のひとつを横へ押し始めたのだ。

半沢が続く言葉を呑み込んだのは、その書架の向こうに出現したドアに気づいたからだった。頑丈な鋼鉄製の扉で、一見、壁の一部にしか見えない。

「隠し部屋、ですか……」

驚いた半沢の前で、富岡が持っていた鍵のひとつを差し込んでその内部に入ると、明かりを点けた。

まぶしいほどに照らし出されたその場所は、十畳ほどのスペースがあるだろうか。

「銀行ってところはさ、検査だなんだと、何かと面倒な書類を隠さなきゃいけないときがあるだろ」

富岡はいった。「お上どころか銀行内部にも知らせたくないトップシークレットのために、この本館ビルを設計したときに当時の経営陣が密かに作らせたらしい。いまはオレが管理していて、この部屋の存在を知っているのは行内に、五人しかいない。もっとも、いまひとり増えたけどな」

茶目っ気のある口調でいった富岡だが、目は笑っていない。

部屋の四囲《しい》にはひときわ頑丈そうな書架が備え付けられていたが、その棚のほとんどは空いていて、床の中央に十箱を超える段ボール箱が積まれているだけだ。

富岡は、その段ボール箱のひとつを開けると、「ほらよ」、と中にあったものをひとつ取り出して半沢に手渡した。

それは、一冊のクレジットファイルだった。旧東京第一銀行のロゴが入った古い紙製ファイルの表紙に、取引先の名前が手書きで入っている。

——箕部啓治。

「お前が捜してたものだろ。中身、確認してみろや」

「どこにあったんですか、これ」

半沢は、驚いてきいた。「最初から、ここに?」

「なわけねえだろ」

富岡は微《かす》かに笑って首を横に振る。「東新宿の合同書庫だよ」

「合同書庫?　よく見つけましたね」

感嘆の表情を浮かべた半沢に、

「お前のおかげでもある」

富岡は意外なことをいった。「お前、法人部の灰谷のところへ行ったって、そういったよな。もし灰谷がそれに関与していたとすれば、クレジットファイルをもう一度確認するんじゃないかと思ったわけだ。それで、都内の合同書庫を信頼できるスジに頼んで見張ってもらった。案の定、そのひとりから、今日の昼過ぎに灰谷が来たと連絡があったんでな」

「それが東新宿の合同書庫だったということですか」

「そういうこと」

うなずいた富岡は、「これを見てみな」、といって段ボール箱の上に置かれた古びた札を半沢に見せた。合同書庫で店毎のスペースを示していたプラスチックのプレートだ。

「荻窪西支店？」

そこに書かれた支店名を口にした半沢は、「この荻窪西支店が管理していたと、そういうことですか」、そう問うた。

「違うね」

富岡は首を横に振った。「オレも長く検査部にいるんでいろんな支店を知ってる。荻窪支店なら旧産業中央にも旧東京第一にも存在していたが、荻窪西支店という店は、どっちにもなかったし、今もない。どういうことか、わかるよな」

「架空の店、か」

事情を呑み込み、半沢はつぶやいた。「なかなか、洒落たことをするじゃないですか」

「存在しない店の保管スペースにあったのがこの書類よ。全部で十三個。予想通り、ヤバい融資ばかりだ」

「旧Tの問題貸し出し、ですか」

半沢は、積み上げられた箱へ顔を向ける。

「全部暴露すれば、銀行の信用が月まで吹っ飛ぶだろうよ」

冗談めかしてはいるが、富岡は悲しそうな目になった。「一般企業への融資に見せかけた広域暴力団への巨額融資、迂回《うかい》融資や役員が絡んだ浮き貸し、一流企業役員から頼まれた愛人への手切れ金、株のインサイダー取引。それに、政治家への情実融資――」

そういって富岡は、半沢の手の中にあるクレジットファイルを指さす。「中身を見てみろよ」

捜していた稟議書はすぐに見つかった。

十五年前に実行された二十億円の融資だ。担当者は灰谷、上席の捺印欄には紀本が捺印し、当時の役員までの承認印がある。

「担当者のメモがあるだろ。それを読めば、この融資の全貌がわかる」

富岡の指摘通り、手書きのメモが挟まっていた。

作成者は、灰谷だ。

一読した半沢は、深々と息を吸い込み、そして吐き出した。

「ま、そういうことだ」

富岡はいい、気の毒なものでも見る目で半沢を見た。「さて、どうする？」

「とりあえず、ここに記された事実を確認します」

「そうだな。それと真相が明らかになるまで、このことは我々だけの内に収めておいたほうがいいだろうな。わかっていると思うが」

富岡はいうと、「そうそう。そのファイルには、振込依頼書のコピーも綴《と》じられてるぞ」、といった。「箕部が二十億を振り込んだのは、舞橋ステートって会社だ」

「ちょっと待ってください。舞橋……？」

その社名に半沢はふと、顔を上げる。

「心当たりあるのか」

「ええ、ちょっと」

振込依頼書のコピーを見つけた半沢は、そこに記された会社名を凝視した。「これ、帝国航空の関連会社が取引している会社ですよ。もっとも、それを指摘したのは——金融庁の黒崎ですが」

「黒崎が？」

富岡は眉を上げて驚きを顔に出すと、「詳しく話してくれ」、と半沢に続きを促した。

「先日の金融庁のヒアリングで、帝国航空の関連会社について検討しているときに、黒崎がこの舞橋ステートに言及したんです」

金融庁とのやりとりを語って聞かせると、

「なるほど。しかし、金融庁にしては、指摘が細か過ぎないか」

率直な感想を富岡は口にした。

「まさに重箱の隅をつつくような指摘ですよ。調べさせたのですが、ウチの舞橋支社でも取引がありました。財務状況は特に問題なしという結論で、金融庁にはそのまま報告してあります」

黙って聞いた富岡は、「本当のところ、どうなんだろうな」、と訝《いぶか》しんだ。

「本当のところ、とは？」

「帝国航空がいかに重要な取引先といっても、金融庁サマが、関連会社のさらにその取引先を名指しで指摘するというのは、不自然じゃないか」

「あのときは黒崎の悪意としか考えてませんでしたが」半沢はこたえた。

「だけども、また別の考え方もできるんじゃないか」

富岡は意味ありげにいった。

「別の考え方、ですか」

「もしかして黒崎は、箕部がこの舞橋ステートと関係があることを知っていた、とか」

予想外の話に、半沢はそっと息を呑んだ。

「知っていて、暗に、我々に指摘してみせたと？」

「箕部への——、いや進政党への仕返しの意味があったのかも知れないぜ。うがち過ぎかも知れねえけども」

富岡はいった。「あの金融庁のヒアリングは、国交大臣である白井の要求を呑んで行われたものだ。金融庁からしてみれば、メンツを潰されたも同然じゃないか。縦割り意識の染みついた霞が関で、無関係な国交省の意向で動かされたんだ。しかも、その後、金融庁が出すことになった意見書には、『航空行政への影響の再検討』という一文まで盛り込まれた。これは金融庁の役人にとって不愉快極まりないだろうな。黒崎が、進政党政権のそういうやり方に、一矢《いっし》を報いようとした、とは考えられないか」

思いがけない——だが考えられなくはない指摘である。

金融庁にとって、巨額の債権放棄を認めることは、金融システムを保全するために尽力してきた自らの努力を踏みにじるに等しい。それに黒崎が強く反発したとしてもおかしくはない。

「だとすると、黒崎はどこかで舞橋ステートの情報を得ていたことになります」

「あの男は、検査官としてあちこちの銀行に出向いてるはずだ。どっかの銀行への検査を通じて、舞橋ステートについての裏情報を得ていた可能性はあるよな」

「わかりました。とりあえず、調べてみますよ」

こたえた半沢は深い吐息を洩らすと、改めて段ボール箱の山に視線を向けた。「それにしても、トミさん、この問題貸し出し、どうするつもりですか」

「さて、どうしたもんかな」

富岡は呑気な口調になっていった。「それはこれからゆっくりと考えさせてもらうさ。だが半沢、箕部啓治の件については帝国航空がらみだ。お前に任せた。いいな」

「わかりました」

半沢はこたえ、今再び、ファイルに綴じられた灰谷のメモに見入った。「これが明るみに出れば、いよいよ紀本さんも終わりでしょうね」

すると、

「そうかな」

富岡から意外な反応があった。「その灰谷のメモをよく見てみな」

意図が掴めないままもう一度、メモを見た半沢に、富岡は続ける。

「紀本の閲覧印なんて、どこにも無いぜ」

たしかに、その通りだ。

「用心深い野郎だな、あの紀本って男は。それなら、真相は知らなかったとしらばっくれることもできる」

厳しい眼差しになって富岡はいった。「まずは舞橋ステートを当たってみろや。どこかに突破口があるはずだ」

第六章　隠蔽《いんぺい》ゲーム

1

羽田から、一時間ほどのフライトであった。

帝国航空機内は、空席が気になることを除けば、快適そのものといっていいだろう。

まさしく定時運航で、午前九時過ぎに舞橋空港のゲートから出た半沢と田島のふたりは、空港バスに乗り継ぎ、そこから三十分ほどの舞橋市内へと向かった。

市街地の中心にある市役所前で下車し、そこからほど近い舞橋支社の二階に上がって来意を告げると、すぐにフロア奥にあるデスクから、見覚えのある男が立ち上がってきた。支社長の深尾《ふかお》である。

深尾とは、かつてあるプロジェクトで一緒だったことがあった。派手さはないが手堅い仕事ぶりが印象的な男だ。

「お待ちしてました。どうぞどうぞ」

人柄そのものの温厚な笑顔を浮かべ、半沢たちを応接室を兼ねた支社長室へと招き入れてくれる。

「聞きましたよ、半沢さん。帝国航空、大変でしょう。なにせ、リーダーがあの乃原弁護士ですからね」

深尾の意外な一言に、

「ご存じなんですか」

半沢は少々驚いてきいた。

「私もこっちは長いんですが、以前、舞橋交通っていう地元企業が破綻したことがありましてね。乃原弁護士は、破綻の一年ほど前から舞橋交通の顧問弁護士になって、破綻するまでに会社や社長個人の財産をうまいこと移し替えてたんですわ。たしかに豪腕なのかも知れませんがね、こっちでは悪評芬々《ふんぷん》でしたよ」

初耳だが、債権回収の現場でのし上がってきた乃原なら、考えられないことはない。債権者にとっては憎き相手でも、クライアントの舞橋交通からすれば、これほど頼りになる弁護士もいなかったろう。

「ところで舞橋ステートについて、お調べになりたいという話でしたね」

深尾には事前に用向きは話してある。「半沢さんが、わざわざお越しになるとは何か問題でもありましたか」

「金融庁のヒアリングで問題になりまして」

深尾は表情を強ばらせた。旧Tの問題貸し出しのこと、さらに、地下書庫で見たメモの詳細については、富岡から言われたこともあって伏せている。田島にも詳細までは伝えていない。

「わかりました。少々お待ちください」

そういって部屋を出、すぐにひとりの若手行員を伴って戻ってきた。三十歳前後の長身の男である。

「舞橋ステートを担当しています、江口《えぐち》です」

人の好《よ》さそうな顔で一礼した江口は、小脇に抱えてきた舞橋ステートのクレジットファイルを差し出した。

最初に開いたのは会社概要表だ。舞橋ステートは、舞橋市に本社を置く、昭和三年創業の老舗不動産業者であった。従業員八百名。年商約七百五十億円、当期利益三億五千万円。同市内の会社としては有数の規模である。

「もちろん、ウチでも指折りの取引先です。社長の野川《のがわ》さんは、舞橋経済界の顔役みたいなものですし」

「進政党の箕部代議士はもちろん知っていると思うが、この会社と何らかの関係があるんだろうか」

半沢がきくと、「野川社長は、箕部さんの甥に当たるんです」、という案の定の返事があった。

「ちょっと調べてもらいたいことがあるんですが」

田島が体を乗り出す。「十五年前に、箕部代議士からこの舞橋ステートに二十億円の資金が振り込まれてるんです。その話はご存じでしたか」

「いえ」

江口は首を横に振る。「初耳ですね」

「申し訳ないが、できればその当時の、財務資料を確認したい」

半沢がいった。「二十億円の資金が何に使われたか、それが知りたいんだ」

経理書類にも法律で決められた保管期限はあるが、事業会社の場合は、古い書類まで保管しているケースが多い。

「ちょうどいま融資をお願いされているんで、稟議を書くのに過去の決算を参考のために見せて欲しいといえば、特に問題はないと思います。同社との関係は良好ですし。もし書類がなかったら、直接社長にでも訊いてみましょう。それでいいですか」

「忙しいところ申し訳ない」

半沢が小さく頭を下げると、

「お役に立てるのでしたら。よろしいですね、支社長」

深尾の快諾を得て、江口と三人で早速舞橋支社を出た。徒歩五分という近距離のため、業務用車には乗る必要もない。舞橋ステートの本社屋は十五階建ての小綺麗なビルで、一階の営業所を除いて、十階までを大手企業の出先機関に賃貸し、十一階から最上階までが同社のフロアになっていた。

入り口で江口と別れ、半沢と田島は、近くに見つけた喫茶店に入って待つ。社屋に消えた江口が戻ってきたのは、小一時間ほどしてからだ。

「お待たせしました」

喫茶店に入ってきた江口は舞橋ステートのネームの入った手提げ袋を持っていた。「古い書類が書庫に入ってしまっていて、捜すのに手間取りました。これでよろしいでしょうか」

「ありがたい。残ってたか」

袋から出したのは箕部に対して二十億円の融資が実行された前後三年分の決算書であった。江口はさらに気を利かせて、それから五年間分の決算書のコピーまで揃えている。いい仕事ぶりだった。早速、舞橋支社に戻り、深尾の厚意で借りた支社の会議室で広げてみる。

「さっき貸借対照表は確認したんですが、箕部さんからの二十億円は、借入金として計上されているようです」

決算書を並べながら、江口がいった。

貸借対照表とは、会社が持っている資産と負債の一覧表である。これを見ると、その会社がどんな資産をいくら所有し、一方でどんな負債があるのかもひと目でわかる。日本の企業の多くは三月を決算月としているが、舞橋ステートもその例外ではなかった。

「ありました。これですね」

田島が指さした借入金明細に、目指す名前が記載されていた。

借入先、箕部啓治。金額は、二十億円。

借入日は、旧東京第一銀行が融資した日と一致している。

担当者の江口が精査したところによると、十五年前に記載された箕部からの借入金二十億円は、その後の決算でもずっと残り、返済によって消えるのはようやく五年後になってからであった。

「この資金使途、わかりませんか」田島がきいた。

「さっき、経理担当者にそれとなくきいてみたところでは、運転資金として借りたといってましたけど」

　江口の証言に、

「運転資金、か」

　田島は困ったようにいった。一口に運転資金といっても実際の使い途《みち》は様々だ。「いずれにせよ、旧Tからマンション建設名目で借りたカネを、そっくりそのまま舞橋ステートに転貸したってことですか」

「当時、赤字だったんで、銀行融資が厳しくて困っていたらしいんです。そんなときに、箕部さんがぽんと二十億円貸してくれて助かったと聞きました」

　たしかに、当時の舞橋ステートは赤字を計上していた。バブル崩壊後で、不動産会社が軒並み苦戦していた時期とも重なる。

「あり得ないな」

　田島が黙って半沢に視線を向けた。信じますか？　そう問うている目だ。

　静かな口調で、半沢は断じた。

「なぜですか」

「君なら、貸すか」

　半沢は、問うた江口にきき返した。「この決算書を見ればわかる通り、当時の舞橋ステートは、減収減益のジリ貧状態だった。いくら甥が経営しているとはいえ、こんな会社に二十億円もの資金を融資する奴はいない。もし、会社が倒産してみろ、二十億円を自分でかぶらなきゃならなくなるんだぞ。まともな奴なら、そんなリスクを負うはずがない」

「たしかに……」

江口がぽつりとつぶやく。

「とはいえ、実際に箕部は二十億円もの資金を、この会社に貸し付けています」

わけがわからない、という顔で田島が指摘した。「なぜだと思いますか」

「考えられることは、そう多くはない」

半沢はいった。「箕部啓治がよほどのお人好しか、舞橋ステートの社長に致命的な弱みを握られていたか、それとも——儲け話があったか」

最後のひと言で、田島と江口が揃って顔を上げた。

半沢は決算書の中身を精査しながら、

「なあ、江口くん。この決算書は、なかなかよくできてるな」

といった。

意味がわからず、ぽかんとした江口に、「その年々に仕入れた土地の明細まで付属している。たとえば箕部が二十億円を貸し付けた年の八月に購入したこの大量の土地——」、半沢はそこに記された番地を読み上げた。

「地図を持ってきてくれるか。できるだけ古いもの——この当時のものがあればベストだが」

部屋を出ていった江口が、すぐに銀行備え付けの地図を持って戻ってきた。日に焼けた古い地図を、半沢は会議室のテーブルの上に広げる。

「この会社は住宅販売がメーンだったな。あった。ここだ」

指し示したのは、近くに道路もない山林に近い場所だ。「この年、舞橋ステートはこのあたりの土地をまとめて仕入れている。団地でも造ったのかな？　念のため、現在の地図で見てみると――」

江口の顔色が変わるのがわかった。

新しく広げた舞橋市の地図を覗き込んだ田島から、あっ、という声が洩れたのも同時だ。かつて林野だった場所は開発され、いまそこには新たな建造物が建っている。

「舞橋空港、か――」

ぽつりと田島がつぶやき、驚愕の眼差しを半沢に向けた。

2

「つまり何か、舞橋ステートが当時仕入れた土地っていうのは、空港建設予定地だったたってことか」

神宮前にある馴染みの焼き鳥屋で、渡真利は声を潜めた。

午後九時を過ぎて、コの字形に設置された白木のカウンターは客で賑わっている。一杯目の生ビールのグラスを空にして、半沢はいつもの栗焼酎をロックで飲んでいた。

「いや、正確にいうとまだ予定地でもなかった」

半沢はこたえた。「当時は空港建設の話が持ち上がった頃で、賛成派と反対派がせめぎ合っていたんだ。ところが翌年の市長選で箕部らが応援した空港賛成派の候補が当選し、一気に空港建設に突き進むことになった。空港建設予定地が発表されたのは、その後の話だ。とはいえ、その市長選で賛成派が圧勝するのはおおかたの予想通りだったらしい」

「票を読んで、自分が購入した土地に空港を誘致したってわけか」

渡真利はうんざりした口調でいった。「腐った錬金術だな」

「仕入れた土地が高値で売れたことで、舞橋ステートはV字回復を遂げた。要するに、大儲けしたわけさ。借入金を一掃し、潤沢な利益で急速に業容を拡大、さらに、この十年で帝国航空関連会社との取引を得て、舞橋市内でも指折りの不動産業者になった。どうせその取引にも箕部が絡んでるんだろうがな」

半沢の説明に、渡真利が見せた呆《ほう》けたような表情は、日本の政治に対するある種の諦観《ていかん》を見事に表している。

「いくら建設予定地になるとわかっていても、箕部本人が土地を買うわけにはいかない。舞橋ステートはそのための隠れ蓑《みの》になって箕部の錬金術に協力し、同社もまたそれによって危機を脱したということか。しかしこれって――」

ふいに渡真利は厳しい目になる。

「スキャンダルになる」

半沢は静かに一点を見据えて、断言した。「カネと政治の関係を断ち切るクリーンなイメージで圧勝した進政党だ。もしこのことが明るみに出れば、世論のバッシングを浴びるだろう。そうなれば、憲民党に嫌気が差して進政党に投票した国民のほとんどが、騙された、と思うだろうな。旧Tの連中は、カネが何に使われるか、最初からわかっていながら融資したんだ」

「だから、連中はこの貸し出しをひた隠しにしているわけか」

渡真利はようやく納得した様子でうなずく。

「政治とカネの問題に、旧東京第一銀行が絡んでいたとなれば、銀行にとっても信用問題だ。箕部との関係を考えても、伏せておくに越したことはない」

「頭痛がしてきたぞ、半沢」

渡真利は、人差し指で額を強く押しながら、考えを整理している。

「旧東京第一の連中がこの融資を隠蔽したい理由はわかった。紀本さんが部長としてその融資を承認していたことも紀本さんにとってはマイナスだろう。だけどさ、紀本さんと箕部啓治が親密だから、タスクフォースの債権放棄に賛成するというのは、どうにも結びつかない気がするんだよな。いくら親しいからって、五百億円もの損失と釣り合わないだろう」

「オレもそう思う」

半沢は真剣な顔で頷いた。「だから、紀本さんが債権放棄に前向きだったのは、箕部との関係以外の別の理由があるんじゃないかという気がする」

「別の理由ねえ」

考えを巡らせながら、渡真利はつぶやいた。「たとえば、箕部から他の儲け話がもらえそうだとか？」

「五百億も儲かる話なんて、あるわけがない」半沢は軽く退けた。

「じゃあ、なんだ」

渡真利が問うと、半沢はもうもうと煙る店内の一点を凝視して、いった。

「この話、乃原も知ってたんじゃないか」

「どういうこった、そりゃ」
驚いた顔で、渡真利がきいた。「どういうこった、そりゃ」

「この融資は、いわば箕部と旧東京第一銀行の連中との秘密だ。だが、こうしたスキャンダルを乃原も知っていたとすればどうだ。そして乃原は、その話をネタにして紀本さんに債権放棄に賛成するよう働きかけた。そう考えれば、今までの乃原の態度や紀本さんの対応も平仄《ひょうそく》が合う」

「考えられなくは、ないな。だけどさ、半沢。だとすると、どうやって乃原はネタを仕入れたんだ？」

渡真利の疑問に、半沢は仮説の続きを口にした。

「乃原は舞橋交通という、破綻した地元企業の顧問弁護士だった。何かの機会に箕部の土地買収話を耳に入れたとしてもおかしくはない。乃原だけじゃない。もしかすると、金融庁の黒崎も情報を得ていたかも知れない」

「黒崎が？」

渡真利はふいに真剣な眼差しを半沢に向けた。「どうする、半沢。この事実を旧Tの連中に突きつけるつもりか」

「これを暴くのなら、それなりの覚悟がいる」

半沢は決然としていった。

「覚悟ねえ」

渡真利は、いった。「いったい誰の覚悟だよ。紀本さんのか、それともお前のか」

「いいや」

半沢は首を横に振った。

「中野渡頭取の覚悟だ」

渡真利の目が見開かれ、言葉は呑み込まれたまましばし出てはこなかった。

3

「お忙しい中野渡頭取に、わざわざお時間を頂戴して恐縮ですねえ」

指定された銀座のイタリアンの店へ行くと、先に来ていた乃原は、愛想のいい笑顔で迎え入れた。

「帝国航空の件では何かとお世話になりました」

儀礼的な挨拶を口にした中野渡に、

「いや、こちらこそ。ただ、まだこれからですから」

乃原は鷹揚な態度で応じたが、細められた目には何を考えているのかわからない得体の知れなさが漂っている。

「お酒は何を飲まれますか。ビール、スプマンテ、ワインの赤、白。それともシェリーとかにしますか」

ドリンクメニューを開きながら好みをきく乃原に、

「いやいや。ノンアルコールビールをいただきます」

中野渡は辞退した。「この後、もうひとつ打ち合わせをしなければならないので。最近は、昔と違って一般行員より頭取のほうが忙しい」

「おもしろいことをおっしゃる」

にこりともせずにいった乃原は、リクエスト通りのノンアルコールビールと、自分のためにスプマンテを頼んだ。

前菜は、季節の魚のカルパッチョと野菜の盛り合わせだ。

コースはあらかじめ乃原がオーダーしていたらしい。構えからして高級な店らしいが、個性のない料理だった。また、乃原という男が、食事には何の興味もないことも、その食べ方を見れば一目瞭然であった。興醒めだが、乃原とゆっくりと食事を愉しもうとは、最初から中野渡も思っていない。

「それにしても、乃原さんからこうしてお誘いをいただくとは、正直、意外でしたな。何かお話があるのではありませんか」

なかなか本題を切り出さない乃原に、ついに中野渡が口火を切ったのは、パスタが終わり、メーンの魚料理が運ばれてきた頃である。そして乃原が断りもなく何本目かのタバコを箱から抜く様に、冷ややかな眼差しを向けた。

中野渡は、タバコを吸わない。吸わない相手の前で、しかも個室で喫煙する乃原の無神経さは気に障る。だが、このとき中野渡はそっと眉を顰《ひそ》めただけでそれを口にすることはしなかった。

「いまから二年ほど前のことになりますが、舞橋市内にある会社の破綻処理を手がけたことがありましてね」

乃原はおもむろに語り出した。「傘下にバス会社とタクシー会社を持った舞橋交通という会社で、社長は地元財界の有力者でした。ご当地出身の箕部啓治の後援会会長を務めていたほどの人物ですよ。舞橋交通という社名は、聞いたことはありませんか」

「いや。ありませんな」中野渡は、素っ気なくこたえる。

「そうですか。実はこの会社の破綻の余波で、第二地銀の舞橋銀行が破綻しました。それなら覚えていらっしゃるでしょう」

　知っている。だが、中野渡は黙って話を促した。「そのとき、破綻処理を進めていた私は、当地の財界関係者からおもしろい話を聞きました。ある銀行が、マンション建設資金名目で箕部啓治に二十億円を融資した。しかし、そのカネはマンションのためにではなく、舞橋市内の林野を購入する資金に充《あ》てられたんだそうですよ。その林野は、その後舞橋空港の建設地となり、箕部は莫大な土地売買収益金を手にした。いかがですか」

　乃原は、感情の読めない面差しを中野渡に向けている。

　果たして、乃原は何をいわんとしているのだろうか。いま、乃原の表情の中で、不気味な笑みが広がり始めた。

「一般的に、融資を申し込んだときの資金使途とは違う目的にカネを使えば問題になる。ところが、その銀行ではそうならなかった。なぜなら、最初っから、箕部が空港予定地になるだろう土地を買って大儲けを企んでいたことを知っていたからなんだそうです。銀行が、政治家の薄汚れた金儲けに手を貸すとは感心しませんな、頭取」

　中野渡はすぐには言葉を発しなかった。

　乃原は、銀行名を口にはしていない。だが、それがどこの銀行であるかは、もはや問うまでもない。

眉間に縦皺を刻んだ中野渡を、乃原は正視している。そして、

「それが事実なら――」

いいさした中野渡を、

「事実なんですよ、残念ながら」

乃原は横柄に遮った。「これが世の中に知れたら、おもしろいことになるでしょうね。値上がりを期待した空港予定地を買いあさるために、常識を遥かに超える巨額資金を、しかも無担保で貸し付けたんだから。貸し付けた相手は、進政党の箕部啓治だ。政治とカネの問題、モラルの欠片もない銀行と政治家の癒着。これにはきっとマスコミも飛びつくでしょう」

乃原の目が、爛《ただ》れた熱を帯び始めている。場違いな笑みを浮かべてみせているその視線は、中野渡の心中にまで分け入ってくるかのようだ。

「いったい、何をおっしゃりたいのかな」

その視線を拒むように、中野渡がいった。

「銀行としては、こんな醜聞を世の中に曝《さら》したくはないはずだ」

乃原は、まともにこたえることなく続ける。「場合によっては、頭取の引責辞任も有り得る。銀行の信用も地に墜ちるでしょう。それでいいんですか?」

にやりとして、乃原は中野渡の目を覗き込んだ。「いいわけがないですよねえ。そんなことなら、我々タスクフォースに協力していただいて、世の中に恩返しをされたほうがよろしいんじゃないですか」

「いまさら債権放棄を受け入れろと、そうおっしゃるのか」

中野渡が尋ねると、乃原の顔から笑みが抜け落ち、鋭い眼光が放たれた。

「どちらが、世の中のためになるかということですよ、頭取。スキャンダルなど表沙汰になったところで、誰の得にもならない。伏せておくべきは伏せる。これこそ世の中が幸せになる法則だと思いませんか」

中野渡は、相手を凝視したまま押し黙った。

「スキャンダルか、債権放棄か。どっちが得か、よく考えてみましょう」

乃原はおどけた調子でいった。「ま、すぐには返事ができないでしょうから、一旦お持ち帰りください。重要なことですから、しっかりお考えになったほうがいい」

「乃原さん」

中野渡は、膝にかけたナプキンをとって口元を拭った。「お言葉ですが、そんな話でしたら持ち帰る必要はありません。いまここではっきり申し上げておく。帝国航空の債権放棄は、見送らせていただいた。これは、当行での正式決定です」

「ほう。それは残念ですねえ」

中野渡に向けた視線を、ぴくりとも外そうとせず、乃原はいった。「後悔しても知りませんよ、頭取。もしかしたら、あなたはもう頭取でいられなくなるかも知れない」

「地位に恋々《れんれん》とするつもりはありません」

中野渡は、きっぱりとこたえた。「もし当行の過去における融資に問題があったのなら、調査した上で謝罪する覚悟です。だが、そのことと帝国航空に対する与信判断とは、まったく別の問題だ。それを同一に語ることはできません」

「そのふたつが本当にかけ離れた問題だと、お思いですか」

乃原は、見下したようにいった。「どちらも、ひとつの銀行で起きていることです。舞橋空港は、帝国航空の定期便が飛ぶことを前提として民意を得、建設された。金儲けのために帝国航空を利用した銀行が、カネを惜しんで帝国航空救済を拒む。国民からすれば、随分と虫のいい話に聞こえるでしょうなあ」

「乃原さん。どうやら、我々はお互いに、考えるところが違うようだ」

中野渡は、落ち着き払った態度で、そういった。「ここでこれ以上、お話しすることもないでしょう。食事の途中だが、どうも私はタバコが苦手でね。このあたりで失礼させていただきますよ」

やおら立ち上がった中野渡は、個室を後にしようとする。その背中に向かって、

「行員たちも同じ意見なんですか」

乃原が声をかけた。「旧Tの連中は、さぞかしあなたを恨むでしょう。外部の調査委員会に銀行内をかき回され、銀行の信用は地に墜ちる。あなたは地位に恋々としないとおっしゃった。だが、行員たちはどうだろう。あなたが辞めた後も彼らは残り、その負のイメージを背負っていかなければならない。行内融和は、口だけですか」

返事はない。だが、中野渡の頬が強ばっているのを、乃原は見逃さなかった。

「理想と現実は違います、頭取。スジ論だけで切り抜けられる現実ばかりではないことぐらい、一流のバンカーであり、経営者であるあなたが一番よくご存じでしょう。銀行の将来を左右する

問題だ。少し時間をおいてお考えになったらどうです。──一週間後の午後五時」

乃原は、一方的に期限を切った。「帝国航空のタスクフォース本部においでいただきたい。そこでご意見を伺いましょう。いかがですか」

下卑《げび》た笑いを表情に滲ませながら、乃原は新たなタバコを唇にくわえる。「あなたの判断をきいてるのではない。私が今一度問うているのは、銀行の判断です」

何秒かの間が、挟まった。

「承知した──伺いましょう」

背中を向けたまま中野渡はこたえ、会食は予定外の終焉《しゅうえん》を迎えた。


呼び出しを受けた三国がその店に行くと、すでに乃原は来ていて、灰皿には吸い殻の山ができていた。

L字形になった長いカウンターを持つ店だ。時間が早いせいか、そこにとまっている客はまだ五人に満たない。午後九時を回ったところである。

「早かったじゃないですか。中野渡との会食はもう終わったんですか」

空いている隣の席にかけながらきくと、「来週、返事をもらうことになった」、そう乃原はいい、会食でのやりとりを語ってきかせた。

「債権放棄に応じますかね、中野渡が」

三国が問うと、

「スジを違えた者に、スジ論を主張する資格なんかあるもんか」

乃原は、琥珀《こはく》色の照明に沈んだボトルたちを睨み付けた。「そのことを、中野渡は誰よりもわかっている」

「債権放棄の見送りよりもスキャンダル隠蔽を取る、と」

「銀行が最も恐れるのは、信用の失墜だ」

乃原は断ずる。「五百億円の債権放棄なら、大義名分はいくらでも立つが、スキャンダルは違う。信用というのはな、得るためには何年、何十年という時間がかかるが、失うときはほんの一瞬だ。そして、一度傷ついた看板は、なかなか元に戻らない」

乃原は、新たなタバコに点火し、口から煙を吐き出した。「強硬な態度をとってみても、スキャンダルが表沙汰になったときの衝撃は計り知れない。五百億円の債権放棄のほうが余程、マシだと思うだろうさ。そのぐらいのことがわからないはずはない」

「なるほど」

うなずいた三国は、少し考えて、続けた。「しかし、もし——もし、中野渡がこの提案を拒絶したら、そのときはどうしますか」

返事はない。

指先から立ち上り、無秩序に攪拌《かくはん》されていく紫煙《しえん》を乃原は見ているが、その焦点はどこか別のところに合っていた。

どれぐらいそうしていたか、

「そのときには、愉快なことになるだろうな」

低いつぶやくような笑いとともに、歪み切った悦楽の色が乃原の瞳に広がる。

「東京中央銀行も進政党も、スキャンダルに塗《まみ》れて非難の的になるだろう。新政権への国民の期待は完全に裏切られ、箕部も白井も、得意の絶頂から失意のどん底へ転げ落ちる」

「しかし、それでは我々も一蓮托生《いちれんたくしょう》ということになりませんか」

不安な顔をのぞかせた三国に、「まさか。我々はむしろ被害者だぞ」、と乃原は乾いた笑いを吐き出した。「白井大臣の勇み足に無理矢理付き合わされた挙げ句、自行の利益を最優先した身勝手な銀行のために、目指す公共の利益が踏みにじられたんだ。我々タスクフォースは、最善の努力をしたにもかかわらず、愚か者どもの壁に阻まれ、その努力と献身は報われることなく悲劇のうちに幕を閉じる――」

冗談とも本気ともつかぬ口調でいった乃原は、ふいに怒りの形相で吐き捨てた。「どいつもこいつも、バカばっかりだ」

脂の浮いた浅黒い皮膚がてらてらと輝き、乃原の眼窩《がんか》の奥に煮え滾《たぎ》った瞳が光っている。その怒気の激しさに刹那《せつな》、気後れしたように言葉を呑んだ三国は、

「そうならないといいですね」

そうこたえるのがやっとだった。

4

「常務。申し訳ございません」

多忙な一日であった。打ち合わせの合間にできた隙間のような時間にアポをねじ込んできたと

思ったら、灰谷は、真っ青な顔で執務室に駆け入ってくるなり、深々と頭を下げた。ただならぬ事態が起きたらしいことは、その態度でわかる。

「どうした」

老眼鏡をかけ、手元の書類に顔を向けたまま、紀本は動揺している部下を上目で見つめた。

「実はその——」

灰谷は、焦りも露わにごくりと生唾を飲み込んだ。「午前中、私のところに行内便でこれが送られてきまして」

差し出したのは、荻窪西支店と書かれた一枚のプラスチック・プレートだった。

ひと目見て、紀本は灰谷の用向きを理解した。

「慌てて合同書庫を確認したところ、管理資料が全て、見当たらなくなっておりました」

あまりにも唐突な言葉が、灰谷から洩れた。「捜したんですが、どこにも見当たりません。先日、様子を見に行ったときは確かにあったんですが」

ふたりの間に、ほんの僅かな沈黙が挟まったのも束の間、紀本のメガネがぎらりと光を放った。その目の色がたちまちにして変わり、

「どういうことなんだ、それは」

抑えられた怒声が、部屋の空気を振動させた。「ちゃんと捜したのか」

「さ、捜しました」

灰谷は震え上がった。白髪の混じった短髪は、枯れ果てた雑草に見える。「周辺も捜しましたし、誰かが勘違いして移動させたことも考えてフロア中を捜し回ったのですが、見つかりません」

「なぜだ」

「わからないんです」

いまや、灰谷は、泣き出さんばかりだ。「なんで、こんなことになったのか――」

「入館チェックの記録は見たのか」

すかさず、紀本は実務的な質問を放った。「いや、そもそもこのプレートはどこから送られてきた。行内便なら発信部署が書いてあるはずだ」

「検査部となっていました」

「検査部？」

その言葉の意味を問うように、紀本は、灰谷を見据える。「検査部の誰だ」

「名前は、ありませんでした。ただ、入館チェックリストで、先日私が見に行った日から今日までに合同書庫に出入りした者をチェックしたところ、約一名――」

ごくりと、灰谷は、生唾を飲み込んだ。「富岡という男が入館してました」

「富岡？」

「検査部第二グループ、部長代理の富岡義則です」

「旧Sか」

「はい」

穴の空くほど灰谷を見やり、両手を腰に当てて天井を仰ぐ。

「なんであの場所がわかった」

紀本は当然の疑問を口にしたが、灰谷はぶるっと首を横に振る。

「わかりません。もしかしたら偶然見つけて――」

「だったら、何でこれがお前のところに送られてくる。知ってるんだよ、その男は」

プラスチックのプレートを指して、紀本はいった。偶然を、紀本は信じない。結果には必ず原因があるはずだ。

いま、目を血走らせた紀本は、込み上げてきた怒りに声を上げた。

「その富岡という男に当たって白状させろ」

「あ、あの、どうすれば――」

動揺する灰谷に、「そんなことは自分で考えろ！」、紀本は吠えた。「後をつけるなり、弱みを握るなり、なんでもいい。とにかく資料を見つけ出せ。わかったか」

その最後の言葉を言い終わらないうちにドアが開き、秘書が顔を出した。次の予定を知らせに来たらしいが、思いがけない紀本の激昂に面食らって立ち尽くしている。

「いま行く」

その秘書に告げた紀本は、上着に袖を通しながら灰谷に念を押した。「お前が管理している書類だ。お前の責任で必ずやり遂げろ。いいな」

後に残された灰谷は茫然《ぼうぜん》と立ち尽くし、ひとり唇を噛んだ。

5

紀本の元を辞去した灰谷が思案の末に連絡をしたのは、人事部の木原修也《きはらしゅうや》だった。木原は、灰谷の同窓同期で、学生時代から付き合いのある男だ。

「ちょっと、相談に乗ってもらいたいことがある。忙しいところ申し訳ないが、そっちで話せないか」

法人部内では、誰の目があるかわからない。エレベーターで直接、人事部に向かった灰谷は、木原とともにフロア奥の応接室に入った。

「検査部の富岡って知ってるか」

「名前は聞いたことがある」

木原の担当は、人事部の〝高齢者対策〟。つまり、五十歳前後になって出向待ちをしている行員たちに、第二の人生ともいえる出向先をアレンジすることであった。

東京中央銀行に限ったことではないが、定年まで銀行で過ごす銀行員はほとんどいない。同期入行の誰かが役員になった途端、セレクションに洩れたその他の行員たちに待っているのは、出向の運命だ。

かつて銀行員の出向先といえば、関連会社や優良取引先など、他業態からすれば優雅なものであったが、それもいまとなっては昔の話である。

バブル時代の大量採用。さらにかつて十三行あった都市銀行が合併に次ぐ合併によって集約されていった現在、ひとつの銀行で出向者の数は膨大なものになる。その全員に優良先が割り振られるわけがなく、いまや中小零細企業であろうと出向先があるだけマシ。まずは銀行の関連会社に出向し、飼い殺し同然の扱いを受けながら新たな出向の順番待ちの列に加わる者も少なくない。また、役員クラスや支社長など、上級職まで経験した行員と、そこまで昇り切れなかった者とでは、出向先から年金額に至るまで、天と地ほどの差が出る。

そうした不満や未練を抱えている五十歳前後の行員たちの面倒を見ている木原の頭には、その予備軍も含め、膨大な人事データが詰まっていた。

「どういう男だ」灰谷はきいた。

「正確に知りたいか」

「できれば」

そうこたえると、「理由は」、と木原は問うてきた。

いくら友人とはいえ、理由もなく行員の人事情報を洩らしていいわけはない。木原が秘密保持に気を遣うのは当然だ。

「この富岡という男が絡んだことで、困った問題が起きた。いまは詳しくは話せないし、お前も知らないほうがいいと思うからいわないが、旧Tの威信に関わる問題だ。実は紀本常務から直々に対処するようにいわれているんだが、まず相手のことを知らないことにはなんともならない」

灰谷の話を聞きながら、木原は持ってきたノートパソコンを操作し始めた。紀本の名前を聞いて協力する気になったらしい。

「西南《せいなん》大学卒。〝池袋《いけぶくろ》〟を振り出しに、〝深川《ふかがわ》〟で役職になってるな。その後同期トップで四谷《よつや》支社の融資課長。その後――」

画面を見つめる木原の言葉が止まり、目だけが文字を追っている。

「合併後に転勤した大塚《おおつか》支社での融資課長時代に、大口の倒産騒ぎが起きてる。そこで、部下の担保設定にミスがあったことが判明して、富岡の責任が問われた。融資額七十億円のうち、回収はわずか二億円。残る全額が焦げ付いたことになる。その後、検査部に異動してるんだが――」

「どうした」

黙り込んだ木原に、灰谷が問う。

「……昇格してる」

ぽつりと、木原はつぶやいた。

「なに？」

「検査部内で昇格してる。八級職にまで」

顔を上げた木原は、驚きに目を見開いていた。八級職とは、東京中央銀行の人事制度では支社長と同格だ。

「知らなかったのか」

「いや、八級職だということは知っていた」

木原はこたえた。「どこかの支店長か支社長を経験した後に検査部へ異動してきたのかと思っていたんだ。飛ばされて検査役になったときには六級職で、それからふたつ職級が上がるなんて普通、あり得ないからな」

象の墓場と揶揄《やゆ》される検査部である。検査部への異動は、すなわち出世街道のドン詰まりを意味している。

「そのあり得ないことが起きたということか」

「そういうことになるな。理由はわからないが、誰かの〝引き〟があるのかも知れない」

木原は推測を口にしたが、心当たりがあるわけではなさそうだ。

「だけど、富岡は年齢的にも、とうに出向していておかしくないだろう」

灰谷はきいた。「そういう話はないのか」

「出向予備軍ではあるんだろうが、いまのところ具体的な話はないな。まあ、旧Sは担当が違うから詳しいことはわからないが」

木原は怪訝そうに鼻のあたりを指で撫でる。灰谷は体を乗り出すと、小声で尋ねた。

「なあ。ぶっちゃけてきくが、富岡の弱み、何か教えてくれないか。脅しつけてでも、協力させる必要がある」

「それは穏やかじゃないな」

灰谷の話しぶりに木原は大げさに驚いてみせたものの、すぐに唇の端に笑いを浮かべた。「でも、おもしろそうだ」

「なんとしても、富岡を屈服させたい。知恵を貸してくれ。この通りだ」

顔の前で両手を合わせる。

「いったい、何をやらかしたんだ、富岡は」

たまらずきいた木原に、さすがに灰谷は逡巡するそぶりを見せた。しかしすぐに、話したほうがいいと判断したらしい。

「我々が合同書庫に保管している資料をどこかへ持ち出した。それを奪回する必要がある」

「資料……?」

灰谷の顔を見ながら、ぽつりと木原はつぶやく。それ以上は言わないが、察しのいい木原のことだ、灰谷たちが置かれている状況は瞬時に理解したはずである。

「問題だな、それは。しかし……」

木原は考え込んだ。協力するにやぶさかでないが、いくら人事部とはいえ、個々の行員の弱みなどそう握っているはずもない。再びノートパソコンを操り、富岡に関する様々な情報を閲覧し始めた木原が、「敢《あ》えていえば、ローン、かな」、とつぶやいたのはしばらくしてからだった。

「ローン？」意外な指摘である。

「富岡は、住宅取得制度で借りた行員ローンがまだ二千万円ほど残っている。おまけに大学生と高校生の子供がふたりいる。いまの給料でなら教育費も含めなんとかやりくりできるだろうが、出向先の待遇によっては困窮することになる。なにより、いい出向先へ転籍することを望んでいるはずだ」

「なるほど」

出向の時期を迎えた行員の中には、富岡のように住宅ローンや教育費のかかる子供、さらに介護費用のかさむ親を抱えている者も少なくない。そういう行員たちにとって、出向先での待遇は死活問題だ。

「資料の中身はともかく、合同書庫から無断で持ち出したのなら、それは窃盗と同じだ。だが、屈服させるためにはまず富岡が犯人だという証拠がいるぞ」

木原にいわれ、「幕田《まくた》にいって、富岡のことは見張ってもらっている」、と灰谷はこたえた。

検査部部長代理の幕田健哉《けんや》は、旧T審査部出身で紀本一派。いままで合同書庫への検査情報を流して資料隠蔽に一役買う、重要な役を担ってきた男であった。いち早く合同書庫の入館記録を調べ上げ、富岡が怪しいと助言したのも実は幕田である。

「怪しい動きがあれば、すぐさま連絡をくれるよう頼んでおいた」

「富岡が盗み出した書類と一緒にいるところでも押さえられたら最高なんだがな。窃盗の現行犯逮捕だ」

木原は、底意地の悪い目を光らせた。「もしかしたら、内密に頼むと、泣いてお前に跪《ひざまず》くかも知れん。おもしろいことになりそうだ」

富岡が犯人なら、いつか必ず、盗み出した書類の隠し場所へ行くはずだ。果たしてそれがどこかはわからないが、必ず突き止めてやる——いや、突き止めなければならないと、このとき灰谷は強く心に念じた。

「心配するな、灰谷。そんな検査部の旧S野郎なんざ、窓際もいいところで、なんの力もありゃしない。ひねり潰してやろうじゃないか」

木原の勢いに励まされ、灰谷もようやく動転していた気持ちが落ちついてくるのがわかった。さすが人事部だ。

「ありがとう。そのときはよろしく頼む」

両膝に手を置き、深々と頭を下げた灰谷に、

「まかせとけ」

木原は余裕の笑いを浮かべてみせた。

6

「気になることがあるんですが、何かきいていらっしゃいますか、半沢さん」

帝国航空の山久が訪ねてきて声を潜めたのは、五月半ばの、とある火曜日の朝だった。あの報告会以後、動かないタスクフォース、日に日にタイトになっていく資金繰り不安の狭間《はざま》にいて、山久の表情は青ざめ、眉間に刻まれた皺はますます深くなっている。

「何か、とは」半沢はきいた。

「今週の金曜日の夕方、タスクフォースが、出入りの記者たちを集めているようなんです」

山久が告げたのは、意外な事実であった。

「記者会見、ということですか」

半沢が尋ねると、山久は「いや、そうとは聞いていませんが」、と言葉を濁す。「ただ、洩れ聞くところでは中野渡頭取がいらっしゃるとか」

「中野渡が？」

半沢はそっと目を見開いた。「何も聞いてませんが」

「おかしいですね」

山久は首をひねった。「タスクフォース側から、中野渡頭取がいらっしゃるので当ビルの入館許可を準備しておいてもらいたいと、私のところに連絡があったんです。それと、箕部代議士や白井大臣も顔を出されるとのことで」

思わず、隣にいる田島と顔を見合わせた半沢に、「何か、上層部で話し合いをされているということはありませんか」、そう山久がきいた。

「まさか」

半沢は否定したものの、山久の情報が間違っているはずはない。

打ち合わせを終え、山久とエレベーターホールで別れた半沢は、足早に営業第二部のフロアへ取って返した。


内藤の部長室は、たいていの場合、ドアが開け放したままになっている。

半沢が覗いたとき、内藤は老眼鏡をかけ、決裁に回された書類に目を通しているところであった。

東京中央銀行の融資稟議は原則として電子決裁で行われるが、内藤は一旦それをプリントアウトするのを習慣にしていた。パソコンの画面で見るより、紙に印刷されたもののほうが思索と検討に向いているというのが内藤の持論で、それを曲げることは滅多にない。

声を掛けると、老眼鏡をかけたままの内藤の目が動いた。

「金曜日、頭取がタスクフォースを訪ねることになっているようです。何か聞いていらっしゃいますか」

内藤の目が動き、その意図を察して半沢は背後のドアを閉めた。

デスクを立ってきた内藤は、半沢にソファを勧め、自分は肘掛け椅子にかけて足を組むと、右手の親指と人差し指を顎に当てる。

「秘書室から洩れ聞いた話だが、頭取が個人的に乃原氏と会われたようだ」

その目の奥で、様々な思惑が渦巻いているのが見えた。

「納得できませんね」

半沢は、静かに切り出す。「帝国航空の担当は私たちです。もし、タスクフォース側からなんらかの提案があったのなら、部長や私に情報を提供していただくのがスジでしょう。そもそも、私を帝国航空担当に指名されたのは他でもない、頭取です」

「ごもっとも」

その言葉はため息とともに吐き出された。「だが、頭取がその件については我々に何もおっしゃらないのには、それなりの理由があってのことだと私は考えている」

「これは私の推測に過ぎませんが」

そうひと言断って、半沢はいった。「乃原は、旧Tの問題貸し出しについて何らかの情報を得ているんじゃないでしょうか」

箕部への融資については、すでに内藤の耳には入れてある。繊細な問題故に、どう対応するか内藤もまた検討していたはずだ。

「どこで知ったかはわかりません。ですが、債権回収の現場に近い乃原であれば、どこかでそんな話を〝拾った〟としてもおかしくはない」

「それを頭取との取引材料《ひそ》にしたと？」

内藤は、険しく眉を顰めた。

「あくまで可能性として申し上げたまでです。ちなみに――」

半沢は続けた。「例の二十億円の不正融資については、乃原の指摘以前に、頭取の耳にも入っていた可能性があります」

もし富岡の身分に関する半沢の推測が正しければ、情報はいち早く伝えられていたはずだ。とはいえ、これもまた確かとは言い難い。いま半沢が直面しているのは、この銀行という大組織の、奇々怪々たる舞台裏だ。

内藤から表情が消え、空疎な間が挟まった。

あるいは内藤もまた、なんらかのルートで情報を得ているのではないか——そんな思いが半沢の胸を過《よぎ》ったのはそのときだ。銀行において、情報の優劣が物事の勝敗を決する場面は少なくない。

肘掛け椅子にすっぽりと収まったまま内藤が何事か思索を巡らし始めると、長く重苦しい沈黙が落ち始めた。

7

もしまだなら晩飯を食いに行かないか、と誘ってきたのは広報部の近藤からであった。午後九時過ぎのことである。

渡真利にも声をかけ、新丸ビルの、和食レストランの奥まったテーブル席を予約してくれたのも近藤だ。

「実は、今日何人かの記者から問い合わせがあったんで、それを半沢にきいておこうと思って」

生ビールで乾杯するのを待って、近藤が切り出した。「今週金曜日に、頭取がタスクフォースに出向いて乃原氏と面談するらしいんだけど。その話、聞いてるか」

「正式には聞いていないが、知ってはいる。不愉快な話だ」

半沢は、椅子の背にもたれたまま手元のグラスに視線を結びつけた。

「何か重大な発表でもあるのかっていう問い合わせなんだが、そうなのか?」

「乃原がスキャンダルの暴露と債権放棄をバーターにかけたかも知れない」

半沢がこたえると、

「かも知れない、ってどういうことだ」

渡真利が顔色を変えた。「そもそも、債権放棄の件は、決着済みだろうが」

「死んだと思ってたら生きてやがった」

半沢はいまいましげに吐き捨てる。「乃原が生き返らせたんだ」

「いまさら政治決着しようっていうのかよ。冗談じゃねえぞ」

渡真利は、いきりたった。「そんなことってあるかよ。それじゃあ単なる隠蔽じゃないか」

「まあ、頭取の気持ちもわからんでもないけどね」

そういったのは、近藤だ。「ここのところ、白井大臣が一方的な銀行批判をメディアに振りまいてるだろう。帝国航空の再建案がまとまらないのは銀行のせいだって。その口車に乗せられて、銀行はけしからん、という論調も無視できないぐらいになりつつあるんだよな」

「だったら――」

渡真利は苛立たしげに近藤を睨み付けた。「もっと銀行のスタンスを宣伝しろや、近藤。お前、それが仕事だろうに」

「いわれなくても、やってるよ」

近藤も言い返す。「お前は気づいてないかも知れないけど、『週刊エメラルド』では、タスクフォースの横暴を糾弾するスクープを連続して打ってるし、『東京経済新聞』が連載した帝国航空に関する記事も、むしろ進政党政権とタスクフォースの方法論に問題があるっていう論調になってる。ふたつともウチから流した情報がベースになってるんだからな」

半沢の見たところ、世論は二分されている。

だが、サービス業である銀行の立場からすると、自らの経営判断について世論の半分が反対に回っている現状は、決して芳しいものとはいえないだろう。それが中野渡の決断に影響を与えることにもなりかねない。

「実はさ、記者から聞いた話なんだが、国会の国土交通委員会に頭取を参考人として呼んだらどうかという声まで出始めているらしい」

近藤の情報に、

「マジかよ」

と渡真利が身構えた。「頭取を呼んで直接吊るし上げるつもりか」

「進政党にも焦りがあるんじゃないかな」

近藤は真剣な顔でいった。「このまま帝国航空の再建が頓挫《とんざ》したら、与党になっていきなり躓《つまず》くことになるからね。箕部啓治が裏で旗を振ってるとか、開投銀の民営化法案ではとちったからその穴埋めをしようとしてるとか、いろんな噂が飛び交ってるよ」

「いまさら白井への掩護《えんご》射撃かよ」

渡真利が舌打ちした。「なりふり構わず、力でねじ伏せようってか」

「金曜日には、箕部もタスクフォースの応援に出向くらしいね」

近藤がいった。「タスクフォースの乃原、白井。それに箕部――。役者を揃えてウチに債権放棄を承認させれば、今からでも他行を追随させることができるだろう。まずウチで外堀を埋めて、メーンバンクの開投銀を攻め落とす作戦じゃないかな」

「やり方が汚えな」

渡真利が顔をしかめた、「どうする、半沢」、ときいた。「このまま、進政党やタスクフォースのやりたい放題にさせておくのか」

「まさか」

半沢は、静かに怒りを噛み締めた。「たとえ相手が政治家だろうと、関係ない。この際、きっちり片を付けてやる。――やられたら、倍返しだ」

8

国会にほど近い、平河町にある中華料理店の個室には、箕部と白井の他にタスクフォースの乃原と三国のふたり、そして東京中央銀行の紀本が顔を揃えていた。

「要するに、マスコミの前で中野渡頭取に集中砲火を浴びせるということですわね」

白井はいい、「いくら中野渡頭取でも、これだけ世論の批判を浴びているわけですから、さすがに考えを変えますでしょう」、と隣席の箕部に同意を求める視線を向ける。

だが、箕部が発したのは、同意ではなく疑問の声だ。

「その場で債権放棄に同意するか、あの男が」

「しますね」

乃原は自信を覗かせた。「本人が来るといったんだ。ただ断るつもりなら、最初から応ずるわけがないですからな」

「それにしても、さすが乃原先生でしたわ」

白井が改まった口調になる。「直接頭取と交渉して、説得されるとは」

その途端——。

耳障りな音とともに、紀本の手元にあったグラスが倒れた。

「ほ、本当か、乃原！」

こぼれるビールでズボンが濡れるのも構わず、紀本は震える声を出した。その動揺ぶりに白井がぽかんとした顔を紀本に向けたが、なりふり構う余裕などありはしない。

「何か文句、あるんかい」

乃原の濁った目が、挑むようにねじ込まれる。「最初からお前がきっちり説得していれば、こんな手間をかけることもなかったんや」

「まさか——まさか、お前、あの話はしてないよな」

烈しい紀本の狼狽にも、乃原は平然とした表情を向けたままだ。すぐにはこたえず、グラスのビールをひと口呑むと、

「したさ、そりゃあ」

あっけらかんと言い放つ。

「なんで……」

いまにも死にそうなか細い声を、紀本は出した。「なんでなんだ。それだけは困るといっただろう」

「いったい、なんの話をしてるんですか」

ふたりにしかわからないやりとりに、白井が尋ねる。「私たちにもわかるように説明していただけないかしら」

「箕部先生と旧東京第一銀行との取引のことですよ」

思いがけず自分の名前が飛び出し、

「どういうことですか、乃原先生」

箕部が目を丸くした。

「先生と旧東京第一銀行が親密な関係にあったという話です。例の舞橋の土地取得資金の件とかね」

乃原の答えに、箕部がみるみる顔色を変えた。

「な、なんでその話を」

箕部は目を見開き、「君が話したのか」、と紀本を睨《にら》み付ける。

「ま、まさか――」

紀本が青ざめた顔を横に振ると、

「以前、舞橋の会社の破綻処理をしたことがありましてね。勘違いしないでいただきたいが、秘密保持違反ではなく職務外で聞きつけた噂ですよ。財界では公然の秘密だそうで」

箕部の怒りなどどこ吹く風、乃原が余裕のある口調でいった。「まあ、いいじゃありませんか、箕部先生。私は第三者の誰にも口外しておりませんし、そのつもりもない」

にんまりとした乃原に、箕部はすっと表情を消した。「中野渡頭取に話したことをご心配されているのなら、そんな心配は無用です。なぜなら、彼もまた東京中央銀行の頭取として、先生との取引には責任がある。つまり運命共同体というわけです。政治家同様、銀行にとって、スキャンダルは命取りですから。信用を犠牲にするぐらいなら、債権放棄の五百億円ぐらい安いもんですよ。なあ、そうだよな」

紀本はぐっと顎を引き、テーブルを見据えたままこたえない。「影響があるとすれば、行内で隠し立てをしていた旧東京第一銀行の連中が、中野渡の顰蹙《ひんしゅく》を買う程度でしょう。紀本常務は、どうやらそれを心配しているらしい」

乃原は、底意地の悪い笑いを唇に挟んだ。

「なんとなく、わかってきましたよ」

そういったのは、三国だった。「いままで乃原さんが、どうして東京中央銀行に強く出られるのか不思議に思っていたんですがね。そういう特殊な事情があったわけだ」

「箕部先生との取引の件を、中野渡頭取は知らなかったということですか」

白井が目を丸くしてきいた。

「私は話したほうがいいんじゃないかといったんですよ。ところがこの紀本君が、それは隠したまま交渉したいというもんですからね」

中野渡を呼び出してマスコミの前で屈服させる――そんな計画に昂揚《こうよう》していた場の気分が、いまやなんとも落ち着かないものへと変容していく。だが、乃原にそんなことを気にする気配はなく、浮かべているのはむしろ晴れやかな表情だ。

「恐ろしい人ですな、乃原先生は」

やがて箕部が、安堵しつつも呆れたようにいった。「敵に回してはえらいことだ。なあ、白井君よ」

白井は息を呑んだまま言葉もない。

「だが、乃原先生がそうおっしゃるのなら、私はそれを信じるとしよう。これまでの経緯はどうあれ、いまは交渉の大詰めに備えよ、そういうことですな、乃原先生」

口調は穏やかであるが、箕部の眼窩《がんか》には抜け目ない光が宿っていた。乃原のことを決して信用していない目である。そもそも、箕部は人というものを信用しない。箕部にとって、人とは裏切るものであり、そして自分もまた人を裏切ってきた。かつて仲間だった憲民党と袂《たもと》を分かち、派閥の議員たちとともに進政党を旗揚げしたのも、そうした裏切りのひとつだ。

「もちろんですよ。私のような者を信用しないで、他に誰が信用できますか」

乃原は調子よくこたえると、入室してきた接客係に声をかけた。「ああ、君。ビールをこぼした人がいるから、タオルを持ってきてやってくれ」

差し出されたタオルで紀本はズボンを拭ったが、表情の抜け落ちた目は虚ろで、顔面の血の気は完全に失せたままだ。

箕部への融資は旧Tが隠蔽するトップシークレットのひとつだった。

事情はどうあれ、それが中野渡の知るところとなったのは痛恨の事態で、こうしている間にも、中野渡は、この件に関する対応策を検討しているに違いない。

紀本自身は、どうにか言い逃れができるだろうしその自信もある。もっとも懸念すべきは、これで行内での旧T出身行員の立場がますます弱くなるかも知れないことだ。なによりそれは、自裁した牧野の遺志に反する。紀本にとって優先すべきは、東京中央銀行の利益ではなく、旧T行員のプライドと保身に他ならなかった。

「記者たちの前で、中野渡に吠え面《ほづら》かかせてやりますよ」

乃原は、溢れんばかりの自信と確信に満ちている。「箕部先生と白井先生にとってもこれ以上ない宣伝の場になるでしょう。進政党、万歳だ」

「おもしろい」

箕部はにやついた顔で、運ばれてきた紹興酒《しょうこうしゅ》のグラスを口に運んだ。この成り行きに、白井も、三国も興奮した面差しで目を輝かせ始めている。

ひとり紀本だけが、気もそぞろで心ここに在らずだ。

そう、書類だ。

紀本の胸に浮かんだのはそのことだった。灰谷が紛失したというあの書類。乃原が頭取にどう説明したかは知らないが、あの書類さえ押さえてしまえばうやむやにできる。

だが、書類紛失の報告を寄越した後、いまだ灰谷からの連絡はない。

いったい何をしている。

この息の詰まるような場所で、焼けるような焦燥感に紀本は顔をしかめた。

9

検査部の幕田は、電話の向こうから押し殺した声を出した。

「いま地下書庫だ。すぐに来てくれ。現場を押さえられるぞ」

携帯を握りしめたまま走っているのか、息は弾み、途切れがちだ。

「わかった。いますぐ行く」

通話終了ボタンを押したときには、すでに灰谷も立ち上がっていた。走りながら携帯で人事部の木原に知らせる。

込み上げてきたのは、やり場のない怒りだ。

長年にわたる銀行員生活で、灰谷はたゆまぬ努力のうちに挺身《ていしん》してきたという自負だけはあった。

たしかに箕部への融資は問題だったかも知れない。だがそれだって、自らの意思でそうしたわけではなく、まして自らの利益を期待したわけでもなかった。

上司に言われるがまま、一所懸命に仕事をしてきただけだ。かくして二十五年を超える出精《しゅっせい》の末に得た地位が、こんなことで揺らごうとしている。

その無念さと腹立たしさが灰谷の感情を激しく揺さぶり、千々《ちぢ》に乱れさせる。

エレベーターが人事部のフロアで停止したかと思うと、他ならぬ木原が意気揚々と乗り込んできた。

「現場を押さえられるのなら、これはいいぞ」

いまや熱度を増し、潤んだ目になった木原は、「完膚なきまでにやっつけてやる」、と勇ましくいい、にたりと気味の悪い笑いを浮かべる。

うむ、と呻《うめ》くように応じた灰谷もまた、頬のあたりを強ばらせて、一直線に下がっていくエレベーターの階数表示を睨み付けた。

「おう、木原次長も来てくれたか。こっちだ」

エレベーターホールで待ち構えていた幕田は、古ぼけたスーツに襟の黄ばんだシャツを着た、イタチのような顔をした男であった。

三人で足早に書庫の入り口へと向かう。

幕田の特徴的な顔の中で、鼻の穴が興奮に開いている。

「どんな状況だ」

一緒に地下四階行きのエレベーターに乗り込みながら、灰谷がきいた。

「地下書庫の妙な部屋でなにか作業してやがる」

「妙な部屋？」

きいた灰谷に、「行けばわかる」、と幕田。

「しかし、よく見つけてくれた。さすが幕田だ」

灰谷の褒め言葉に、「仕掛けてみたのさ」、と幕田は意外なことをいった。「あいつの留守中に、メモを置いといた。あんたの隠した書類はいただくってな。読めば慌てて動くだろうと思ったら、案の定だ。わかりやすい野郎だぜ」

エレベーターを降りるとき、口の前で指を一本立てて見せた幕田は、解錠されたままの書庫の入り口からそっと体を滑り込ませていく。灰谷と木原のふたりもそれに続くと、たちまち書架の森に包み込まれていった。

書架に埋もれていると距離感が狂い出してくる。どれほど歩いたか、ふと幕田が足を止めた。

突き当たりにぽっかりと口を開けた小部屋が見え、微かに、物音が外に洩れているのがきこえた。

「行くぞ」

幕田が小声でいい、書架の陰から出ると、

「よお、何してるんだ、富岡」

揶揄するような声を発した。

返事はない。

幕田の背中に回り込んだ灰谷のところから、段ボール箱を覗き込んでいる富岡の、驚いたような顔が見えた。

「書類の、整理だが」

富岡はいったが、幕田の背後に灰谷と木原のふたりがいるのを認め、警戒したようにその目を細めた。「オレに、何か用か」

「こんな部屋があるとは知らなかったなあ。ここにある書類は、あんたが管理してるものか」

幕田はいい、室内に足を踏み入れると珍しそうに周囲を見回した。

「それがどうかしたか」

富岡はこたえ、あたりに置かれた段ボール箱に素早く視線を配る。その中に、見覚えのある箱を見つけた灰谷は、「あっ」、という声とともに駆け寄った。間違いない。東新宿の合同書庫内で灰谷が管理していた書類だ。

「お前か、これを持ち出したのは！」

頭は瞬時に怒りに塗り込められ、気づいたときには大声を発していた。「ふざけんなよ」

富岡の胸ぐらを掴んで立ち上がらせると、力任せに壁へ突き飛ばす。「勝手に持ち出してんじゃねえよ！」

「随分、乱暴なことをするじゃねえか」

壁に背をぶつけたが、さして痛そうにするわけでもなく、富岡がいった。何かいおうとした灰谷の肩に、落ち着け、とばかり木原が手を置く。そして、

「富岡さん、この部屋にある書類は、検査部のあなたの仕事と関係があるものですか」

冷静な口調で問う。

「検査部の仕事とは直接、関係はないかも知れねえな」

富岡は乱れたシャツを直しながら、どこかとぼけた口調だ。「ただ、ちょっと見捨ててはおけなかったんでね」

「ご存じのように、書類の保管場所と管理者の選任については業務規則で厳格なルールが定められています」

木原は、有無をいわせぬ高圧的な口調だ。「それを指導すべき検査部の一員であるあなたが破った。これは重大なことですよ。人事部に戻り、すぐさま問題にさせてもらいますがいいですね」

ほう、といったきり、富岡は木原の目を見据えたまま、こたえない。

「それと、この灰谷部長代理に散々迷惑をかけたんだ。謝罪のひとつでも、したらどうなんです」

木原が冷ややかにいったが、富岡は沈黙したままだ。木原の横では、これは見物だとばかり、幕田が嬉々とした表情で舌なめずりしている。

「これは窃盗《せっとう》だぞ、富岡」

憎悪が煮えたぎった声を、灰谷は出した。「どう責任を取るつもりなんだ」

「ヘッ、責任かよ」

そのとき富岡から、笑いが噴き出した。「それはこっちのセリフだろうが」

ふいに富岡の視線が振られたかと思うと、三人の背後に向けられた。

「聞いたか、おい」

果たして誰に向かっていったのか。

灰谷たちが振り返ったのと、書架の陰からひとつの人影がふらりと現れたのは同時である。

「は、半沢――！」

灰谷が顔色を変えた。「なんでお前が！」

「ここに来るとおもしろいものが見られると、富岡部長代理から連絡があったんでね」

半沢は、三人の注目を浴びたまま、ゆっくりとした口調でいった。

しばらく地下書庫で作業するから――富岡が幕田にそう言い残して消えたのは十五分ほど前。その情報が、幕田から灰谷へ上がることを、予測してのことだ。

「まあ、そういうわけだ」

富岡がいった。「さて、話の続きはなんだったかな。責任を取るとか取らないとか、か。おもしろいことをいってくれるよ、まったく」

いまや不敵な笑みを浮かべた富岡に、

「どういうつもりかは知りませんが、態度を改めたほうがいいんじゃないですか、富岡さん」

木原はなおも、しかつめらしく非難してみせる。「あなた、自分がやってることがわかってないようですね」

「態度をどう改めろっていうんだい」

富岡はせせら笑った。「お前、わかったんなら教えてくれや、半沢」

ゆっくりと書架の陰から出た半沢は、いまようやく富岡の傍らに立ったところだ。

「さあ、私にもわかりませんね」

三人から視線を外さないようにしたまま、半沢はこたえた。「政治家の金儲けのために、担保も取らずに二十億円も貸し込むほうが余程、問題だと思いますけどねえ。どうなんですか、灰谷さん」

「な、なんの話だ」

半沢の思いがけない指摘にうろたえ、灰谷は顔面を朱に染める。

「書類の中身なんか、問題じゃないんだよ」

そう言い放ったのは、幕田だ。「他部署できちんと保管している書類を、行内とはいえ黙って持ち出し隠匿する、その行為が問題だっていってるんだ。話をすり替えないでもらいたい」

「じゃあ、問題にすればいい。オレは一向に構わないぜ」

笑い飛ばした富岡に、なにっと、と幕田は目を剥いた。

「おもしろい。むしろ、きっちり報告してもらったらどうですか」

半沢は、いまにも飛びかからんばかりの勢いで身構えている三人を見据えた。「その前に、あんたたち、こういう噂を聞いたことはないか。この東京中央銀行には、過去に隠蔽された問題貸し出しを内偵する、頭取直轄《ちょっかつ》の特命担当がいるってな」

ま、まさか——。

緊張感に射貫かれ、三人が動かなくなった。いや、動けなくなったのだ。

その三人に向かって、半沢は続けた。

「いまから十五年前、旧東京第一銀行は当時憲民党建設族議員だった箕部から頼まれ、二十億円の情実融資を実行した。その融資を箕部は自分のファミリー企業に転貸して舞橋市内の林野を買い取ったが、その土地はその後舞橋空港建設予定地として買い上げられ、巨額の利益を上げた。問題は、その二十億円の融資が、無担保で実行され、検査の目もかいくぐったことだ。つまり、これは旧東京第一銀行が組織的に絡んだ問題融資だったということになる。そして、稟議違反を知りながら事務全般を取り仕切っていたのが——あんただ、灰谷さん」

半沢は、まっすぐに突き出した指を、灰谷の鼻先に突きつけた。

灰谷からの返事はない。

真っ赤になった顔から血の気が失せていき、引きつったように喉が上下に動いた。

「わ、私は紀本さんにいわれたまま稟議を書いただけだ。全ては上層部が——」

「そんな言い訳が通用すると思ってるのか」

憐憫《れんびん》の目で半沢はいい、箕部のクレジットファイルに挟んであったメモのコピーを出す。

「紀本さんが指示したという証拠が、どこにある。お前が書いたこのメモには、紀本さんの閲覧《えつらん》印すらない。お前の言葉など、なんの意味もない」

「常務には後日口頭で説明したんだ。私がこの融資を主導したわけではない。本当だ」

激しく狼狽し、灰谷は唇を震わせた。その弁明を、幕田も木原も棒でも呑み込んだようになって見ている。

そのとき、

「いまさらじたばたしてもしょうがないぜ、灰谷さんよ」

富岡が、のんびりした口調でいった。「あんたは、箕部啓治の金儲けに絡んで、巨額の不正融資に手を染めた。箕部はそれで私腹を肥やし、いまやクリーンなイメージで進政党を率いる立役者ときた。皮肉なことだよなあ。あんたは生真面目に銀行業務に精励してきただけのつもりかも知れないが、結局のところ、ひとりの政治家を大きくするための捨《す》て駒《ごま》に過ぎなかったんだ」

いまや灰谷の顔は、干からびた土壁のように生気が失われ、目から光が失せようとしている。

「いったい、この取引で箕部にいくら儲けさせた」

富岡がしんみりと問うた。「ま、いくらでもいいけどよ。それであんたに何が残った。名誉か。地位か。だけどな、そんなものは所詮、張りぼてだ。あんたが信じていたものは、結局のところ全てまやかし。見えていたものは蜃気楼で、あんたがいるいまの地位は、砂上の楼閣《ろうかく》だ」

富岡は、ふいに木原に視線を移すと、「あんた、この融資の実態を知ってたのか」、と厳しい口調できいた。

「ま、まさか——」

ぶるぶると首を横に振って木原は否定する。

「嘘ついたところで、すぐにバレちまうんだ。いま本当のことをいえ」富岡は凄味を利《き》かせた。

「し、知りませんよ、私は」

「だが、いまはもう知ったよな」

あくまで否定した木原を睨み付け、「この件に関わりたいか」、そう富岡はきいた。

「それは──」

木原の目の中で、どっちが得か推《お》し量《はか》るような天秤が揺れ動いている。

「関わりたいかってきいてんだよ。どっちなんだ」

もう一度尋ねると、木原は慌てたように、首を横に振った。

「だったら、失《う》せろ！」

形相を変えた富岡の一喝に、木原は飛び上がるようにして後ずさりすると、さっと踵《きびす》を返す。

その後を追って立ち去ろうとした幕田は、「お前には後で話をきくからな」、という富岡の言葉にびくりと体を震わせた。

「わ、私も失礼する──」

「合同書庫の検査情報、流してたことはわかってるんだ。お前、この書類が見つからないように動いてただろ。ただで済むと思うなよ」

完全に青ざめた幕田は震え上がり、逃げるように場に背を向ける。

「さてと、いまさら隠し事はやめようや、灰谷さんよ」

ただひとり残った灰谷と改めて対峙《たいじ》し、富岡はいった。「紀本にすがったところでもう助けちゃくれないぜ。あんたはトカゲの尻尾《しっぽ》だ。もし情状酌量を求めるのなら、知っていることを全部話せ。それなら、オレから多少の口添えはしてもいい」

暗渠《あんきょ》のように沈んだ灰谷の瞳の奥で、かすかな感情が動いた。

10

東新宿の合同書庫で新たに三つの段ボール箱を積み込んだ一台のバンが、丸《まる》の内《うち》にある東京中央銀行本店の駐車場に滑り込んできたのは、その日の夕方のことだった。

運転しているのは田島。助手席に乗っているのは半沢だ。

荷物を営業第二部の会議室に運び入れると、頃合いを見計らって富岡がやって来た。灰谷も一緒である。

「旧Tは箕部啓治の資金管理をほとんど任されていた。それを証明する資料がある」

灰谷が蒼白な顔で告白したのはつい先ほどのことだ。「それさえあれば、二十億円の融資がどういう形で返済されたのか、その流れが正確に掴《つか》めると思う」

半沢らが運んできたのは、その灰谷から聞き出した合同書庫の隠し場所にあった書類である。

箱の中身を全てテーブルに積み上げ、資料を時系列に並べ直すと、灰谷に立ち会わせたまま三人で資料を精査していく。

その中には、おそらくは箕部側から提出されたとおぼしき、舞橋ステートの土地購入明細と同社当座預金の動きまでが含まれていた。詳細な資料だ。

「よく、こんな書類まで集めていたもんですね」

書類のページを見ながら田島がふと疑問を口にすると、「それが担保代わりだ」、と灰谷がいった。「うちは無担保で貸し付けていた。舞橋ステートの土地購入明細と当座預金の動きを把握しておけば、貸し倒れの危険性をいち早く察知できる」

「バカじゃないか。そんなに心配だったら、購入した不動産に担保設定すればよかったんだ」

富岡はいい、「なんでそうしなかった」、ときいた。

「不動産担保を設定すると銀行との関係が明るみに出る。それを避けたかった」

「どこまでも小賢しいな」

富岡が呆れたが、灰谷は唇を噛んだまま反論の言葉もない。

その資金の流れをトレースし、整理していく作業は、数時間にも及んだ。

「だいたい、こんなもんか」

午後九時過ぎ、夕食も取らずに作業に没頭していた富岡が顔を上げると、概略をまとめたホワイトボードを凝視する。

そこには、二十億円の融資が貸し付けられた後、舞橋ステートで空港建設予定地の買収資金として使われ、回収されるまでの流れが図示されていた。

「二束三文《にそくさんもん》といっていい土地を買い占め、それを何倍もの値段で売り捌《さば》く。業績不振、債務超過直前で青息吐息の同社が一気に息を吹き返し、地域でも指折りの不動産業者へのし上がった原動力だ。だけども——」

じろりと、富岡が半沢に目を向けた。「気にならないか、半沢」

「なりますね」

半沢は静かにいい、じっとホワイトボードを睨み付ける。

「なにが、ですか」

問うた田島の隣席では、灰谷が硬い目をテーブルの一端に結びつけていた。

「たしかに、この二十億円で舞橋ステートは巨利を得た。それはわかる。だが、この資金フローには、その利益が箕部に流れた痕跡がない」

半沢は、鋭い眼差しをまっすぐに灰谷に向けた。

「それは――」

灰谷は唇を噛み、話すべきか、しばし逡巡しているように見える。

「いまさら隠し立てして、得になることなんか何もないぜ。話しちまえ」

富岡のそんなひと言に背中を押され、やがて固く結んでいた口を開いた。

「それは、紀本常務が管理している」

「紀本が？」

富岡が問うた。「やけに面倒なことしてるじゃないか」

「分散管理することで、一カ所の書類を発見されても全容を掴めなくしてるんだ」

「その資料はどこにある」

「地下書庫だ。だが我々だけでは入れない。地下五階だ」

地下五階は役員のみがアクセスできるセキュリティで管理されているからである。

だが、

「行くぞ」

富岡が立ち上がった。

「どうするつもりだ」

灰谷が問うたが、返事はない。灰谷を引き立てるようにしてエレベーターホールまで行き、エレベーターを乗り継いで地下五階へ下りていく。

半沢も初めて見る地下五階の専用書庫は、エレベーターホールに面した厳重な鉄扉で閉ざされた場所であった。ダイヤル式のロックシステムと鍵の両方で守られた要塞だ。

だがいま、富岡はそのダイヤルを回したかと思うと、ポケットから出した鍵束にある一本のキーをそこに差し込み、ハンドルを回した。

重量のある扉がゆっくりと音もなく開く。

灰谷の目が驚愕に見開かれたが、富岡はかまわず、さらに内扉を開けると内部に足を踏み入れていく。

グリーンのカーペットが敷き詰められた音のない部屋であった。話し声も靴音も足下に吸い込まれ、たちまちのうちに静けさに押し潰されそうになる。

「こ、こんなことがバレたらとんでもないことになるぞ」

成り行きに表情を引きつらせた灰谷に、

「場所はわかるか」

富岡の冷静な口調が尋ねた。

天井近くまである背の高い書架を見上げながら移動した灰谷は、ある場所で立ち止まると近くの専用ラダーに上ってひとつの段ボール箱を下ろしてきた。

「これを私が話したと知れたら、私は――」

玉の汗を掻いて怯《おび》えたようにいう灰谷に、

「お前、つくづく小者だな」

富岡が、やれやれとばかりいう。「もういい加減、諦めろ。人間、時には開き直りも大事だぞ。で、他に書類はないのか？」

「これが全てだ」

じっと富岡は灰谷を見据え、どうやら嘘をついているわけでもないと思ったのだろう、半沢に小さくうなずくと、その段ボール箱を持って会議室に戻り、中身を取り出した。

「おもしろいものがある」

意外なものを見つけた半沢がその書類をテーブルに広げたのは、それから暫くしてからだ。

箕部啓治の個人事務所の帳簿コピーである。

「こっちにはメモがあるぞ、半沢。こりゃ紀本の字だな」

富岡がいって、それを見せた。舞橋ステートから箕部への送金記録をメモしたものだ。「振込依頼書の原本がどこかにあるんじゃねえか」

テーブルに重ねられた資料を漁《あさ》った富岡が、バインダーにまとめられた振込依頼書を見つけ出したのは直後のことである。舞橋ステートから箕部へ送金された書類の控えだ。おそらく、箕部に頼まれて紀本が処理したのだろう。

ジグソーパズルのピースを埋めるように、全体像が結ばれていく。

「さすが、大儲けしただけのことはある。結構な資金が流れてるな。年間五千万円は下らない」

半沢はいった。

「舞橋ステートでは、コンサルティング料として箕部啓治に支払っていることになってますね」

同社の財務資料を精査していた田島が補足する。しかし、舞橋支社で見た同社の資料に該当するものは見当たらなかったから、巧妙に隠蔽されていたと考えていいだろう。

「これはある種の資金洗浄みたいなもんだ」

富岡が、鋭い目で灰谷を見た。「そうだよな」

「利益を落とすにしても、名目がいるから」

怯えた顔つきになった灰谷に、「それだけか」、ときいたのは半沢だった。

「それだけ、とは？」

灰谷の喉がひくつき、恐怖に揺れる目を半沢に向ける。

「その資金、箕部は何に使った」

半沢の問いに、灰谷ははっとした顔になり、視線をそらせる。半沢は続けた。「この記録によると、七年前には四億円もの資金が流れてる。ちょうど、進政党が旗揚げされ、最初の国政選挙を迎えた時期だ」

「つまり、選挙資金ってことですか」

田島が納得した顔を上げた。

その田島に、半沢が渡したのは箕部啓治の個人事務所の収支報告書だ。その他に、政治資金収支報告書も選挙運動費用収支報告書もある。ここには箕部の財布の中身がわかる、ほとんど全ての資料と明細が揃っていた。

田島が広げた明細を富岡も覗き込むと、灰谷の視線が落ち着きなく動き始めた。やがて、

「おい、半沢。この明細のどこにも、舞橋ステートって名前がないぞ」

富岡の指摘にこたえる代わり、いまや狼狽を隠せないでいる灰谷に、半沢はきいた。

「どういうことなのか、しっかり説明してもらおうじゃないか」

半沢の追及に抵抗するだけの気力は、もう灰谷には残っていなかった。

11

「内藤部長がいらっしゃいました」

秘書がドアの向こうへと消えるのを待ち、内藤は軽く一礼すると、中野渡に勧められるまま頭取室のソファにかけた。

中野渡は、白いシャツにネクタイをしているが、その結び目を少し緩めている。カフスを外し、袖をまくり上げたままだ。それは、中野渡にしては珍しくラフな着こなしであった。

「小耳に挟みましたが、明日、タスクフォースを訪問されるとか」

切り出した内藤に、中野渡からの返事はない。身動きひとつせず、じっと壁の一点を見つめている。「私どもは聞いておりません。どのようなお話でしょうか」

「すまんな。君たちに隠すつもりはなかったんだが、まだ自分の中で考えがまとまっていないのでね」

内藤は黙って、頭取の話が続くのを待つ。「実は、乃原氏から債権放棄を再考してもらいたい

という提案があった」

静かに、内藤は中野渡の顔を見据えた。

「それで？」

問うと、中野渡は沈黙し、やがて、

「いま君に話せるのは、それだけだ」

苦渋に満ちたひと言が洩れてくる。

「ご自分でお決めになる——そういうことですか」

ふいに、中野渡からいつもの剛毅さが抜けていき、視線に迷いが生まれるのを、内藤は違和感を抱きつつ眺めやった。それがどうにも、中野渡らしくない態度だったからだ。

「頭取、それでよろしいのですか」

内藤の毅然とした問いかけが、漠然たる部屋の空気を割った。

「タスクフォースから申し入れのあった債権放棄は、役員会の決定を得て後、先日正式に見送りとなりました。それはもはや動かし難い。しかも、その判断は、正しい」

返事はない。それに業を煮やしたように、

「なぜ、我々にご相談いただけないんです」

内藤の言葉に、悔しさが入り混じる。

黙りこくった中野渡の表情に影が差し、苦悩が浮かび上がった。

「頭取——！」

内藤が抗議の声を上げた。「いったい、何のために我々が——」

「これは――これはもはや与信判断ではない」

中野渡が、遮った。「つまり君たちの担当している仕事の範疇《はんちゅう》ではない。私が考え、対処すべき懸案だ」

しばし中野渡を直視したまま、内藤は凝固したように動かない。

いま、内藤の胸に込み上げてきたのは、あからさまな驚愕だ。

こんな中野渡を、初めて見た。

威厳も崇高さもなく、ひとりのバンカーとして苦悩する中野渡を。

就任以来、行内融和に腐心してきた中野渡ではあるが、元来、そこには否定しようのない矛盾があった。信じたくても信じられない相手。ひとたび明るみに出れば銀行の信用を毀損《きそん》する問題貸し出しの数々。これだけ信じようとしているのに、なぜそれをさらけ出し、真実を見せようとしないのかという相手への不信感。

旧閥意識の現実、そして融和という理想との狭間で、常に難しい舵取《かじと》りを任され、櫛風沐雨《しっぷうもくう》の経営を続けてきたのが中野渡であった。中野渡の苦しみは、合併銀行の苦悩そのものといっていい。

だが、いまその矛盾は露呈した。

この事態を打開する唯一の方法は、これまで大切に抱えてきたものを切り捨てること以外にあり得ない。

「わかりました」

深く長い吐息とともに内藤はいった。「ですが、頭取が何に悩んでおられるのか、私にも見当がついております」

　中野渡の目がかすかに見開かれたが、言葉はない。その無言の頭取に向かって内藤は言葉を継ぐ。

「たしかに、それは頭取ご自身がご判断されるべき問題かも知れません。ですが、一緒に考え、そして闘うことは、我々にもできます。そのために我々はいます。そのために、我々はベストを尽くしています——。これは、半沢がまとめた箕部啓治に対する旧T問題貸し出しの全容です。ご参考までに」

　報告書を差し出した内藤は、立ち上がり、深々と一礼して部屋を後にした。中野渡の返事を待つことも、余計な意見を差し挟むこともない。後にはただ、研《と》ぎ澄まされたプライドと思念だけが生々しい気配を残すのみだ。

終章　信用の砦《とりで》

1

軒先で焼いている串の煙が店内に充満していた。

酒とタバコの匂い、サラリーマン客たちの賑やかに騒ぐ物音が重なった店内の片隅に、ふたり掛けの席でひとり、静かに飲んでいる男がいる。検査部の富岡だ。

いま、いらっしゃいませ、という声に迎えられて入り口に立った男が、店内を見回して富岡の姿に目を留めると、空いている向かいの席にかけた。

生ビールを頼み、富岡の半分ほどなくなったジョッキと打ち鳴らす。

「少し待たせたか」

男は、富岡のジョッキを見てきいた。

「いや、少しじゃなくて、かなり待ちました。実は二杯目だ」

富岡はこたえ、黙って相手の言葉を促す。

「今度ばかりは参ったよ」

男はいった。

「いい気味ですね」

富岡は意地悪くいって笑い、「まあ、オレと一緒にいるときぐらい、気楽にやって下さいよ」、そういってメニューを覗き込むと、店員をつかまえて酒のアテをいくつか注文する。

「最近思うんだけどな、トミさん」

最初のジョッキを空にして、麦焼酎のお湯割りに替えた男は、それを旨そうに飲んでからいった。「銀行ってところは、出世だとか保身だとか、そんなことを望まなきゃ、それはそれで気楽な場所だ。ところが、どうしても銀行員ってのは、欲を掻く。それがいけない」

「そうですかね。あんまり無欲なのも考えもんでしょう」

富岡は、箸でつまんだ海老しんじょを口に放り込んだ。「ただ、欲にも、身の丈《たけ》ってものがある。身の丈に合わない欲を掻くから、面倒なことになる。人もそうだし、実は会社だってそうだと思いますね。できもしないことをやろうとするから無理がある。結局、そんな会社は誰も幸せにしない。社業もうまくいかないし、社員だってストレスで参っちまう。全ての会社には、その会社に合った身の丈の欲ってのがあるんですよ」

相手が黙っているのを見て、富岡は「オレは日本酒にしようかな」、といった。壁に貼ってある酒の銘柄を見上げる富岡は、返事を期待しているようにも見えない。

「耳が痛いな」

そんな富岡を見ながら、そのうち男はいった。「私は、身の丈に合わないことを望んでるんだろうか」

「まあ、そうとも言いきれないでしょうが、水は高いところから低いところへしか流れないってことですよ」

酒を注文して、富岡は続ける。仄聞《そくぶん》すると、ただの床屋談義《とこやだんぎ》だ。「つまり、自然の流れってものがある。因果応報が世の中の理《ことわり》だ。であれば、それに従うのが一番楽なんじゃないですか。欲を捨てれば、真実が見えてくる。たとえばオレみたいにね。悪いものは悪い。いいものはいい。要は、それだけのことなんです」

「そんなに単純に考えられれば、たしかに楽だな」

「馬鹿にしてるんですか」

ふいに富岡の目が真剣になった。「自分だけが難しい問題を抱えているわけじゃない。大銀行だろうと、個人商店だろうと、そんなことは関係ない。法律以前に守るべき人の道ってのがあるはずでしょう。まっとうな商売してなんぼですよ。そうじゃないっていうのなら、トイチの違法金融と同じだ。銀行の看板なんか降ろしたほうがいい」

「相変わらず、手厳しい」

怒るでもなく男はいい、いい店だな、と賑やかな店内を見回した。少し離れた席で、若いサラリーマンが、熱い口調で上司らしい男に議論を挑んでいるのが聞こえる。その青臭さに、笑みをかすかに浮かべ、

「だが、その通りだ」

しみじみと、男はいった。「それがわかれば、牧野さんも死なずに済んだかも知れないのに」

その男の顔をじっと眺め、「気の毒でした」と富岡は口にする。「だけど、あの人にはあの人で、死ぬだけの理由があったんでしょう」

「ひとつ油断すれば、私も同じ道を選んでいたのかも知れない。だがいま、心の中の霧が晴れた気がする。私はまだ、まっとうなバンカーだろうか」

男の問いに、富岡はしばし考え、飲んでいる。やがて、

「いまのところは」

返事があった。「だけど、まっとうな銀行員で居続けるのは、案外難しいもんですよ。そのために誰もが戦わなければならないことがある」

そして富岡は、カバンから分厚い報告書を出し、相手に渡した。

それを読む男の目がみるみる驚きに見開かれていくのを、静かに飲みながら富岡は、見ている。

全てに目を通した男は、そっとその書類をテーブルに戻し、そのまま視線を伏せた。

どれだけそうしていただろう。

再び富岡に視線を戻した男の表情から迷いは消え、その目は、いまそこにない遠くを見据えているかのように澄み渡っていた。

2

半沢が声をかけると、山久は、かぶっていたヘルメットの端を持ち上げ、「やあ、どうも」、とはにかんだような笑みを浮かべた。

「先ほど本社に電話をしたら、こちらだと伺ったものですから」

羽田空港内にある帝国航空の飛行機の整備を行う格納庫である。ハンガーと呼ばれるそのスペースは、ひとつの大きさが学校の体育館ほどもある。規程の飛行時間ないしは日数を経過した帝国航空所有の航空機が、整備のために収容される場所だ。

いまその三階ほどの高さの通路から、山久は作業の様子を見下ろしているのであった。

「ひとりで考えたいときには、ここに来るようにしてるんですよ」

山久はいった。

「いい場所ですね」

半沢はいい、山久と並んで整備中の機体を見下ろす。

「私の実家は、実はこの近くの穴守稲荷《あなもりいなり》にありましてね」

ふいに山久が、しんみりした口調で語り出した。「エンジニアだった祖父に連れられて、子供の頃によく羽田まで飛行機を見に来たもんです。フェンスにしがみついて、YS－11なんか来ると、〝ほら、来たぞ〟って、もう祖父が誇らしげに指さすんですよ。別に自分が開発に携わったわけでもないのに、ただ国産ってところに日本人としてのプライドを感じてたんでしょう。その頃は、このハンガーで働くことが私のあこがれだったなあ。ここは飛行機好きにはたまらない場所なんです。聖地といってもいい」

「すると私は、その聖地に土足で踏み込んだようなものですね」

半沢が自嘲《じちょう》気味にいうと、

「いや。この聖地を汚《けが》したのは、他ならぬ私たちですよ」

意外な返事があった。「自宅から空港までハイヤーでの送り迎えは当たり前。帝国航空勤務だといえば世間からうらやましがられ、給料も高けりゃプライドも高い。待遇や権利にばかりこだわって、決められた仕事の範囲を決してはみ出さない。そんなことしてるうちに、社会の流れから取り残され、どんどんダメになっていったんですよ。私たちは、お客様を見ていなかった。あれだけ飛行機が好きだったのに、入社して社員になると、飛行機を飛ばす自分たちの会社はいつも自分たちの〝敵〟であり闘いの対象だった。こんな滑稽《こっけい》な話はありませんよ。挙げ句、政治の道具にされ、経営判断の甘さが次々に露呈しても、誰も危機感さえ抱かない。そんな会社になってしまったんです」

「まあ、その通りでしょうね」

半沢の反応に、「あなたも、いいにくいことをはっきりいう」、と山久は苦笑した。だが、

「実は、この前、舞橋までの出張で、帝国航空便に乗せてもらいました」

そう続けた半沢に、山久は笑いをひっ込めた。

「なんだ、いってくれたらよかったのに――」

「いや、そんなことはいいんです」

半沢は笑い、「搭乗ゲートまで客室乗務員が誘導に出てましたよ。変わってきてるんじゃないですか」、とそういった。

地上と機内。以前の帝国航空なら、このふたつの職種の間には、目に見えない壁があった。しかもそれは、厳然たる壁であった。いままでの帝国航空では、パイロットや客室乗務員が搭乗ゲートまで出向いて乗客を迎えることすら、決してなかったのだ。

「そうでしたか」

うれしそうにいった山久は、両手で手すりを持ったまま格納庫の高い天井を見上げて唇を噛む。

「やっと変わってきてくれたのかなあ。でも、少し遅かったかも知れない」

いかにも悔しげな、そんな言葉が口をついて出てくる。

「これ、ボーイング747型だな」

ふと半沢は、自分が見下ろしている機体に気づき、誰にともなくいう。通称、ジャンボジェット。白い機体はいま、エンジンが外されてエンジニアたち数人がかりで点検整備の真っ最中だ。

かつて帝国航空の夢を乗せたこの大型旅客機は、いまやコストの塊に過ぎない。

一度に大量の客が運べるジャンボジェット機は、シンボル的な位置づけにあったものの、旅客の減少、格安航空の台頭、国内外航空会社とのコスト競争にさらされる中で、燃料効率が悪く飛べば飛ぶほど赤字になる経営の足かせとなっていった。その後、帝国航空も中型や小型機体への移行を急速な勢いで進めたが、いかんせん遅過ぎた。

「今日、頭取が債権放棄を表明されると内々にききました」

手すりから離れ、山久は半沢を向いた。「本当に、ご迷惑をおかけします。申し訳ない」

深々と頭を下げたままの山久の肩が揺れている。

「本当に、申し訳ない」

もう一度いい、ようやく顔を上げた山久は、流れる涙を拭こうともせず頬を震わせていた。

「せっかく、みんなが気づいたのに。やる気になったのに――」

山久の声には、どうしようもない悔しさが滲んでいた。「迷惑をかけることなく、自分たちだけの手で、もう一度――もう一度、飛行機を飛ばしたかった。それなのに、すみませんでした」

両手を膝に置き、体をふたつに折った山久の涙が、聖地にこぼれ落ちていく。

「まだ終わったわけじゃありません」

その肩に手を置き、半沢はいった。「飛行機を飛ばすのは、燃料でもコストでもない、人なんですよ。いまの気持ちさえあれば、帝国航空は必ず再生する――私はそう信じています」

「ありがとうございます」

山久は目を真っ赤にしたまままいい、腕時計の時間を確認した。「半沢さん、タスクフォースに行かなくていいんですか。間もなく、頭取がいらっしゃる時間なのでは。もしよかったら、一緒に行きませんか。クルマで来ていますから」

「是非、お願いします」

半沢は、眼下の機体を見ながら、「タスクフォースに向かう前に、もう一度、山久さんの気持ちを聞いておきたかったんです」、そういった。「でも、いまの話を聞いて、安心しました。もう、迷うことはない。山久さんも、私も、進むべき道を進めばいい。ただ、それだけのことです」

3

「我々に圧倒されて、債権放棄を表明する中野渡の顔が見物ですな」

乃原がおどけていうと、箕部もつられて笑いをこぼした。帝国航空本社ビル、二十五階にある会議室である。

「あの男も、業界では一目置かれているが、紳士面をしてみせたところで、所詮、カネ貸しはカネ貸しだ」

喉のあたりをひくつかせた箕部は、「あんたの懸案も解決だな」、と傍らの白井に声をかけた。

「ありがとうございます」

白井も破顔し、「これでタスクフォースの再建案が大きく前進しますわね。進政党が帝国航空を再建する——すばらしいですわ」、と晴れやかな表情を見せている。

「白井大臣の功績ですよ」

乃原は、肘掛け椅子にゆったりと体を埋めたまま、新たなタバコに点火し、うまそうに煙を吸い込んだ。「憲民党が長い間かけても成しえなかった帝国航空再建を、白井大臣と進政党は、あっという間にやってのけた。これでこの政権の評価も一段と上がるでしょう。進政党にとっては、これ以上ない、大宣伝になるはずです」

「我々だけではなく、先生方もだ」

上機嫌に箕部がいって乃原がにんまりとした笑みを浮かべたとき、ドアがノックされた。

「そろそろお願いできますか」

顔を出したスタッフに促され、会議室から、公開用にセッティングした会場へと出向いていく。

この日のために準備されたスペースには、すでに二十人ほどの記者が詰めていた。

「どうも、皆さんご苦労さま」

焚かれたフラッシュのまぶしさに瞬きしながら乃原たちが着席すると、間もなく、帝国航空のスタッフが姿を現し、「いま、エレベーターでこちらに向かわれたそうです。間もなく、いらっしゃいます」、と耳打ちしていく。

「中野渡頭取がいらっしゃったようだ。皆さん、ご登場の際は盛大な拍手でお迎えください」

芝居めいていった乃原は、やがてドアが開いたと同時に率先して拍手し始めた。しかし——。

そこに現れた男を見て、乃原はふいに手を止め、眉を顰《ひそ》めた。

半沢だ。

その背後から中野渡が登場すると信じている記者席からの拍手は続いていたが、ドアからは誰も入ってはこない。ついに、最後に山久が現れて、ドアを閉めてしまったではないか。

戸惑いを貼り付かせている乃原の前に進み出た半沢は、「遅くなり、失礼しました。道が混んでいたもので」、そういって軽く一礼する。

記者たちからどよめきが、起きた。

「どういうことなんですか」

問うたのは、白井である。「中野渡さんがいらっしゃるんじゃないんですか」

「中野渡は所用がありまして、代わりに私が参りました。先日、お会いした東京中央銀行営業第二部次長、半沢です」

「代理を寄越したというのか、中野渡さんは」

歯ぎしりとともに声を絞り出した乃原は、燃えさかる目を半沢に向けた。

「その通りです。何か、問題がありますか」

平然と問うた半沢に、

「頭取は、これがどういう話し合いか、わかっていたはずだ」

乃原が顔色を変えた。記者席からは、わざわざ呼んでおいてなんなんだ、という怒りのつぶやきも聞こえてきている。

「乃原先生からのお話に、きちんと対応せよといわれて参りました。それに、このように大勢の第三者がいらっしゃるとは事前に何のお知らせもありませんでしたが」

半沢は横目で記者席を一瞥し、「帝国航空という個別企業の大切な交渉を、当事者以外の前でするというのは問題があると思いますが、いかがですか」、と問うた。

「問題なんかあるわけないだろう」

乃原は苛立ち、吐き捨てた。「帝国航空は白井タスクフォースを公式に受け入れている。つまり、我々タスクフォースは実質的に、帝国航空の代理人だ」

「それがどういう法律に沿った立場なのか、以前から質問していますが、こたえていただいていませんね。いまも同じですか」

肩すかしをくってざわついていた記者席だが、乃原と半沢との間で始まった思いがけない鍔迫《つばぜ》り合いに興味を惹かれ、急速に静まりかえっていく。

「当たり前だろ」

大きな声で乃原は言い放った。「不愉快だ。そもそも、白井大臣、箕部代議士の前で、その態度はなんだ。失礼だろう」

「何か失礼があったのなら、お詫び申し上げます」

といっても言葉だけで実際、頭を下げるわけでもない。「それより、先日、非公式ルートで乃原さんから、当行の中野渡に検討を要請された件について、結論を申し上げたいのですが。よろしいでしょうか」

「いいだろうとも。もちろん、前向きの返事なんだろうな」

乃原に歪《ゆが》んだ笑みが浮かんだ。

その相手に向かって、半沢ははっきりした口調でいった。

「先日、再検討を依頼された帝国航空に対する債権放棄の件――、お断り申し上げます」

乃原からの返事はない。あんぐりと口を開き、半沢を見据えたまま言葉を失っている。

乃原だけではなかった。記者席も水を打ったようになり、白井、そして箕部さえも、茫然として動けないでいる。

ひと呼吸おいて、どよめきが部屋を包み込んだ。

乃原は、熾火《おきび》のような怒りを燃やした瞳を半沢に投げている。

「東京中央銀行に、我々の要請を拒絶する資格はないはずだ」

低く唸るような声を、乃原は出した。

「資格はあります。我々は債権者ですので」

半沢は静かに言い返す。「特段の理由もなく、自主再建が可能な企業に対する借金を棒引きにするわけには参りません。それでは株主が納得しない」

「冗談じゃないぞ、君」

箕部が吐き捨て、乃原に加勢してきたのはそのときだ。「株主がだって？　いったい、銀行の株主が何人いるんだ。そんなことのために、世論を無視するつもりか。帝国航空がこれだけ傷んでいるのに、銀行だけが金儲け主義で木で鼻を括《くく》ったような態度を取る。それが公共性のある企業のすることなのか」

「お言葉ですが、自主再建が可能なのに、債権放棄をする銀行はありません。我々は、親切でカネを貸しているわけではない。ビジネスとして融資しています。返す力があるのなら、借りたものは返す。そんなことは当たり前の話ではないでしょうか」

半沢はこたえた。「もし、違うとおっしゃるのなら、なぜ違うのか、論理的に説明していただきたい」

箕部の顔面に怒りが浮かんだ。

「君がいってるのは、銀行の理屈だろうが。そうじゃない。我々は国益を考えていってるんだ。一銀行のちっぽけな利益しか眼中にない連中のために、社会全体が迷惑する。そんなことでいいのかといっている」

「我々の目的は、銀行業務の発展を通して社会に貢献することです、箕部先生」

半沢は真正面から箕部を見据えた。「この五百億円があれば、他で資金繰りに苦しんでいる多くの企業に融資ができる。あなたは航空行政という一面しか考えておられないようですが、この日本を支えているのは帝国航空だけじゃありません。我々は、多くの一般企業にこそ資金を供給しなければならないと考えております。その社会的貢献こそが、我々の使命に他なりません」

「そんなことをいってるんじゃありません」

凜とした声で白井が論戦に加わってきた。「銀行は、世論を無視されるというんですか」

「銀行の与信判断は、世論に左右される性質のものではありません。先日、申し上げた通り、合理的な理屈に基づいて導き出されるものです」

白井がぐっと言葉を呑み込んだ。半沢は続ける。「白井大臣は世論とおっしゃいましたが、それはどんな世論ですか。世論はひとつではないはずです。我々銀行の立場を理解する世論はないんでしょうか。自主再建可能な大企業で借金を棒引きするのなら、オレたちを救ってくれよと、そう嘆き憤る世論はないんでしょうか。世論が大多数だから従うのが当然というのは、そもそも、あなた方進政党が掲げてきた弱者救済の政党理念とも矛盾するんじゃありませんか。その点、どうお考えなのかご説明願いたい」

半沢の指摘に記者席から拍手が湧き、白井が顔をしかめた。思いがけない反応だったのだろう。

「話にならないですわね」

負けず嫌いの白井が吐き捨てるようにいい、記者席を向いて話し始めた。「ああいえばこういう。一見、もっともらしいことをおっしゃっているけれど、じゃあ、銀行が弱者である中小零細企業を救っているんですか？　貸し渋りに貸し剥がし。銀行の評判は、巷《ちまた》でもひどいものです。あなたがおっしゃる理念は、絵に描いた餅ですよ。立派なお題目を掲げてはいるけれど、実態は単なる金儲け主義でしょう。建前はうんざりです。もっと真剣に、帝国航空を救いたいと、そうお考えにはならないんですか」

「白井大臣、あなたは就任会見で、帝国航空再生タスクフォースの設立をぶち上げ、その場で旧政権による再建案を真っ先に否定されました。否定されるぐらいですから、その再建案の中身を検討されたんですよね」

半沢は白井を直視してきいた。「どうなんです」

白井の目が、揺れ動いた。

「中身は——私は、確認していません」

戸惑いの混じった返事である。

「じゃあ、なぜ否定されたんです。あの再建案は信用に足る立派なものでした。銀行団も同意していた。帝国航空が、経営努力による自主再建によって復活する行程がしっかりと計画されていました。その再建案を、否定された理由を教えていただけませんか」

何か反論の言葉を口にしようとした白井だが、どうやらその努力は徒労に終わったようだった。白井にそれが説明できないことは、誰が見ても明らかだ。

「それは私から説明しよう」

助け船を出したのは乃原である。「前政権時代の再建案は、内容が甘過ぎるからだ。あれでの再建は覚束《おぼつか》ない」

「根拠がありません」

半沢はばっさりと切り捨てた。「それはあなたの私見に過ぎません。そして、あなたはいまに至るまで、ご自分の判断の根拠をついに示していません。帝国航空のためだといいながら、あなた方がやったことは、単なる売名行為と変わりません。帝国航空を政治の道具にし、挙げ句、十億円のタスクフォース費用まで同社につけ回す。こんなバカな話がありますか。私は、帝国航空の再建を真摯に望む者のひとりとして、白井大臣、あなたには先ほどの言葉をそっくりそのままお返しします。もっと真剣に、帝国航空の救済を考えていただきたかった」

半沢の発言は、白井に向けた強烈な皮肉であった。

「以上のような理由で、東京中央銀行は、債権放棄は断固として拒絶します」

会場内は、固唾を呑んだまま、この議論の行く末に息をひそめている。

不気味なほどの睨み合いの末、乃原の目に得体の知れない光が解き放たれたのは、そのときであった。

4

「随分、聖人君子ぶっているが、そもそも東京中央銀行に、そんな偉そうなことをいう資格があるのか？」

ねじ込むような視線とともにいった乃原は、怪しげな笑みすら浮かべ、半沢と対峙している。

「あんたがいくら立派なことをいったところで、東京中央銀行はスキャンダルから逃れることはできない。過去の悪行の数々を皆さんにお話ししようか。それでもいいんだな」

「それを、ここでおっしゃるつもりですか、乃原さん。それならば、どうぞ」

乃原の脅迫を、驚いたことに半沢は淡々と受け止めた。

「おもしろいじゃないか。我々にケンカを売るつもりか。銀行員にそんな度胸があるのかよ」

乃原は、脂ぎった浅黒い頬を揺らして、短い笑いを吐き出す。「何よりも大切な銀行の信用を傷つけられたら困るんじゃないの？　なあ、そうだよなあ」

「乃原さん、そういうあなたこそ、根本的に勘違いしていませんか」

半沢の反論は、乃原を身構えさせた。「我々が守っている信用は、安直に目先の不都合を隠蔽すれば守れるほど軽いものではありません」

「なんだと」

乃原が、憎々しげに歯をむき出す。

「何かおっしゃりたいことがあるのなら、どうぞおっしゃってください」

半沢は低い声でいった。「我々はまったく構わない」

ぐっと押し黙った乃原から、言葉はない。その目が俄《にわか》に動き、このやりとりに怒り、青ざめている箕部の存在を意識したのがわかる。

乃原の切り札は、諸刃の剣だ。返す刀で、箕部を傷つけ、それはすなわち自らの地位を危うくすることを意味している。

そのとき、

「あなたがいえないのなら、私から説明しましょう」

半沢から思いがけないひと言が飛び出し、はっと箕部が身を乗り出すのがわかった。何事かいわんとしたものの、あまりに予想外の展開で声は出ない。それには構わず、記者たちに聞こえるように、半沢は続けた。

「いまから十五年前、旧東京第一銀行は、当時憲民党の有力政治家だった箕部啓治代議士から、ある個人融資を持ちかけられました。舞橋市にある箕部代議士のファミリー企業――仮にM社としましょう――そのM社が、舞橋市郊外にある土地を二十億円で購入するための転貸資金です。その土地はその数年後、舞橋空港の建設予定地となって値上がりし、M社は巨額の利益を得て、それまで青息吐息だった業績は回復。まさに、政治家としての地位を利用して得た情報による錬金術です。旧東京第一銀行は、その金儲けのからくりを知りつつ、表向きはマンション建設資金として二十億円を箕部代議士に融資し、五年間、無担保のまま不適切な資金を供与していました」

誰ひとりとして口を開くものはいない。半沢は続ける。「当行では今後、当時の融資状況について行内で詳しく調査を行うつもりです。本融資は、銀行として企業モラルを問われても仕方のない与信行動であり、これについて過ちを過ちと認め、謝罪の上、処分を受ける覚悟でおります」

「聞き捨てならないな、君」

ついに怒声を発し、箕部が立ち上がった。「私がそんな金儲けをしたというのか。言いがかりにもほどがある！　たしかに、私は当時の東京第一銀行から融資を受けたことがある。だがそれは、親戚が経営する会社の資金繰りを助けるためだ。それで私が金儲けをしたような言い方をされるのは、甚《はなは》だ心外だ。発言を取り消せ！」

「では、M社が購入した土地がその後舞橋空港の建設予定地になったのは、偶然なんでしょうか」

「事実無根。言いがかりだ」

箕部は、全面否定して争う構えをみせた。「そもそもあの会社に資金を貸し付けた当時は、空港賛成派と反対派で割れた市長選が行われる前のことだ。先行きがまったく見えない時期に、そこまでの巨額投資で儲けようなどと思うはずがない」

唾を飛ばして反論する箕部の横では、白井もまた怒りに青ざめた顔でやりとりを窺っている。

「本当にそういい切れますか」

半沢から、冷静な反論が繰り出された。「当時の市長選は、空港賛成派の現市長の圧倒的有利と見られていました。そして、実際の選挙でも圧勝だった。空港建設予定地については、それ以前から検討が進められており、あなたがおっしゃるほどの不確定要素があったとは到底、いえません」

「あの会社は不動産会社だぞ！」

箕部は、顔を真っ赤にして怒鳴った。「土地を買うのは当たり前じゃないか。空港賛成派はたしかに君がいうように優勢だったかも知れない。であれば、空港ができそうな場所を探して投資する。これは、極めて当たり前の業務だろう。何が錬金術だ」

「空港ができるかどうかもわからない土地に、二十億円を借りて投資するんですか」

半沢は指摘した。「いったい、利息はいくらになるでしょう。金利一パーセントでも、年間二千万円です。普通、そんなことをしますか、箕部先生」

「普通がどうかなんて話は知らないよ、君。事実なんだから仕方がないだろ！」

——政治とカネのスキャンダルからの訣別《けつべつ》。

それが箕部啓治がかつて仲間とともに進政党を結党したときに掲げた、スローガンだった。

昨年の国政選挙で、憲民党の金権政治に失望した国民の票を大量に集め、地滑り的勝利を収めた進政党の、まさにメッキが剥がれようとする瞬間に、記者たちが固唾を呑んでいる。その彼らに向かってやがて箕部は弁明を始めた。

「私はたしかに、親戚の会社のために二十億円を用立てして運転資金として貸しました。それは事実ですよ。しかしですね、私は、元利金以外のものは何ももらっていません」

手振りを交えた、必死の説得だ。それから再び半沢を振り向いて大声を出した。「これはとんでもない濡れ衣だぞ、君。名誉毀損だ。この場で発言を撤回して謝罪したまえ！」

半沢に向かってまっすぐに指を突きつけた箕部は、迸《ほとばし》る怒りで顔面を紅潮させている。

「間違っているのなら、謝罪します、箕部先生」

いま、半沢は静かにいった。「ですが、その必要はない」

「だったら、証拠を出したまえ、証拠を！」

箕部は、突き出した腕を上下に動かして、吠えた。「そこまでいうのなら、しかるべき証拠があるんだろうな。どうなんだ。あるのか？　ありはしないだろうが」

聞いていた乃原の口元が緩み、長い息が吐き出された。証拠云々の話になれば箕部優勢、そう見たのだろう。

ざまあみろ——。

そう言いたげな目を向けてきた乃原の隣では、白井もまた怒り混じりの表情を半沢に向けている。

さすがに、この場で証拠など出しようがない。

記者席も含め、誰もが思ったそのとき、半沢が傍らに置いたカバンから、一通の書類を取り出した。

「そこまでおっしゃるのでしたら、どうぞ」

テーブル越しに渡した途端、あっ、という声にならない声を上げ、箕部の顎が落ちた。

その顔面から音がするほどの勢いで血の気が失せていき、書類を持つ手がガタガタと震え始める。

半沢が手渡したのは、紀本が保管していた段ボール箱に入っていたものの一部だ。

「M社の送金記録をメモしたものです」

静かに半沢がいった。「利息だけどころか、多いときで年間四億円ものカネをあなたは受け取っているじゃないですか」

なぜだ——。

瞬きすら忘れた箕部の表情には、驚愕が貼り付いていた。それは、化学反応を起こしたように恐怖のそれへと転じていく。

「その資料は、この十年間におけるM社から箕部さんへの送金記録です。総額は十億円以上。一部は選挙資金でしょうか、選挙前後には一億円近い金額が振り込まれ、あなたはそれを現金で引き出していますね。そしてここからが肝心なところですが——」

半沢は静かに止《とど》めを刺した。「調べたところ、あなたはこれらの資金を、選挙運動費用収支報告書にも、政治資金収支報告書にも記載していません」

凍り付いたようだった記者席が騒がしくなっていく。

「そ、それはコンサルティングの報酬として受け取ったもので……な、何も怪しい資金《カネ》ではない」

箕部は必死で弁明したが、もはや劣勢を跳ね返すだけの証拠も論理もありはしない。

「そんな言い訳が通用すると思っていらっしゃるとしたら、国民を愚弄した話ですよ、箕部先生」

「茶番だ！」

箕部が頬を震わせて怒鳴ったかと思うと、立ち上がった。「こんなバカな話があるか。私には何もやましいことはない。不愉快だ！」

そう言い放つと、箕部は席を蹴って小走りに会場を後にしようとした。その背中を記者たちが一斉に追い始め、会場は瞬く間に混乱の渦に巻き込まれていく。

「さて、まだ何かいいたいことがありますか、乃原さん、白井大臣」

半沢の問いかけに、乃原は怒りに黒ずんだ顔を向けたまま言葉を失い、白井は怒りと屈辱で顔面蒼白になったまま押し黙るしかなかった。

5

「そろそろか……」

書類から顔を上げた紀本は、午後五時を指している掛け時計を見てひとりごちた。

中野渡と乃原らタスクフォースの面談が始まる頃だ。おそらく、このトップ面談で債権放棄の方向性が固まり、近日中に開かれる役員会に正式に諮《はか》られ承認されることになるだろう。

債権放棄を決めれば、箕部問題での行内処分も検討されることになるだろう。書類が出てこないのは気になるが、灰谷あたりに責任を押し付ければ、切り抜けるのはそう難しいことではないはずだ。

「なんとか、乗り切れるか」

ドアがノックされ秘書が顔を出したのは、また紀本がつぶやいたときであった。

「常務。頭取がお呼びです」

意外なひと言に、紀本はぎょっとして秘書をまじまじと見てしまった。

「頭取が？」

もう一度壁の時計を見上げ、さらに腕時計の針を確認した紀本は、意表を衝《つ》かれた顔を秘書に向けている。

「頭取が、いま部屋にいらっしゃるというのか」

秘書は、怪訝そうな表情をこちらに向けた。

どういうことだ。

いま紀本の中で、信じて疑わなかった構図に罅《ひび》が入った。

「帝国航空に行かれてるはずだが」

紀本の言葉に、秘書はさらに困惑して、「ですが――、頭取から直接私のところに……」、と言葉を濁す。

まさか。タスクフォースに出向いていないのか。

自分の知らないところで直前に何らかの変更があったのかも知れない。

「いま行く」

秘書を下がらせた紀本は、すぐさま乃原の携帯にかけたが、呼び出し音が聞こえるばかりで相手は出ない。

何か手違いがあったのかも知れない。

胸騒ぎを覚えた紀本は、とりあえず上着を掴むと、足早に執務室を出て頭取の部屋へと向かう。その紀本の姿を見て、頭取秘書が席を立ってきた。

「頭取」

入室して中野渡の姿をそこに見た紀本は、戸惑いを隠せなかった。「タスクフォースの面談へ行かれるはずなのでは」

「あれは、半沢に行ってもらった」

「半沢に？」

　思いも寄らない答えに紀本はしばし絶句し、この事態をどう捉えていいのかわからず、口ごもる。

「彼ならしっかりやってくれるだろう。まあそれはともかく、どうぞ掛けたまえ」

　中野渡に勧められたソファにはひとり、先客がいた。

　どこかで見たような気もするが、果たして誰なのか、紀本は思い出すことができない。

「検査部の富岡君だ」

　中野渡に紹介された途端、紀本は警戒して言葉を呑んだ。富岡といえば、合同書庫から持ち出されたという書類について、灰谷が関与を疑っていた男のはずだ。その男がどうして……。その不安を押し隠し、紀本は口を開いた。

「半沢に向かわせたとのことですが、債権放棄についてはどのように」

　当然、債権放棄受け入れが表明されるべきシナリオだ。もちろん乃原もそれを期待しているし、そのために箕部や白井まで招いた「政治ショー」のお膳立てがなされている。

　だがいま、静かに肘掛け椅子に納まっている頭取から返ってきたのは、紀本の心中深く、推し量ろうとでもする眼差しだった。

　そして、

「債権放棄は見送る。従前の決定通りにな」

予想外の返事は、紀本を驚愕させた。

今頃、あの半沢が乃原とどんなやりとりをしているのか、想像もつかない。いや、想像したくもなかった。

「しかし、よろしいんですか。記者たちも大勢詰めかけていると聞いていますが。もし、白井大臣に不愉快な思いをさせるようなことでもあれば――」

「帝国航空の担当は、半沢だ」

紀本の発言を遮るようにして、中野渡はいった。「この件については彼に任せた。それでいい。ところで、いま君に来てもらったのは、今後のことを話し合う必要があると思ったものでね」

やおら中野渡は話の舵《かじ》を切り、紀本の前に一通の書類を滑らせて寄越した。

無言で促され、その書類に手を伸ばした紀本の目が、衝撃に見開かれたのはその直後だ。そのリストに記載されていたのは、長く紀本らが隠蔽してきた問題融資の数々だったからである。

言葉を失った紀本を前に、いま中野渡がおもむろに口を開いた。

「旧東京第一銀行と旧産業中央銀行の合併が決まったのは、いまから十年前だ。対等合併の条件として、当時の頭取同士がお互いに申し合わせたのはただ一点、不良債権の処理だった。旧銀行の煤《すす》を払い、身ぎれいになって一緒になろうと約束したわけだ。実際その約束に基づいて旧産業中央銀行は一千億円規模の損失処理を実施し、行内の膿《うみ》を一掃し、体質の健全化を一気に推《お》し進めた。また、旧東京第一銀行も巨額の不良債権処理を行い、こちらは残念なことに二千億円にも上る赤字に転落。一行だけではとても立ちゆかない事態となり、図らずも合併そのものが救済の意味合いを持つことになった」

「いえ、それは違うと思います」

紀本は、心の底で渦巻く不安と戦いながらも、捨てきれないプライドの一端を覗かせた。

「私どもには、私どものプランがあった。たとえ巨額の不良債権処理であっても、数年かけて処理すれば切り抜けることができたんです。その辺りの認識は正しく持っていただかないと」

「そうかも知れない」

中野渡はいった。

「旧東京第一銀行の業績見通しについての見解は、様々あるだろう。あくまで対等だという者もいれば、実質救済だという者もいる。いずれにせよ、その間に様々な障壁をお互いが乗り越え、この東京中央銀行が誕生したことに、私は純粋に誇りと喜びを感じた。グローバル化の中で厳しい国際競争を乗り切れるだけのメガバンクが誕生したんだ。その意味では、旧産業中央銀行一行だけでは到底成しえない地位と存在感を得た。私は当時常務だったが、いまでも、合併調印の場が昨日のことのように思い出されるよ」

中野渡はそのときの様子を思い出すかのように、遠い目を頭取室の窓から見える大手町界隈《かいわい》の光景に向けた。

「正直なところ、これで東京中央銀行は押しも押されもしない、国内トップバンクになれると私は信じていた。ところが——一旦行内に目を向けると、とてもトップバンクとはいえない、予想外の難関が待ち受けていた。出身銀行同士による派閥意識と不信感だ。そうした旧閥意識を生み出すきっかけになったのは、合併行の船出後まもなくして発覚した、旧東京第一銀行時代の乱脈融資だったと思う」

それを指摘された途端、紀本は全身を硬直させ、唇を硬く結んだ。それはまさに、旧東京第一銀行出身者からすれば、痛恨ともいえる醜聞だったからだ。

旧東京第一時代の融資に端を発した事件のために、当時東京中央銀行の頭取だった旧産業中央銀行出身の岸本真治《きしもとしんじ》が記者会見で頭を下げる。対等合併を標榜《ひょうぼう》していた東京中央銀行の行内バランスは崩れ、大きく旧産業中央銀行へと傾いた瞬間である。

「あのときの議論は君も覚えていると思う」

中野渡はいった。「旧東京第一銀行出身の役員たちは、この融資について認識していなかったといった。我々も騙されたのだという説明を繰り返し、これは不幸な事故だったのだという主張を変えなかった。だが、本当にそうだろうか。もし、本当に信じていた融資先に騙されたのだとすれば、なぜ当時の牧野副頭取が自ら命を絶たねばならなかったのか。旧東京第一銀行頭取としての誇りと責任があるのなら、やるべきことは他にあったはずだ」

「牧野副頭取は、潔癖な人でした」

紀本は弁明した。「きっと、あのスキャンダルで新銀行に迷惑をかけたことが耐えられなかったんでしょう」

「もしかすると君のいう通りかも知れない。だが、この際正直にいうが、私はそうではないと思う」

真正面から紀本を見据え、中野渡はいった。「あのとき行内は大混乱に陥った。そんな乱脈融資があるのなら、なぜ合併前に処理しなかったのかという当然の批判が噴出し、旧東京第一銀行は、問題融資を表沙汰にせず隠蔽しているのではないかという疑心暗鬼がひとり歩きし、抜き難い相互不信の温床となってしまった。それをしっかりと否定することができるとすれば、旧東京第一銀行の頭取だった牧野さんだけだったはずだ。もちろん、当時の岸本頭取も、役員のひとりとしてその渦中にいた私もそれを期待していたし、当然、牧野さんはそうするだろうと思った。だが、牧野さんはそうはせず、否定も肯定もしないまま、ただ家族とそして銀行への感謝の言葉だけを残して自裁した」

牧野の無念に思い至ったかのように、中野渡は目を伏せ、言葉を切った。それが死んだ牧野への追悼であるかのように静まり返った頭取室に、塵《ちり》のように降り積もる都会の喧噪が忍び入ってくる。

「当時の私は、その死をどうとらえていいかわからなかった」

その静寂を破り、再び中野渡はいった。「君がいったように、新銀行に迷惑をかけたから亡くなったのか。それとも他に死ななければならない理由があったのか。だが、その死の意味について深く検討する余裕のないまま、我々は損なわれた社会的信用の回復に奔走《ほんそう》し、同時に、人心が分裂した行内をいかにまとめていくかという難問に立ち向かわなければならなかった」

中野渡が語る内容はそのまま、東京中央銀行の苦闘の歴史そのものだ。

「当時の私は、社会的信用を回復することがいかに難しいかを、ことある毎に部下に説いていた。信用は一日にしてならず。しかし失墜するのはあっという間だ。銀行の看板がいかに重要であるか。また、その信用さえ回復できれば、躓《つまず》いたものの東京中央銀行は順調に成長していくものとばかり考えていた。だが、その私の考えは多少甘かったようだ」

胸の前で指を組み、淡々と語る中野渡は、そのとき深い息を洩らした。まるで、心の奥底にひそむ思念までもがこぼれ出そうな吐息であった。

「頭取の座を譲られて七年。頭取として、私が最も心を砕いてきたのは、行内融和だった。業績は順調に推移し、世の中の信用も回復する一方で、行員たちに見られる旧閥意識は根強いまま、行内のそこかしこで意味のない衝突が繰り返されていた。旧Tと旧Sという頭文字でお互いを揶揄し、批判し合う土壌が生まれ、旧出身行の勢力を増長させようという見当違いな行動のために、どれほど無駄な労力が注がれてきたのか。果たしてどうすれば、そうした軋轢《あつれき》と相互不信から行員たちを解き放ち、胸襟《きょうきん》を開くことができるか。真剣にそれを考えた私は、そのときになって初めて、新銀行が犯したミスに気づいた。それは、牧野さんが死んだとき、我々は問題を取り違えていたのではないかということだった」

中野渡の指摘に、紀本はひそかに息を呑み、瞬きすら忘れた。「あのとき公になった乱脈融資そのものはたしかに大事件であったろう。だが、我々にとっての本当の問題は、旧東京第一銀行の融資への本質的な信頼が損なわれたということだったんだ。その結果、旧Sの連中は、旧Tはまだ問題貸し出しを隠蔽しているといい、旧Tは旧Sの対応に神経をとがらせ、銀行を乗っ取るつもりではないかとの警戒心が拭えなくなった。違うかね」

紀本に向けられたその問いは、ただ発せられたに過ぎず、紀本の返答を期待したものではなかった。きくまでもなく、それがまさに正論であることを、中野渡は確信していただろうから。

「あのとき、我々はお互いの融資内容について、徹底的に検証し、真相を究明すべきだった。その上で、牧野さんの死について論ずるべきだった。だが、ただ表に出てきたひとつの事件の表面的な処理にかまけて、肝心な深部にまで当時の我々は考えが及ばなかった。そのことは私の反省として残り、その教訓をきちんと生かそうという新たな決意につながった。その決意とは——」

中野渡はまっすぐに紀本を見据えた。「私なりに、もう一度牧野さんの死の意味を問おうというものだ。あの人はなぜ、死んだのか。死ななければならなかったのか。そのために真実を究明し、この新銀行に本当の行内融和を実現する。それが私の決意だ」

毅然と言い放った中野渡は、いま紀本の手に取られたままの書類に視線を向けて続ける。「そのために私がしたことは、旧銀行の問題融資を再調査することだった。こうなった以上公にせず、ひそかに、作業を進めなければならないと思った。もし、何もなければ、牧野さんは君がいった通り、清廉潔白のうちに、あまりにも潔く死を選択したことになる。だが、そうでないとすれば、果たしてその死とは一体、なんであったろう」

かくして中野渡が得ることになった〝真実〟に思いを巡らせ、書類を持つ紀本の指に力が入り、拳になっていく。

「もはや説明は不要だろう。残念ながら、旧東京第一銀行には、いまだ数多くの問題貸し出しが解消されぬまま隠蔽されていた。それを調べ上げたのは、そこにいる検査部の富岡君だ。いま私は、彼の報告により、それらの融資がなぜ生まれたのか、何が問題なのか、誰が責任者で、現在どのような状況になっているかを知っている。これが表沙汰になれば、どれほど銀行の信用を毀《き》損《そん》させることになるか。どれだけ世間の批判を浴びることになるのかもね。つまりようやく、私の状況認識は、君の得ているそれに追いついたというわけだ。それによっていまの私は、あのとき牧野さんが直面していた危機感を、十年の歳月を経て初めて共有することになった。そうして初めて、牧野治という男が何故《なにゆえ》、自殺を選んだのか、その真相に到達することができたと確信している」

挑むように中野渡は体を起こし、紀本に偽りの欠片もない剛直そのものの視線を向けてきた。

「牧野副頭取は、事実を隠蔽するために死んだ」

重々しく突きつけられたその一言に、紀本は気圧されたようにのけぞったまま動けなくなった。

「自分の名誉と、そして君たち旧東京第一銀行の行員たちの将来のために、彼は事実を隠蔽することを選んだんだ。はっきりと言おう。牧野副頭取のその選択は、間違っていた。彼は死ぬべきではなく、生きて真実を明らかにし、責任を取るべきだったと思う」

話しながら、中野渡の意識はいまこの場にはなく、過去を彷徨《さまよ》っているかのようだ。「実は、私は牧野治というバンカーを、合併前からよく知っていた。優秀で、国際感覚に優れた、傑出したバンカーだったと思う。曇りないエリート街道を突き進んできた牧野さんだが、それだけに、様々なしがらみに足を取られ、抜け出せなくなった自分が許せなかったのかも知れない。いずれにせよ、彼が最後に下した決断は、間違っていた。死して責任を逃れようとすることがどれだけ愚かで、自分勝手なことなのか。だが、それを言い募るのは死者に鞭《むち》打つ行為だ。私は二度と、彼の犯した過ちについて口にするつもりはない。いまここでだけ、そして君にだけ、私の本音を申し上げた」

瞬きも忘れて中野渡と対峙していた紀本はそのとき、中野渡の目に光るものを見て声を呑んだ。

「牧野さんは、いいひとだったよ」

やがて、厳しかった中野渡の表情が緩んだかと思うと、懐かしむような一言が出てきた。「本当に、いいひとだった。生きて一緒に、いまこの銀行が直面する問題を話し合えたらどんなによかったろう。どんなに……」

言葉に詰まった中野渡の頬を涙が伝った。固く唇を結び、その涙を拭おうともしないまま、中野渡は続ける。

「君は、行内融和など夢のまた夢だと思っているかも知れない。だが、そんなことはない。我々が間違わなければ、必ず気持ちはひとつになれる。そのためには、決して逃げてはいけない。他人に転嫁することなく、真摯《しんし》に全てを打ち明け、そして責任を果たしていくことが重要だ。若い行員たちの将来のために。この銀行の未来のために。それこそが我々経営者たる者の覚悟の在《あ》り処《か》であると思う。君の意見を聞かせてもらいたい」

中野渡が話す間、紀本の胸に去来したのは、実に様々な思念と記憶の断片であった。

旧Sへの反感、合併前夜に問題貸し出しを前にした行内のやりとり、牧野自殺の一報を聞いたときのこと、葬儀に押し寄せるマスコミ……。

だがいま——そのどれもが遙か昔の話のように思えるのはなぜだろうか。新銀行が誕生して、すでに十年を超える歳月が過ぎたが、振り返れば光陰のごとく一瞬に思える。その間の月日を、旧東京第一の尊厳に捧げてきた自分の行動が果たして何であったのか。いま中野渡と対峙する紀本にとって、それが銀行員生命を賭してまで守るべきものであったのかどうかさえ、曖昧に思えてしまうのはなぜだろう。

死が、生きる苦闘からの解放なら、紀本の前にある現実こそ、まさにその死に匹敵するものだ。

中野渡の重い視線を受け止め、いま紀本は、すっと長く息を吸い込んだ。

紀本の心象風景の中で、窓の外を橙《だいだい》に染め上げているはずの初夏を思わせる夕空も、丸の内界隈のビル群にも色彩はなく、ただ、無機質な空間に化学変化してしまったかのようだ。

やがて、

「私から申し上げることは何もありません」

紀本は、掠《かす》れた声を絞り出した。「これらの問題貸し出しの対応について、コンプライアンス室と検討したいと思います」

紀本の一言に、中野渡はじっと視線を注いだままだ。その目の奥で、様々な思慮が渦巻いているに違いないが、もはやそこからこぼれてくる言葉はない。

富岡が動いて一本の内線をかけると、やがて猫背で長身の男が頭取室に入ってきた。コンプライアンス室長の高橋《たかはし》だ。

すでに話は通っているに違いない。

険しい表情で入室してきた高橋は、あばたの浮いた青白い顔で紀本を覗き込んでくる。

前から思っていたけれど、こいつ「死に神」みたいだな、とそのとき紀本は思い、場違いな笑いを唇の端に挟んだ。

6

「これは由々しき事態だよ、君」

首相の的場はいい、テーブルを挟んだ椅子にかけている白井に冷ややかな眼差しを向けた。

「箕部さんがあんなことになってしまい、いまや進政党のクリーンなイメージにキズがついてしまった。政治とカネのスキャンダルからの訣別を旗印にした我が政党にとって大打撃だ。それだけじゃない。いまや世論は、君の国土交通大臣としての手腕に対して大きな疑問符をつけている。それもこれも、君のスタンドプレーが招いた結果だと、重く受け止めてもらいたい」

白井は背筋を伸ばし、悔しさにぐっと唇を噛んだ。負けず嫌いの虫が騒ぎ出し、

「総理、お言葉ですがタスクフォースの立ち上げ自体はご承認いただいたはずです」

反論を口にすると、色白の正方形に近い的場の顔がしかめられて平行四辺形になった。

「そりゃあ、認めるしかないだろう」

短気な男らしく、的場は、苛立ちを滲ませた。「事前にろくな相談もなく、私設タスクフォースだなんて。誰の入れ知恵か知らないが、記者会見でぶち上げたものを否定すれば政府の意思疎通が疑われる。一枚岩のイメージだって損なわれるところだったんだ。箕部さんから口添えがあったからこそ、政府として追認したに過ぎない」

「申し訳ありませんでした」

的場の勘気《かんき》に触れ、白井は仕方なく、謝罪を口にした。「しかし、あのまま進めれば、帝国航空の再建が憲民党の成果であるかのように――」

「言いたいことはわかる。まず憲民党の否定ありき。それはいい。ならばいま、君の成果はどこにある」

皮肉な問いを発した的場の瞳は、青白い怒りの焔《ほのお》に揺れ動いている。

「あれだけ大々的にタスクフォースをぶち上げ、百人もの専門家を投入して、聞けば費用も帝国航空につけ回したそうだな。私設諮問機関というのなら、君だって幾らか出したんだろう。一千万円か、一億円か、どうなんだ」

的場の嫌味に、白井は俯《うつむ》いた。「まさか、一銭も出していないというんじゃないだろうね。君が出したのは口だけか」

「帝国航空救済の法案を通している時間が無かったんです」

白井は弁明した。「これは国交大臣として航空行政を守るためにしたことです、総理」

「私には、功を焦ったとしか見えなかったがね」

かろうじて出た白井の反論を、的場は一蹴《いっしゅう》した。「法案が無かったから私設するという以前に、君は政府の一員として、私にひと言の相談ぐらいしたのかね。法案が無ければ作ればいいんだ。時間の問題ではなく、それが正しい手続きだ。なのに、あんな子供だましのパフォーマンスで簡単に帝国航空が立ち直ると思ったのか。それで私が諸手《もろて》を挙げて喜ぶとでも？」

的場の鋭い舌鋒に、隙あらば反論を試みようとする白井の努力は無残にも打ち砕かれようとしている。

「白井亜希子という存在が、進政党のイメージの一端を担っていることは否定しない。それについては私も好ましいと考え、国民の人気に配慮した形で、君を国交大臣に抜擢した。だが、どうやら君には少し荷が重すぎたようだ」

「そんなことはありません、総理」

毅然として背筋を伸ばした白井の自信に、的場は鼻に皺を寄せて嫌悪を示した。

「記者たちを集めたあのくだらんパフォーマンスも君の考えか？　政治はショーではないんだよ。挙げ句、東京中央銀行からは債権放棄を拒絶され、箕部さんの政治資金問題まで露見した。いい恥曝《さら》しじゃないか」

「総理、あの場には本当は中野渡頭取が出席するはずだったんです」

白井は釈明した。「あれは、中野渡頭取が約束を反故《ほご》にしたもので――」

「ちゃんと頭取の代理だといって行員がやってきたじゃないか。何をいってるんだ、君は。交渉が頭取だったら、うまくいったとでも？」

的場は、白井の発言の空疎さに失笑したが、すぐに鋭い眼光で白井を睨《ね》めつけた。「世間では、あの行員のほうが遙かにまともだと専らの評判だ。箕部、白井、それに乃原という論客が、衆人環視のもと、たったひとりの銀行員に論破されたんだぞ。言い訳の通用する話ではない。君は、はっきりと負けたんだ。しかも、君の得意としているテレビカメラの前でだ」

人差し指を鼻先に突きつけられ、白井は屈辱で真っ赤になった。だが、的場の言葉はまさに事実そのものであり、反論の余地もない。

「私には任命責任がある」

重々しく、的場はいった。「もし、国交大臣としての君の資質および言動が不適切であるのなら、そのときには君を罷免《ひめん》し、しかるべき人材を登用する責務がある。だが、その前に君が自主的に辞任するというのであれば、話は別だ」

はっと、白井の顔が凍り付き、まん丸に見開かれた目が的場に向いた。

「それは、辞任の勧告でしょうか」

気の強い女らしく鋭く問うた白井に、的場は静かに告げる。

「先ほど、箕部さんから離党届が提出された」

息を呑み、白井は言葉を失った。

「小耳に挟んだ話だが、箕部さんの政治資金の一部が、君にも流れているという噂があるそうだな」

的場は続ける。「この場で真偽を問うことはしない。カネ塗れのスキャンダルか航空行政混乱の引責かは知らないが、いま君が問われているのは政治家としてのけじめではないだろうか」

話の成り行きを見計らうかのようにドアがノックされ、次の面談相手である官房長官が顔を出した。そこに白井の姿を見つけ、

「あ、失礼」

顔を引っ込めようとするのを、「ああ、構わないよ」、と今までの険相を一変させ、鷹揚な態度で的場は呼び止める。

「白井君との話は終わったから」

退出を促した的場は、呆然としてドアの向こうへ消えていく白井を、もはや振り向きもしなかった。

7

「お疲れさま、半沢。とりあえず、乾杯だ」

渡真利はいい、なみなみとビールが注がれたジョッキを高々と掲げ、打ち鳴らした。

「ただ、無傷ではいられなかったな」

口についた泡を手の甲で拭いながら、そういったのは近藤だ。

半沢がタスクフォースで乃原との面談に臨んだのが半月ほど前のことだ。それがきっかけになって、箕部啓治の「カネ問題」が一気に表面化し、いまだマスコミで騒がれる事態となっている。その一方、東京中央銀行では、旧東京第一銀行時代の問題貸し出しについて金融庁に報告を行い、記者会見を開いて十三件、千五百億円に上る融資について「コンプライアンス上の問題があった」と発表した。昨日のことである。その席で、中野渡頭取が謝罪し、再発防止と法令遵守《じゅんしゅ》、さらにモラルの徹底を誓った。

「紀本さんも最後は観念して、全ての問題貸し出しについて、行内調査に協力的だったそうだ」

最後まで抵抗するだろうと思っていたらしい渡真利は、それがさも意外だといいたげだ。

紀本平八の辞任は、もはや逃れようのない既定路線となっていた。法人部の灰谷をはじめ、問題貸し出しに関与した行員たちに対しては、近日中になんらかの人事が発令されることになっている。

「それにしても、一番の被害者は帝国航空かも知れないな。政治の道具にされて散々かき回された挙げ句、タスクフォースが空中分解しちまったんだからな」

白井亜希子が、国交大臣を電撃辞任したのは昨日のことであった。まさに青天の霹靂《へきれき》で、あれだけ圧勝した進政党政権は出だしから大きく躓くことになった。

「資金繰りは待ったなしだからな」

さすがの渡真利もふいに重たい表情になって、半沢に問うた。「どうなるんだ、帝国航空は」

「企業再生支援機構に救済させるアイデアが水面下で進行しているらしい」

半沢の話に、

「誰にきいた」

渡真利が驚いてたずねた。いま半沢の胸に浮かんだのは、昨日金融庁で開かれた記者会見場での一幕である。

百五十席設けたという会見場が満杯になったのは、東京中央銀行の問題貸し出しが箕部啓治の政治資金問題と密接に結びついているという事実があったからに他ならない。

問題貸し出しの全容と中野渡ら銀行首脳の質疑応答を、そのとき会見場の最後列で見ていた半沢は、ふと視線を感じて振り返った。

「あら、あなたも来てたの」

さも愉快そうな顔で話しかけてきたのは、金融庁検査官の黒崎であった。

「いろいろ、ご迷惑をおかけしました」

小声でいい、頭を下げた半沢に、「まったく、どこまで行ってもお宅の銀行は腐ってるわね」、そう黒崎はいつもの憎まれ口で応じる。

「ひとつ、質問していいでしょうか」

その黒崎に、半沢は問うた。「舞橋ステートの件、黒崎さんは箕部啓治との関係を全てご存じだったんじゃないですか」

「知らないわよ、そんなこと」

黒崎は顔の前で手をひらりと動かした。「そもそも、なんで私がそんなこと知ってなきゃいけないわけ」

「様々な銀行の検査では、表沙汰にできない事実を把握されることもあるのかと思いまして」

半沢は黒崎の表情を観察しながらいった。「たとえば、政治に関するスキャンダルとか。調べさせてもらったのですが、黒崎さんは破綻した舞橋銀行に検査に行かれたそうですね」

黒崎の反応はない。半沢は、相手の目を見据えた。「金融庁にとって、国交大臣やその私設タスクフォースからの口出しは、自らの領分を侵すもののはずです。霞が関の常識からいって、縦割りを無視した干渉に、あなたが一石を投じたと考えるのはうがち過ぎでしょうか」

「あなた、意外と想像力逞《たくま》しいのね」

黒崎は、半沢の指摘など関心がないかのように皮肉な笑みを浮かべ、「脱官僚だなんだといい気になってるからこんなことになるのよ」、と進政党への敵意の一端を覗かせる。

「おかげで、帝国航空の再建が宙に浮いてしまった」

半沢は、いった。「分類された以上、もはや支援も容易ではなくなってしまいました」

「自業自得じゃない。帝国航空も、おたくの銀行も」

腕組みをした黒崎は、小馬鹿にしたように吐き捨てる。「でも、ひとつだけ教えてあげる。進政党内で、帝国航空を企業再生支援機構に救済させようとする動きがあるらしいわよ」

半沢は刮目《かつもく》して黒崎を見た。

「あそこならファンドもあるし、帝国航空を助けられるかも知れない。もっとも、救済条件についてはどうなるかわからない。場合によっては、あなた達にも覚悟してもらわなきゃならないかもね。まぁ、せいぜい頑張って頂戴」

唇をひん曲げた黒崎は、それだけいうとさっさと背後の扉から姿を消したのであった。

「マジかよ」

渡真利が目を丸くした。「しかし、あそこは、本来中小企業向けの再生ファンドだろ。それが帝国航空を相手にするのか」

「的場総理の繰り出した苦肉の策らしい」

「だけどさ、仮に新たなファンドが救済したとしてもだよ、当の帝国航空が変わらなけりゃカネをドブに捨てるようなもんだと思うけどね」

渡真利は否定的だが、「そんなことはない」、と半沢は念じるようにグラスを見つめた。「ＯＢの企業年金問題もカタがつきそうだし、社員や経営陣の意識だって変わってきている。帝国航空は変われるはずだ」

「で、お前の見たところ、自力再建可能なのか」

そう問われ、半沢は考え込んだ。

「どう再建していくのかはわからない。だけど、どんな形であれ、帝国航空は必ずまた日本の空を飛ぶはずだ。時間はかかっても、必ずナショナルフラッグキャリアは戻ってくるとオレは信じてる」

「だといいけどねえ」

渡真利は、半信半疑といった様子でメニューをのぞき込み、次の酒を選び始めた。

8

半沢が中野渡に呼ばれたのは、さらにひと月程が経過し、一連の騒ぎが収束に向かいかけたある日の午後のことである。帝国航空再生タスクフォースは、白井の辞任に伴って空中分解し、乃原や三国のその後の動静は全くわからなくなっていた。

帝国航空の再建は黒崎の情報通り、企業再生支援機構へとバトンタッチされ、いま新たな再建案の構築を待っているところだ。

執務室に入ったとき、中野渡は背中を向けて窓辺に立ち、大手町界隈の光景を見下ろしていた。

「今回の件はご苦労だった」

入室した半沢を振り向いた頭取は、立ったままねぎらいの言葉を口にした。「いろいろ面倒なことをやり遂げてくれた。ありがとう。私からひと言、そのお礼をいいたくてね」

軽く頭《こうべ》を垂《た》れてこたえた半沢であったが、

「近日中に、金融庁が処分を発表するそうだ。おそらくまた、業務改善命令が出されるだろう」

という中野渡の言葉に、緊張した顔を上げた。中野渡は続ける。「当行は合併行だ。旧東京第一銀行における不祥事とはいえ、それを過去のこととして片付けるわけにはいかん。そして、誰かが、責任を取る必要がある」

言葉を切った中野渡は、百戦錬磨のバンカーとして数々の修羅場をくぐり抜けてきた、その鋭い眼差しを半沢に向けた。

「尽力してくれた君に、私は、この事態に対する私なりの考えを述べておくべきだろう」

中野渡はいった。「私は、頭取に就任してからというもの、長く行内融和を標榜し、出身行にとらわれない、ひとつの銀行になることを目指して努力してきた。君も知っての通り、紀本君には引責をしてもらうことになるが、それだけで幕引きにするつもりはない。今回の事蹟を踏まえれば、己の不徳を嘆くばかりであり、私自身もけじめをつける必要があると思う。私は――」

中野渡は言葉を切ると、剛直そのものの視線を半沢に向けた。「――頭取を辞任する考えだ」

半沢は、心の内側で何かが崩壊するような衝撃を感じてたじろいだ。

言葉を失い、中野渡の決断が果たして妥当なのか考えようとしたが、思考は混乱したまま形にならない。

「物事の是非は、決断したときに決まるものではない」

中野渡はいった。「評価が定まるのは、常に後になってからだ。もしかしたら、間違っているかも知れない。だからこそ、いま自分が正しいと信じる選択をしなければならないと私は思う。決して後悔しないために」

重々しい言葉とともに、しばしの静寂が訪れた。

いま中野渡というひとつの巨星が、表舞台から消えようとしている。

半沢はその事実を受け止めるのがやっとだった。

時代が動き、急速な時の流れに翻弄される。それがこの世に生きている人や会社にとって不可避なものであろうと、その変容に直面したときの驚きや失望、そして感慨をどう避けることができようか。

「お疲れ様でしたと、申し上げるべきでしょうか」

ようやく言葉を絞り出した半沢に、中野渡は、老練なバンカーらしいにやりとした笑いを浮かべた。

「疲れたな、たしかに。だが、頭取でなくなっても、私はバンカーであり続けるだろう。バンカーである以上、常に何かと戦っていなければならない。我々に休息などない」

中野渡の言葉は、ただひたすら直截《ちょくせつ》に、半沢の胸に突き刺さってくる。

いままで七年に亘って東京中央銀行を率いてきた中野渡謙は、清濁併せ呑む戦略家であり、経営者であり、そして何より超一流のバンカーだった。

不良債権処理と金融システム安定化に向けた勇猛果敢な取り組み。そして行内融和への腐心。在任期間中における中野渡の凄まじいまでの奮闘ぶりは半沢の記憶に深く刻まれ、決して色あせることも、忘れ去られることもない。中野渡は、自らの行動をもって、バンカーとしての矜持《きょうじ》と理想、そして戦い方を半沢に教えてくれた。

「ありがとうございました」

おもむろに一歩下がった半沢は、体を折って深々と一礼した。返ってきたのは、

「ご苦労さん」

という、まるで普段と変わらないひと言だ。

ドアを閉めるとき、再び窓辺に立って外を見ている中野渡の背中が見えた。それが、東京中央銀行の頭取室で見た、中野渡謙の最後の勇姿であった。

9

「お前にはいろいろと世話になったな」

富岡はふいに半沢のほうを向いて両手を膝に置き、「ありがとう」、と頭を下げた。

そのいつになく唐突な態度にしばし絶句し、「どうしたんです、改まって」、と半沢がいうと、「ついにオレのところにも、お迎えが来てな」、という意外な返事がある。

半沢は目を丸くして、

「もしかして、出向ですか」

と問う。「どちらへ?」

「東京中央クレジットの審査部長だとよ。つまんねえ仕事だよな。しかも、職場は同じビルの中で代わり映えがしねえ」

ほう、といった半沢は、少々悪戯《いたずら》っぽい気分になって、「よかったですねえ」、と驚いてみせた。

「人事部に忘れられてたわけじゃなかったんだ」

「お前って奴は、ほんとに口が減らねえな」

富岡は、口をへの字にし、「今日は奢れよ。オレの出向祝いだ。わかってるだろうな」

「はいはい。大先輩の門出とあっちゃあ、奢らないわけにはいきませんからね」

半沢はいい、栗焼酎のロックが入ったグラスを掲げると、ふいに真剣な表情になっていった。

「いままで長い間、お世話になりました」

「本当に、世話になったと思ってんのか」

富岡は憎まれ口調でいってみせたが、その目はほんの少し潤んで光っていた。それから真顔で向き直ると、

「こちらこそ、世話になった」

そういった。「最後に一緒に仕事できて——おもしろかったなあ、半沢よ」

肩をぽんと叩く。

「おもしろい、銀行員人生だったなあ。愉快に働かせてもらった」

「オレも、いつか最後に、そういってみたいですよ」

本気でいった半沢に、富岡はにっと笑ってみせただけだ。

中野渡のように日の当たる場所で咲き誇ったわけではない。だがこの富岡もまた、正統派の一流バンカーであったことに違いはない。世間に知られることなく、ひっそりと銀行を去ろうとも、この男が生きてきた道のりは尊く、そして光り輝いている。そのことを半沢は知っている。

かくしてまたひとり、勇者は消えゆき、後に伝説が残る。

それを引き継ぐのがオレの使命だ。

いま半沢は、はっきりとそう胸に誓ったのであった。

本書は「週刊ダイヤモンド」2013年5月18日号から2014年4月5日号まで連載された原稿に、加筆修正したものです。

◉この物語はフィクションであり、実在の人物・団体・事件などと一切関係ありません。

著者

池井戸潤（いけいど・じゅん）

1963年岐阜県生まれ。慶應義塾大学卒業。1998年『果つる底なき』で第44回江戸川乱歩賞を受賞。2010年『鉄の骨』で第31回吉川英治文学新人賞を受賞。2011年『下町ロケット』で第145回直木賞受賞。他の代表作に『空飛ぶタイヤ』『ルーズヴェルト・ゲーム』や、この作品の前作となる半沢直樹シリーズ『オレたちバブル入行組』『オレたち花のバブル組』『ロスジェネの逆襲』などがある。

銀翼のイカロス

2014年7月28日　第1刷発行
2014年8月12日　第3刷発行

著者 ――――池井戸潤

発行所 ―――ダイヤモンド社

〒150-8409 東京都渋谷区神宮前6-12-17
http://www.diamond.co.jp/
電話／03·5778·7236(編集) 03·5778·7240(販売)

装画 ――――龍神貴之

装丁 ――――岩瀬聡

製作進行 ――ダイヤモンド·グラフィック社

印刷 ――――勇進印刷(本文)・加藤文明社(カバー)

製本 ――――ブックアート

編集担当 ――今泉憲志、和田史子

ISBN 978-4-478-02891-9